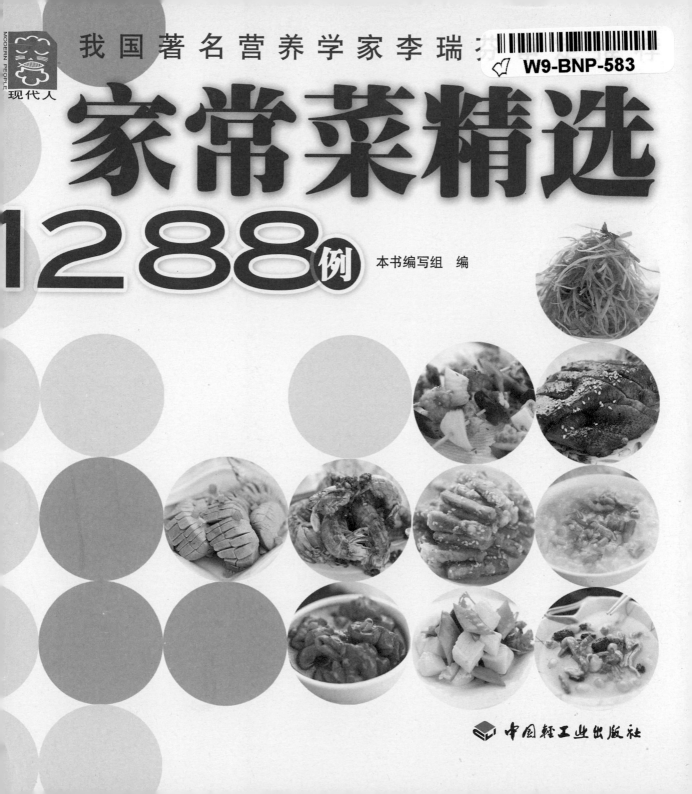

现代人 MODERN PEOPLE

我国著名营养学家李瑞芬

家常菜精选
1288例

本书编写组 编

W9-BNP-583

中国轻工业出版社

目录 CONTENTS

PART1 凉菜篇

PART2 热菜篇

蔬菜类

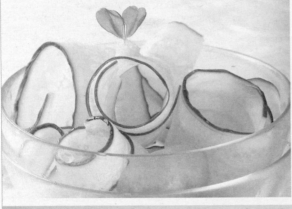

PART3 主食篇

米饭类

面食类

粥类

PART4 汤羹篇

快汤类

煲汤类

其他类

摄影：文 冰 张旭明 杨跃祥 陈华琛
王缉东 刘 水 李 超 赵伟宁
黄铁政

蔬菜类

红油黄瓜

材料：嫩黄瓜300克。

调料：蒜泥、盐各适量，辣椒油、白糖各8克，味精、酱油少许。

做法：

1. 将嫩黄瓜用清水洗净，切去两头，对剖用刀拍后切成小块，放入小盆内，加少量盐腌几分钟，入味后用冷开水洗净沥干。

2. 取一小碗，将盐、辣椒油、酱油、蒜泥、白糖、味精共调成味汁，浇在黄瓜上即可食用。

小提示：黄瓜为低热量食品，其中所含的膳食纤维能促进肠道消化。黄瓜生吃有清甜味，能解渴清热。

香辣黄瓜皮

材料：黄瓜4根，鲜红辣椒1个。

调料：干红辣椒3个、姜丝、花椒、盐、白糖各适量，香油15克。

做法：

1. 黄瓜洗净，切长段，每段切两半，削去瓜瓤和部分黄瓜肉，留约0.3厘米厚的黄瓜皮盛盘，撒上盐，拌匀，腌15分钟，滗去水。

2. 鲜红辣椒洗净，去蒂及子，切丝；干红辣椒切丝，备用；将姜丝撒在腌过的黄瓜皮上，用鲜红辣椒丝作装饰。

3. 锅置火上，倒入香油，放入花椒，炸出香味后，放入干红辣椒炸出香味后熄火，浇在黄瓜皮上，再加入白糖，拌匀即可。

巧变化：调料换成辣椒水10克，盐、白糖各适量，味精少许略拌，就变成了酸辣黄瓜皮。还可把黄瓜皮换成萝卜皮就变成了香辣萝卜皮。

蓑衣黄瓜

材料：黄瓜2根。

调料：干辣椒2个，白糖、盐各适量，味精少许，香叶少许。

做法：

1. 将黄瓜洗净，从一侧斜向切花刀后，于另一侧也斜向切花刀成蓑衣状（注意：不要切断）。

2. 将开水倒入碗中，放入调料制成味汁，待其晾凉后，将切好的黄瓜放入腌制24小时即可。

巧变化：调料换成陈醋20克，白糖10克，盐5克就成了糖醋黄瓜。还可把黄瓜换成胡萝卜即变成蓑衣胡萝卜。

双耳炝黄瓜

材料：银耳、木耳各15克，黄瓜100克。

调料：葱丝、姜丝各适量，盐5克，味精少许，香油3滴。

做法：

1. 将银耳、木耳泡软，黄瓜洗净切片，共入沸水中汆烫至熟，捞出沥干，装盘。

2. 将姜丝、葱丝、香油、盐、味精一起拌匀，浇在双耳和黄瓜上，拌匀即可。

小提示：此菜适用于女性更年期综合征、动脉硬化、眼底出血等症的辅助食疗。

拍黄瓜

材料：黄瓜300克，大蒜4瓣。

调料：芝麻酱15克，醋10克，盐、味精各少许。

做法：

1. 黄瓜洗净擦干，用刀拍松切小段盛盘；大蒜去皮拍碎，放在黄瓜上。

2. 芝麻酱用醋调稀，淋在黄瓜上，撒上盐、味精拌匀即可。

小提示：黄瓜最好先整根拍，然后再切段；如果先将黄瓜切成短段再拍，黄瓜容易"跑"，弄得哪儿都是。根据个人口味喜好，可把芝麻酱换成辣椒油或花椒油。

凉拌竹笋黄瓜

材料：小黄瓜100克，熟竹笋50克，木耳20克，红甜椒少许。

调料：姜末、蒜末、醋各5克，豆瓣酱、盐、白糖各适量，香油少许。

做法：

1. 将竹笋、红甜椒切片；小黄瓜用刀拍松后切段；木耳泡发后撕成小朵，用开水焯熟。

2. 将醋、白糖、香油、豆瓣酱、盐、蒜末、姜末混合拌匀，调成味汁。

3. 将竹笋片、红甜椒片、黄瓜段、木耳盛入盘中，加入味汁拌匀，腌制约20分钟即可。

小提示：选择小黄瓜来做这道菜，与竹笋相配，味道更加清香；如果是普通黄瓜，一定要选新鲜脆嫩的。

凉拌黄瓜小番茄

材料：黄瓜1根，小番茄10个，冰块适量。

调料：芥末适量，生抽5克。

做法：

1. 黄瓜洗净后切成丝，用冰水泡透；小番茄去蒂洗净，对半切开，备用。

2. 在盘中放入小番茄，然后再放上黄瓜丝。

3. 在小碟子里放入适量芥末和生抽，配合黄瓜、番茄一同食用即可。

小提示：如果在席间，吃芥末时辣味上冲，可以立刻拿酒杯来嗅一下，能避免打喷嚏和打嗝。

凉拌苦瓜

材料：苦瓜1根。

调料：干红辣椒2个，蒜末1小匙，花椒10粒，盐、白糖各适量。

做法：

1. 苦瓜洗净，切开，去掉中间的瓤，切成薄片；干红辣椒，切成段。

2. 将切好的苦瓜片浸在凉水中，最好放在冰箱冷藏室里，等到苦瓜片变成透明状时取出，控干水分用盐腌5分钟，再控干水分，拌入白糖，把蒜末均匀撒在苦瓜片上。

3. 锅置火上，倒入油烧至五成热，放入花椒、干红辣椒，慢火炸出香味后，直接倒入苦瓜盘中拌匀即可。

巧变化：调料换成盐适量，味精少许，香油5克就变成香油苦瓜，若把苦瓜换成黄瓜就变成了凉拌黄瓜。

香辣苦瓜

材料：苦瓜200克，鲜红辣椒2个。
调料：香油、盐各适量，味精少许。
做法：
1. 苦瓜洗净剖开，去内瓤及子，切丝，入沸水中略焯，捞出过凉，沥干盛盘；红辣椒洗净切丝。
2. 锅置火上，倒入香油烧热，放入红辣椒丝爆香，制成辣椒油。
3. 将辣椒油及辣椒浇在苦瓜丝上，加入盐、味精拌匀即可。

小提示：苦瓜也可不焯水，用盐腌制10分钟左右，或放入凉水中浸泡约10分钟，都可去除部分苦味。

XO酱拌丝瓜

材料：丝瓜200克。
调料：XO酱30克，盐5克。
做法：
1. 丝瓜洗净，刮去外皮，切成段后再切成长条。
2. 锅置火上，放水烧开，加入油和盐，放入丝瓜条余烫，至水再滚开，改小火煮约1分钟，捞出沥干，放入碗中晾凉，拌入XO酱即可。

小提示：XO酱在超市的调料柜台有出售。

凉拌青木瓜

材料：青木瓜300克，红辣椒1个，熟白芝麻少许。
调料：辣椒油、白醋各适量，盐少许。
做法：
1. 青木瓜洗净，去皮、子，切细丝，放入碗中，加盐拌匀，腌约10分钟；红辣椒洗净，去蒂及子，切丝。
2. 将青木瓜丝用凉开水冲洗，沥干，盛入盘中，加入辣椒丝、辣椒油、白醋拌匀，撒上熟白芝麻即可。

小提示：用木瓜做凉菜，一般要选择成熟前的幼瓜即青木瓜，因其果肉较硬，易于切丝，口感也较爽脆。但由于其不易入味，所以要先用盐腌制，再用清水洗净，并充分沥干。

凉拌木耳瓜丝

材料：西瓜皮 400 克，木耳 15 克。

调料：香油适量，白糖、鸡精、盐各少许。

做法：

1. 将西瓜皮外层硬皮削去，把剩余瓜皮先片成薄片，再改刀切成丝，放碗里，再加上盐腌 10 分钟，用清水漂洗干净，控净水分。

2. 把木耳用温水泡软，洗净杂质，切成细丝状，放沸水锅内焯一下，取出用冷水过凉，控干水分。

3. 把瓜皮丝和木耳丝放在碗里，加上盐、白糖、鸡精、香油调拌均匀，装盘即可。

小提示：为了避免滋生细菌，焯木耳时注意将木耳焯熟。另外，用于木耳过凉的冷水，也一定要是冷开水。

白果凉瓜

材料：凉瓜 250 克，白果 30 克。

调料：盐、味精、水淀粉各适量。

做法：

1. 白果洗净，敲去外壳，放入锅中加水煮约 20 分钟；凉瓜洗净去瓤子，切丁。

2. 锅中放油，烧热，放入白果、凉瓜翻炒约 5 分钟，加入盐、味精炒匀，最后用水淀粉勾薄芡，晾凉即可。

小提示：凉瓜即苦瓜。如果觉得凉瓜苦味过重，可以把切好的凉瓜片放在容器中用凉水冲洗，多洗几次，泡一会儿，苦味就会大大减轻，但不要用热水，不然凉瓜会损失它的营养和清脆口感。

凉拌木耳菜

材料：木耳菜 400 克，银耳 15 克。

调料：盐、醋各适量，香油少许。

做法：

1. 将木耳菜择洗干净，放入煮开的水中灼烫，直到菜色变得绿而鲜亮，立即盛出，过凉，切段；银耳泡发后洗净，撕成小朵。

2. 将木耳菜段盛入盘中，加入银耳，放入调料拌匀即可。

小提示：这道菜的原料也可以根据自己的喜好改用其他的绿叶菜，如菠菜就是很好的选择。

木耳荸荠

材料：荸荠300克，水发黑木耳50克，玉兰片10片。

调料：盐5克，味精、香油各少许。

做法：

1. 荸荠去皮，洗净，切片，煮熟；黑木耳焯水，玉兰片煮熟备用。
2. 黑木耳、玉兰片加盐、味精，拌匀。
3. 加入荸荠片，淋上香油即可。

小提示： 女性月经期间忌吃冷荸荠；糖尿病患者也不宜多吃荸荠。

果汁白菜心

材料：嫩白菜心400克，黄瓜半根，胡萝卜1根。

调料：鲜橙汁50克，白糖、盐各适量。

做法：

1. 白菜心洗净，切丝；黄瓜洗净，切丝；胡萝卜去皮切丝，盛入碗中用盐腌15分钟。
2. 滗去水，加入橙汁、白糖，拌匀即可。

巧变化： 果汁可根据个人喜好更换，如橘子汁、菠萝汁、柠檬汁等。还可把白菜换成藕，变成果汁藕片。

酸辣白菜

材料：嫩白菜300克，干红辣椒2个。

调料：白醋20克，香油10克，白糖5克，姜末、盐各适量。

做法：

1. 白菜取好叶，洗净，切成约5厘米长、3厘米宽的片，入沸水汆烫，捞出沥干晾凉，盛盘；干红辣椒泡软，去蒂、子，切细丝备用。
2. 白菜片撒盐腌约20分钟，倒掉多余汁水，加白糖、白醋拌匀，撒上姜末。
3. 锅置火上，倒入香油烧至六成热，放入干红辣椒丝稍炸，出香味后，起锅倒在白菜上，用盘扣住，闷约20分钟后拌匀即可。

小提示： 此菜中的调料也可换成用红辣椒丝、姜丝、葱丝炸出的油，再加入盐、白醋、白糖、香油调匀，浇入白菜中拌匀即可。

萝卜泡菜

材料：白萝卜200克，白菜300克，芹菜200克，红椒条、彩椒条各少许。

调料：小葱适量，盐备用，醋10克，白糖5克，蒜泥少许，姜块10克，水1000克，面粉35克。

做法：

1. 锅内放水，面粉搅匀后，以大火烧开，晾凉后，加入蒜泥、姜块、盐15克、醋和水搅匀待用。

2. 把白萝卜、白菜分别洗净、切片；小葱、芹菜洗净、切段；把白萝卜、白菜用盐腌制后洗净，控掉水分。

3. 将所有材料放入第一步准备好的汁内泡透即可。

小提示： 夏季泡约2天，秋冬季泡约7天，泡透才好吃。

韩国泡菜

材料：大白菜300克，大蒜2头，鲜红辣椒3个。

调料：料酒50克，韩式辣椒酱40克，盐15克，白糖10克，味精适量。

做法：

1. 大白菜洗净切大片；大蒜去皮切末；红辣椒洗净切末。

2. 大白菜用盐揉渍约10分钟后，用凉开水冲净盐分及涩味，沥干。

3. 将蒜末、红辣椒末、料酒、韩式辣椒酱、白糖、味精倒在大白菜上，拌匀，盛入玻璃容器中，加盖密封约3天，即可食用。

小提示： 韩国泡菜的主要材料有白菜、萝卜、茄子、黄瓜、辣椒、生菜等。辅料有黄豆芽、芹菜、南瓜、韭菜、小葱、大蒜、梨、柚子、栗子、松子仁、鸡、明太鱼、比目鱼、墨鱼、虾、黄花鱼、带鱼、糯米等。调料有辣椒面、蒜、姜、葱、盐、白糖、芝麻、虾酱等。

海米拌菠菜

材料：菠菜200克，海米25克，小葱1根。

调料：盐3克，味精、白糖各适量。

做法：

1. 菠菜择洗干净，放在沸水中稍微烫一下马上捞出过凉水，切长段备用；海米用凉水泡透，沥去水分备用；小葱洗净切成葱花。

2. 锅内热油，炒香葱花，放入海米炒香出锅，倒在菠菜上。

3. 将菠菜海米调入盐、味精、白糖，拌匀即可。

小提示： 菠菜含草酸较多，有碍机体对钙的吸收，所以吃菠菜时应该先用沸水余烫，捞出再炒。常吃菠菜，可使人面色红润，不易患缺铁性贫血。

五彩菠菜

材料：菠菜200克，鸡蛋2个，午餐肉50克，冬笋半根，水发木耳50克。

调料：姜末少许，香油3滴，盐5克，味精少许。

做法：

1. 将菠菜择洗干净，放入沸水中焯一下，捞出，再放入凉水中浸凉，捞出沥干，切成小段，放入盘中备用。
2. 将冬笋煮熟，切成丁；午餐肉切丁；木耳洗净，放入沸水中焯熟，撕成小块，备用。

3. 将鸡蛋打入碗中，加少许盐搅拌均匀，上屉蒸成蛋羹，取出切丁，与午餐肉丁、冬笋丁、木耳一起放入碗中，加盐、味精搅拌均匀，倒在菠菜上。
4. 锅置火上，放入香油烧热，放入姜末煸炒出香味，倒在菠菜上，与其他材料一起搅拌均匀即可。

巧变化： 可以加点豆瓣，炒香后放入鲜汤、盐、酱油、味精，变成家常味。菠菜可以换成木耳菜做成五彩木耳菜。

四川泡菜

材料：白萝卜250克，胡萝卜250克。

调料：盐、白糖、白酒各5克，大料3粒，老姜、花椒少许，凉开水500毫升，野山椒1瓶。

做法：

1. 白萝卜和胡萝卜洗净沥干水分，切成条状。老姜去皮、切片。
2. 将水装入备好的玻璃坛中（约大半坛），再将野山椒瓶中的汁和野山椒加入一半，再将盐、白糖、白酒、大料、姜、花椒一起放入，如喜辣可多加一些野山椒。

3. 在玻璃坛中，用筷子先将调味汁搅拌均匀，再把萝卜条放进去，盖好盖，放置2~3天即可捞出。

巧变化： 第一次泡菜一定要用白萝卜，它易使泡菜的汁水变酸，使之更具有泡菜风味。生蔬菜洗净后一定要先晾干再放入泡菜坛中，否则泡菜水会变质。

豆芽香芹

材料：绿豆芽250克，香芹250克。

调料：香油、醋、白糖各5克，盐、味精各适量。

做法：

1. 绿豆芽择洗干净，掐去两头，留中间白梗待用。
2. 香芹去掉老叶，洗净，切成寸段。
3. 把香芹、绿豆芽焯熟后过凉，然后加入白糖、醋、盐、味精拌匀即可。

小提示： 豆芽组织疏松，含水量高，易失水而萎缩。所以在烹调时易出汤，经不起长时间加热。为使豆芽既断生软化又不出水，烹调时最好放点醋。

翠芹拌桃仁

材料: 芹菜300克, 核桃仁50克。

调料: 盐适量, 味精、香油各少许。

做法:

1. 将芹菜去掉叶及老筋, 洗净后切成丝, 入沸水氽烫, 捞出用凉开水过凉, 沥干水分, 放盘中, 加盐、味精、香油。

2. 核桃仁用热水浸泡后剥去薄皮, 再用沸水泡约5分钟取出, 放在芹菜上, 吃时拌匀即成。

小提示: 芹菜加佐料时不要拌, 待食用时再与核桃同拌, 以免芹菜过早接触调味料而被腌制变色。

绿芹红提

材料: 西芹1棵, 红提子适量, 红椒1个。

调料: 蜂蜜10克。

做法:

1. 将西芹择洗干净, 放入沸水中略烫, 捞起, 冲凉, 剖细, 切成5厘米左右的长段备用。

2. 红提子洗净, 去皮; 红椒去蒂及子, 洗净, 切丝。

3. 将蜂蜜调匀后淋在西芹段、提子、红椒丝上拌匀即可。

巧变化: 调料换成木瓜汁、白糖各2小匙变成木瓜西芹, 把西芹换成冬瓜变成红提冬瓜。

腐竹拌芹菜

材料: 芹菜200克, 水发腐竹100克, 红甜椒少许。

调料: 香油少许, 醋、盐各适量。

做法:

1. 芹菜去叶洗净, 入沸水中略焯, 捞出过凉, 沥干切斜段; 水发腐竹用沸水氽烫后洗净切斜段; 红甜椒洗净切片, 入沸水氽烫熟。

2. 将芹菜段、腐竹段、红甜椒片一起盛入盘中, 将所有调料放碗中调好, 浇在芹菜腐竹上, 拌匀即可。

小提示: 将干红辣椒、花椒、香油炸制成辣花椒油, 用以代替此菜中的调料, 又成一种新的口味。

芥末西芹

材料：西芹300克。

调料：芥末酱10克，盐、白糖各3克。

做法：

1. 西芹撕去老筋，去叶洗净，切短段，入沸水中氽烫后捞出，再切成细条。

2. 芥末酱用10克温开水调匀备用。

3. 将调好的芥末酱倒在西芹条上，加入盐、白糖拌匀即可。

小提示：将西芹先切成段后再焯水，操作起来更方便。

菠菜拌粉丝

材料：菠菜300克，粉丝50克。

调料：芝麻酱20克，盐、白糖、香油各适量，味精少许。

做法：

1. 菠菜择去根、黄叶，洗净，入沸水略氽烫，捞出用凉开水过凉，沥干切段，撒上盐拌匀。

2. 粉丝剪成适当长短，入沸水中煮至透明捞出，用凉开水过凉，沥干水分放在菠菜上。

3. 芝麻酱、白糖放入碗内，加凉开水调稀，浇在菠菜粉丝中，再加入味精、香油拌匀即可。

小提示：氽烫菠菜的时间不要太长，氽烫后立即放入凉开水中过凉，这样能保持其翠绿的色泽。因为菠菜中含有草酸，先氽烫一下即可去除大部分草酸。

蒜泥菠菜

材料：菠菜300克，大蒜半头。

调料：醋、香油各10克，白糖、盐各5克，味精少许。

做法：

1. 菠菜择去根、老叶，洗净，入沸水烫熟，捞出，放凉开水中过凉，捞出切段，沥干，放入盘中，撒盐拌匀。

2. 大蒜去皮捣碎，放碗中，加盐、白糖、味精调成蒜泥。

3. 将蒜泥浇在菠菜上，淋上醋、香油即可。

小提示：最好吃前再放醋，否则菠菜易变色。

凉拌胡萝卜丝

材料：胡萝卜2根，香菜50克，芹菜50克。

调料：盐、白糖各适量，醋、花椒油各10克，香油少许。

做法：

1. 将胡萝卜洗净，刮去表皮，切成细丝，放入盆内，撒少许盐抓拌均匀，腌渍半小时后用凉开水冲洗一下，挤去水分，放入盘中。

2. 将香菜、芹菜分别择洗干净，香菜切段，芹菜切丝，放在胡萝卜丝上。

3. 将花椒油、盐、白糖、醋、香油倒在萝卜丝上，调拌均匀即成。

巧变化：调料换成盐、白糖各适量，醋、辣椒油各10克，酱油5克就变成了酸辣胡萝卜。把胡萝卜换成莴笋即变成凉拌莴笋丝。

拌心里美萝卜

材料：心里美萝卜300克。

调料：白糖15克，醋10克，香油少许。

做法：

1. 心里美萝卜洗净去皮，切丝，盛盘。

2. 在萝卜丝上加入白糖、醋、香油拌匀即可。

小提示：萝卜洗净，也可不去皮，但调料分量则要适当增加。

切下来的萝卜皮，可用花椒油、盐来拌，喜辣的朋友还可以在炸花椒油的时候加一两个干红辣椒。

拍小萝卜

材料：小红萝卜300克。

调料：大蒜4瓣，芝麻酱15克，醋10克，盐、白糖各适量。

做法：

1. 小红萝卜去叶、须，洗净拍碎；大蒜瓣去皮拍碎。

2. 芝麻酱用醋调稀，浇在小萝卜上，再加入蒜末、盐、白糖，拌匀即可。

小提示：小萝卜不要拍得太碎，还可将芝麻酱换成花椒油。

甜酸萝卜条

材料：白萝卜300克，干红辣椒2个。

调料：白糖、白醋各10克，盐5克，味精少许。

做法：

1. 白萝卜洗净后切成厚长条，放入碗内，加盐腌制，用手捏至萝卜条柔软为止；将捏软的萝卜条用凉开水洗一下，挤干水分后放在一个干净的盘子里。

2. 将干红辣椒放水中泡软，去蒂和子，洗净切细丝，放在萝卜条上，加入白糖、白醋和味精拌匀，约10分钟后即可食用。

小提示：盛装的容器一定不要有油，否则既影响口味，吃剩后又不易保存。

虾干拌水萝卜

材料：小萝卜150克，虾干数只，苦瓜1小段。

调料：盐、味精各适量，香油少许。

做法：

1. 小萝卜去根、叶，洗净后用刀轻轻拍裂；苦瓜洗净，去瓤后切条，放入开水中余透，放凉备用；虾干用凉水泡软，并用开水余熟。

2. 用盐、味精、香油把所有材料拌匀即可。

小提示：去除苦瓜的苦味有以下几种方法：①切好后撒上一些盐，腌渍片刻，然后把苦汁倒掉。②把切好的苦瓜放入冰箱中冰镇片刻。③切好后用开水余烫。

芥末拌时蔬

材料：绿豆芽200克，花生苗200克，萝卜苗300克，紫甘蓝丝100克。

调料：红辣椒3个，芥末10克，醋20克，色拉油20克，鸡肉高汤100克，盐、胡椒粉各适量。

做法：

1. 将所有材料洗净，控去水分。

2. 红辣椒洗净切丝，将其余调料都放入碗中搅匀备用。

3. 把芥末调味汁与红辣椒丝浇入材料中，拌匀即可。

小提示：若有条件可将醋换成白醋，味道会大有提升。

凉拌藕片

材料：藕300克。

调料：白醋10克，花椒、盐各适量。

做法：

1. 藕去皮洗净，切片，入沸水中余烫后捞出，用凉开水过凉，沥干。

2. 锅置火上，倒油烧热，放入花椒炸出香味，捞出花椒不要，将花椒油倒在藕片上，再加入白醋、盐拌匀即可。

小提示：可加一些辣椒油或红辣椒一同拌匀，这样既增加了辣味，也可使色彩更加丰富。还可在调料中加入白糖，同时减少盐的用量，做成酸甜口味的凉拌藕片。

桂花糖藕

材料：藕300克。

调料：糖桂花、白糖、白醋各10克。

做法：

1. 藕去皮洗净，切片，入沸水中焯熟，捞出过凉，沥干。

2. 白糖桂花放碗里，倒入部分白醋调稀。

3. 将调稀的糖桂花倒在藕片上，加入白糖、剩余白醋，拌匀即可。

小提示：

◎夏季食用时，可先将桂花白糖藕放入冰箱冷藏一会儿，吃时会更加清凉爽口。

◎煮藕时不要用铁锅。

彩霞蔬菜冻

材料：水发木耳60克，胡萝卜1根，红甜椒1个，豆苗少许，琼脂50克。

调料：鸡精少许，盐适量。

做法：

1. 豆苗洗净，放沸水中焯熟；木耳、胡萝卜、红甜椒均洗净，切丝，放沸水中焯熟。

2. 琼脂对水熬开，放入鸡精、盐。

3. 熬好的琼脂倒入碗中，一层琼脂一层蔬菜，再倒入一层琼脂，待晾凉后入冰箱冻成冻即可。

巧变化：把蔬菜换成水果，如菠萝、草莓、猕猴桃、香蕉即变成五彩水果冻。

腌西兰花

材料：西兰花1棵，芹菜50克。

调料：蒜片适量，柠檬汁10克，白葡萄酒15克，盐、白糖各适量，香叶2片。

做法：

1. 将西兰花去茎，掰成小朵，洗净，锅内放水烧开，将西兰花投入，浸烫约2分钟捞出，放入冷开水中，浸泡过凉；芹菜择洗干净，切段。

2. 锅置火上，加适量清水旺火烧开，下入芹菜段、蒜片、香叶、盐、白糖、白葡萄酒、柠檬汁煮约10分钟，制成腌菜汁，倒入容器中放凉。

3. 将西兰花放入腌菜汁中，腌渍24小时以上。食用时，用漏勺捞出西兰花，控掉腌汁，盛入盘中即可。

巧变化：调料换成辣椒面、白糖各适量，醋、玫瑰露酒各5克即变成辣西兰花。把西兰花换成大白菜变成腌大白菜。

红翠大拌菜

材料：番茄1个，洋葱半个，柿子椒1个。

调料：醋5克，盐、白糖各适量，香油、味精各少许。

做法：

1. 番茄洗净，切成月牙块；洋葱洗净，切成条；柿子椒去掉蒂，切开去子，洗净后也切成条。

2. 将所有材料与调料倒入一个大容器中拌匀即可。

巧变化：

◎喜欢辣味的，可以把柿子椒换成青尖椒即成红翠辣拌菜。

◎把番茄、洋葱、柿子椒换成生菜100克，紫甘蓝50克，熟玉米粒50克，就变成了爽口大拌菜。

蘸酱菜

材料：黄瓜1根，心里美萝卜半个，尖椒2个，小番茄4个。

调料：甜面酱1袋，白糖10克，蜂蜜、胡椒粉、鸡精各少许。

做法：

1. 在甜面酱内加入其余调料，对少许水调匀上锅蒸20分钟。

2. 所有蔬菜洗净，切条码盘，蘸酱食用。

巧变化：

◎可以把酱换成黄酱1袋，鸡蛋1个，白糖10克，味精、老抽各适量，炒锅倒油下鸡蛋炒散，下黄酱炒香，放入适量鲜汤加入白糖、味精、老抽起锅即可。

◎材料可换成芹菜心、豆腐皮、樱桃萝卜、彩椒。

番茄洋葱沙拉

材料：小番茄数个，洋葱半个。

调料：沙拉酱、盐、胡椒粉各适量。

做法：

1. 把洋葱洗净，撕去表皮，用刀横向切成细圈，放入水中约10分钟以去辛辣味，捞出沥干，放入炒锅内焙干。

2. 番茄洗净，对半切开，排于碟内，在表面均匀撒放洋葱圈，一层番茄，一层洋葱，置于冰箱内冷藏10分钟，食用时拌入沙拉酱，撒上盐、胡椒粉即可。

巧变化：

◎调料换成蜂蜜10克，变成蜜汁番茄洋葱。

◎把小番茄、洋葱换成苹果、香蕉、火龙果即变成水果沙拉。

洋葱姜芽拌松花

材料：洋葱1/2个，姜芽1块（约30克），松花蛋2个，青椒、红椒各1/4个。

调料：盐、白糖各适量，醋5克，香油少许。

做法：

1. 洋葱去皮，切成长条；姜芽洗净，也切成条；松花蛋去皮，切成瓣；青椒、红椒洗净后顶刀切成小椒圈。

2. 将各种切好的材料放入碗中，加入盐、白糖、醋、香油拌匀即可。

小提示：倘若不喜欢姜芽的辛辣，可以把姜芽切丝后，用淡盐水腌渍15分钟，然后再拌。吃姜不要去皮。如果吃姜时削掉了姜皮，就不能充分发挥姜的整体功效了。尤其是鲜姜，洗干净后就可以了。

老醋花生

材料：花生米300克，香菜少许。

调料：香醋80克，白糖40克，盐5克。

做法：

1. 锅置火上，倒油烧至四成热，放入花生米炸至呈金黄时捞出，控油晾凉。

2. 香菜洗净切碎，拌入炸花生米中。

3. 香醋、白糖、盐拌匀成调味汁，倒入花生米中拌匀即可。

小提示：炸花生米时，火不要太大，油温不要太高，否则花生米炸不透或者易炸煳。

挂霜花生

材料：花生米200克。

调料：白糖35克，淀粉适量。

做法：

1. 锅置火上，放油烧热，放入花生米炸熟，捞出晾凉，去花生米外衣。

2. 锅置火上，倒入少许清水，放入白糖，用小火加热，待白糖化开、白糖浆冒小泡时，倒入去外衣花生米，锅离火，迅速用锅铲不断翻动并撒入少许淀粉，让白糖浆均匀裹住花生米，晾凉即可。

小提示：用挂霜的方法加工后的食物外形洁白似霜，松脆香甜。熬煮白糖浆要用小火，且需不停搅拌，否则白糖浆会熬煳。

五香花生米

材料：花生米250克。

调料：盐15克，花椒粉、茴香、桂皮各10克。

做法：

1. 花生米洗净，放入容器中，加入盐、花椒粉、茴香和桂皮，加水至没过花生米为止，然后充分搅拌把盐化开，浸泡2天左右。

2. 将浸泡好的花生米连同腌制的卤水一起倒入锅内，用旺火煮，开锅后再煮约30分钟，捞出沥干。

3. 将花生米晾晒或风干即可。

小提示：还可将花生米放入加了调料的沸水中煮熟，然后浸泡约2小时，捞出沥干，放入锅中炒至花生米外皮呈黄色即可。

凉拌老虎菜

材料：黄瓜2根，红尖辣椒3个，香菜3棵。

调料：盐、香油各5克，味精少许。

做法：

1. 黄瓜洗净切丝；红尖辣椒洗净切丝；香菜洗净切段。

2. 将黄瓜丝、尖椒丝、香菜段盛入盘中，加入所有调料，拌匀即可。

小提示：

◎黄瓜、尖辣椒也可切小块，与香菜段拌匀。

◎黄瓜不易洗净，可将其放入淡盐水中浸泡3~5分钟。

梅子山药

材料：山药250克，西梅10克，话梅10克，酸梅晶20克。

调料：白糖、盐各适量。

做法：

1. 山药去皮切长条，放入开水中煮至断生即可，出锅过凉水，码入盘中。

2. 酸梅晶用水稀释上火熬，放入西梅、话梅、白糖，少许盐，汁见稠为止。

3. 汁凉后，待上桌时浇在码好的山药上即可。

巧变化：

◎山药中只放话梅也可，此菜就成了话梅山药，同样清爽可口。

◎将山药切块蘸白糖吃也可。

香脆土豆丝

材料：土豆350克，红椒1个，香菜1棵。

调料：盐、辣椒油各适量，味精、白糖各少许。

做法：

1. 将土豆去皮，切成火柴粗细的丝，用清水漂洗干净；红椒洗净切细丝；香菜洗净切段。

2. 锅置火上，放油烧至四成热，倒入土豆丝、红椒丝，改小火炸至土豆丝呈金黄色，然后盛出控油。

3. 把炸好的土豆丝和红椒丝放入盘中，加入香菜段，再放入盐、辣椒油、味精、白糖，拌匀即可。

小提示：土豆去皮后可浸泡在加了少许醋的凉水里，以免变色，但也不能浸泡太久，以免营养成分流失。

双笋拌茼蒿

材料：茼蒿500克，玉米笋50克，鲜笋（或冬笋）50克，熟芝麻少许。

调料：姜5克，酱油5克，盐适量，味精、香油各少许。

做法：

1. 茼蒿择洗干净，切段；鲜笋去皮，切丝；玉米笋切丝；姜刮净切丝。

2. 锅置火上，放水烧开，放入茼蒿段烫一下，捞出，用凉开水过凉，沥干水分；将笋丝、玉米笋丝用沸水烫熟，捞出过凉沥干。

3. 将茼蒿段、笋丝、玉米笋丝放入容器中，放入姜丝，加盐、酱油、味精、香油拌匀，撒上熟芝麻即可。

小提示：茼蒿不可烫太久，而且烫后要立即过凉，以保持其青翠的颜色，余烫时在水中滴几滴食用油，绿菜会更加亮泽。

酸甜莴笋

材料：嫩莴笋500克，番茄2个。

调料：蒜末10克，柠檬汁或鲜橙汁70克，白糖10克，清水50克，盐适量。

做法：

1. 莴笋去叶、削皮、去根，洗净切丁后用开水氽一下；番茄洗净去皮、切块。

2. 将柠檬汁、白糖、清水、盐放入装入材料的大碗内搅匀，入冰箱贮存，随吃随取。

小提示： 莴笋中含有某种对视觉神经有刺激作用的物质，因此有眼疾者特别是夜盲症者不宜多食。

蒜泥茄子

材料：茄子300克，大蒜1头。

调料：香油、盐、白糖各适量，味精少许。

做法：

1. 茄子去蒂、削皮，切大片，入蒸锅中蒸熟烂，取出晾凉。

2. 大蒜去皮拍碎，加少许盐捣成蒜泥，放碗内，加入白糖、香油、味精和盐，拌匀成调味汁。

3. 将调味汁浇在晾凉的茄子上，食用时拌匀即可。

小提示： 还有一种做法是将茄子蒸至八成熟后，盛出晾凉，剖开两半，用蒜泥腌制，蒜泥的量盖过茄子为好，腌至茄子发绿即可食用，口味鲜辣爽口。

拌三丝

材料：青甜椒1个，火腿15克，鸡蛋1个。

调料：橄榄油、淀粉各适量，鸡精、盐各少许。

做法：

1. 鸡蛋打入碗内，加少许盐、淀粉打匀。

2. 炒锅内放油，烧热，将鸡蛋摊成薄皮，取出切成丝。

3. 火腿切成丝，青椒洗净切成丝。

4. 将以上食材放入碗中，加入调料拌匀即可。

巧变化： 可以热炒。热锅放油，直接炒鸡蛋，待鸡蛋熟后，用铲子将鸡蛋磨成蛋花丝，再放入火腿、青椒及调料即可，相当省事。

拌双耳

材料：水发黑木耳100克，水发银耳150克。

调料：盐、味精、葱油各适量。

做法：

1. 黑木耳、银耳洗净，用开水焯熟，切丝。

2. 将黑白木耳丝盛入盘中用调料拌匀即可。

小提示：

◎调料换成辣椒油、葱油各10克，盐5克，味精少许变成爽口双耳。

◎把黑木耳换成紫甘蓝即可变成拌双喜。

凉拌侧耳根叶

材料：嫩侧耳根叶200克。

调料：红油15克，生抽10克，盐、醋、白糖各适量，花椒粉少许。

做法：

1. 嫩侧耳根叶取尖，洗净，入凉开水中泡透，捞出沥干，装盘。

2. 将所有调料拌匀制成味汁，浇在侧耳根叶上即可。

小提示：侧耳根也称鱼腥草，是民间野菜，也可入药，有清热解毒、利尿消肿、扩张血管等功效。做这道菜时，调料分量可适当加重，凉拌侧耳根味重一些口感会比较好。

炝仙人掌条

材料：仙人掌500克。

调料：香油15克，干辣椒5克，料酒10克，盐适量，味精、白醋少许。

做法：

1. 将仙人掌去刺、洗净，切成6厘米长的条。

2. 锅中放水烧开，将仙人掌条倒入，略微永烫，捞出用凉开水过凉。

3. 将仙人掌放入容器中，撒上白醋、盐、味精拌匀。

4. 锅置火上，放入香油烧热，放入干辣椒，小火炸出香味后，将辣椒油倒在仙人掌条上拌匀即可。

小提示：菜用仙人掌有些苦味，所以加工前要将皮、刺削去，并用淡盐水浸泡15~20分钟或用水焯过后，再用清水漂一下，以去掉苦味。

土豆泥沙拉

材料：中个土豆2个，方火腿20克，酸黄瓜20克。

调料：蛋黄酱100克，精盐少许。

做法：

1. 土豆洗净上屉蒸熟，去皮，碾成泥状。
2. 将土豆泥加蛋黄酱、精盐调匀后放入容器中。
3. 火腿、酸黄瓜切成小粒，撒在调好的土豆泥上即可。

巧变化：根据个人喜好，可将调好的土豆泥摊成不同形状。土豆泥中还可加入牛奶、橙汁，或用千岛酱等调和成不同口味。

皮蛋豆腐

材料：南豆腐400克，皮蛋（松花蛋）2个。

调料：葱花适量，盐、辣椒油各5克，香油、味精少许。

做法：

1. 将豆腐放入沸水中焯一下，捞出，晾凉，撒盐，切大片。
2. 皮蛋去壳，洗净，切小丁。
3. 将豆腐块摆入盘中，上面加入皮蛋丁，再撒上葱花，倒入香油、辣椒油、味精即可。

巧变化：拌制时可根据个人喜好，加入少许醋，味道也很爽口。

香椿拌豆腐

材料：豆腐200克，鲜香椿100克。

调料：盐、香油各3克，味精少许。

做法：

1. 将豆腐入沸水略焯，捞出沥干，切条，放入盆中，撒上盐，略腌片刻，将渗出的水滗出。
2. 香椿入沸水略焯，捞出用凉开水浸凉，切成细末，撒在豆腐条上，加入味精，淋上香油，拌匀即可。

小提示：

◎香椿氽烫时间要短，并立即过凉，否则容易变黑；长时间氽烫会破坏香椿的特有香气。

◎香椿氽烫后迅速放入容器中，盖上盖闷半分钟，会使香椿香味更浓郁。

白菜心拌豆腐丝

材料：白菜心100克，豆腐丝200克。

调料：醋10克，盐、香油各少许。

做法：

1. 白菜心洗净切丝；豆腐丝在开水中烫一下，捞出沥干水分。

2. 把白菜丝和豆腐丝放入盘中，加入盐、醋、香油，拌匀即可。

小提示：此菜也可将白菜心炝花椒油后，再与豆腐丝拌食；或将红辣椒炸出辣椒油后，浇入凉菜中拌匀，适合喜吃辣者的口味。

小葱拌豆腐

材料：豆腐200克，小香葱2根。

调料：香油少许，盐适量。

做法：

1. 豆腐洗净，入沸水中氽烫，捞出沥干晾凉；香葱洗净切碎，撒在豆腐上。

2. 用筷子将豆腐搅碎，加入盐、香油拌匀即可。

小提示：

◎此菜要随拌随吃，放置时间过长，豆腐容易出汤，小葱易变色。

◎豆腐经沸水氽烫过，可去除豆腥味，还可将豆腐浸入淡盐水中浸泡约5分钟，效果相同。

咸蛋黄拌豆腐

材料：南豆腐250克，咸鸭蛋黄2个。

调料：香葱少许，盐3克，香油3滴。

做法：

1. 咸蛋黄切碎，香葱洗净，切末。

2. 南豆腐放沸水中焯一下，切小丁，撒盐，拌匀。

3. 将做法1、2混合，加入香油拌匀即可。

小提示：咸鸭蛋白也可切碎与豆腐混合，可不放盐。

豆腐拌什锦

材料：青豆150克，银针菇200克，水发香菇150克，卤水豆腐250克。

调料：红辣椒2个，酱油5克，白芝麻少许，砂糖、盐、枸杞各适量。

做法：

1. 卤水豆腐洗净、余熟，控去水分、压碎；放入酱油、白芝麻、砂糖、盐混合搅拌至细腻、润滑即可成豆腐拌酱。

2. 将所有材料洗净，香菇、红辣椒切丝；青豆煮熟，和其他材料混合放进盘里，浇入豆腐拌酱即可。

小提示：如果喜欢尝试的话，可在豆腐拌酱中加入鲜奶油，会是另一种味道。

五彩腐竹

材料：水发腐竹150克，芹菜50克，胡萝卜半根，水发木耳30克，红甜椒少半个。

调料：姜丝5克，盐5克，浅色酱油、醋、香油各适量，味精少许。

做法：

1. 将水发腐竹洗净，切斜段；芹菜择去根、叶，洗净，放入沸水中烫一下，捞出，用凉开水浸透，控干水分后切斜段；红甜椒去子、蒂，洗净，切菱形块；胡萝卜洗净，切菱形块；水发木耳洗净，切成细丝；将腐竹、木耳丝分别焯熟。

2. 将所有材料放入碗中，将盐、酱油、醋、香油、味精放入小碗内调匀，浇在切好的材料上，撒上姜丝，拌匀后即可食用。

巧变化：
◎如喜欢辣味可以加入适量辣椒油变成辣拌腐竹。
◎还可把腐竹换成青笋变成五彩青笋。

卤煮腐皮

材料：腐皮250克。

调料：酱油30克，葱花、料酒、白糖各10克，香油5克，大料1个。

做法：

1. 腐皮入沸水中略焯，捞出过凉，沥干，切方片。

2. 锅置火上，倒入清水煮开，放入除葱花外的所有调料，再放入腐皮滚煮，待腐皮成熟入味后，捞出沥干，晾凉后撒上葱花拌匀即可。

小提示：
◎腐皮用沸水余烫，再入凉开水中过凉，可以起到去油腥味的作用。
◎大料久煮会有苦味，放入腐皮稍煮后，可先捞出大料再继续烹煮。

素烧鹅

材料：豆腐衣4张，豆腐皮4张，榨菜丝20克，竹笋半根，香菇5朵，胡萝卜半根。

调料：清汤120克，酱油10克，白糖5克，香油3滴。

做法：

1. 竹笋去皮洗净，切丝；香菇洗净去蒂，切丝；胡萝卜洗净切丝；将全部调料倒入碗中拌匀成调味汁。

2. 锅置火上，放油烧热，倒入香菇丝炒香，再放入笋丝、胡萝卜丝、榨菜丝炒匀，倒入约60克调味汁，炒至汤汁收干，盛出晾凉，制成馅料。

3. 豆腐衣两张相对放好，涂上一些调味汁，再放上一张豆腐皮，再涂一些调味汁，放入馅料，整理成长方块，将外皮折起来包成长方形，封口朝下，放到抹过油的蒸盘上（余料照此制作），将蒸盘放入蒸锅中，蒸约10分钟至熟，取出晾凉切条食用。

小提示：也可将蒸熟的素烧鹅放入煎锅中略煎黄一些，盛出晾凉，切条食用。

腐竹三丝

材料：腐竹200克，嫩黄瓜、绿豆芽各80克。

调料：盐5克，白糖、辣椒油、白醋、香油、味精各适量。

做法：

1. 腐竹用清水泡约2小时，捞出后再入沸水中焯熟透，捞出过凉，沥干水分，切成斜丝，放入盆内。

2. 嫩黄瓜洗净切细丝；绿豆芽择洗干净，入沸水略焯，捞出过凉，沥干。

3. 把黄瓜丝、绿豆芽放在腐竹丝上，加入全部调料，拌匀即可。

小提示：挑选腐竹时要选择呈淡黄色有光泽，质脆易折，无霉斑、杂质、虫蛀，具有腐竹固有的香味，且无其他异味的最好。

什锦腐竹

材料：腐竹50克，胡萝卜1根，绿菜花1个，黄瓜1根。

调料：盐、鸡精各少许，橄榄油适量。

做法：

1. 腐竹用温水泡软，用刀切成小段。

2. 胡萝卜、黄瓜洗净切片，绿菜花洗净掰成小块。

3. 锅中放入橄榄油烧热，煸炒腐竹段、胡萝卜片、绿菜花块。

4. 最后在锅中放入盐和鸡精，快出锅时放入黄瓜片即可。

小提示：此菜属于热菜凉吃。胡萝卜只有经过油煸炒以后，胡萝卜素才能充分地被人体吸收。

炝鲜蘑腐竹

材料: 腐竹200克,罐头鲜蘑100克。

调料: 花椒、盐、味精各少许。

做法:

1. 将腐竹用温开水发好,洗净,切3厘米长的段,放入沸水中焯透,捞出沥干,放入盘中;鲜蘑切片,放入沸水中焯一下,捞出沥干,放在腐竹上,备用。

2. 锅置火上,放油烧热,放入花椒炸出香味,捞出花椒,将油倒在鲜蘑和腐竹上,加盐、味精,拌匀即可。

小提示: 腐竹应尽量选择信誉好的大型超市购买,品质有保证。

五香大芸豆

材料: 大芸豆500克,枸杞少许。

调料: 大料、桂皮、葱、姜、盐、味精各适量。

做法:

1. 大芸豆洗净,用凉水泡至饱满。

2. 将芸豆放入锅内加水,加所有调料煮1小时左右,出锅前10分钟放入枸杞即可。

巧变化:

◎加入蒜泥10克,辣椒油、酱油各5克变成蒜泥大芸豆。

◎把大芸豆换成花生仁变成五香花生仁。

芝麻酱拌豇豆

材料: 豇豆350克。

调料: 芝麻酱30克,大蒜5瓣,醋15克,盐适量,味精少许。

做法:

1. 豇豆择去两头,洗净,入沸水中煮熟,捞出过凉,切寸段;大蒜瓣去皮拍碎。

2. 芝麻酱用水调稀,倒入豇豆中,再加入蒜末、醋、盐、味精,拌匀即可。

小提示: 煮豇豆时不要盖锅盖,否则豇豆颜色易变黑变暗。豇豆一定要煮熟再吃,不然容易引起食物中毒。

兰花豆干

材料：白豆腐干6块。

调料：香油15克，白糖、料酒、酱油各5克，桂皮、大料、葱段、姜片、盐、味精各少许。

做法：

1. 锅置火上，放油烧热，放入豆腐干，炸至表面呈浅黄色，捞出晾凉。

2. 在炸好的豆腐干一面上剞花刀，剞的深度为豆腐干的4/5，不断为好，再切成菱形片。

3. 锅留底油烧热，放入切好的豆腐干，炸出水分，待硬挺时捞出。

4. 另起锅，倒入香油烧热，放入葱段、姜片爆香，随后放入豆腐干、盐、白糖、酱油、料酒、桂皮、大料、味精、少许水，烧开，撇去浮沫，改小火收汁，熟后捞出盛盘，晾凉即可。

小提示：注意剞刀时刀前与刀后的深度要一样。

茴香豆

材料：黄豆250克，小茴香25克。

调料：大料5个，盐适量。

做法：

1. 黄豆洗净，泡水约12小时至完全涨发。

2. 锅置火上，倒入适量清水烧开，放入小茴香、大料、盐搅匀，再放入黄豆煮熟，关火，让黄豆在茴香水中泡一两天，捞出沥干即可。

小提示：黄豆要泡涨后再煮，容易煮熟；当年的黄豆泡水时间可稍短，三四小时即可，陈年黄豆则需泡得更久一些。

甜酒芸豆

材料：芸豆250克。

调料：醪糟200克。

做法：

1. 芸豆洗净，放入温水中泡发。

2. 把泡好的芸豆放入碗里，倒入大部分醪糟，入蒸锅蒸熟，取出晾凉。

3. 在晾凉的芸豆中再点入剩余的新鲜醪糟提味即可。

小提示：醪糟是用优质糯米蒸熟降温后，加曲酒混匀发酵而成的。风味独特、醇香清甜，有补气活血、滋阴补肾、生津止渴的功效，一般超市都可买到。

枸杞拌蚕豆

材料: 嫩蚕豆350克,枸杞20克。

调料: 辣椒油10克,蒜泥10克,酱油5克,醋少许,盐3克,香葱末5克。

做法:

1. 蚕豆洗净,与枸杞一同放进锅中,放盐煮熟盛出。

2. 锅中倒入辣椒油,放入蒜泥、酱油、醋调匀炒香,出锅浇在蚕豆枸杞上,撒香葱末即成。

小提示: 如用干蚕豆应事先用温水泡过并反复清洗,再进行烹制。

绿豆芽拌蛋皮丝

材料: 鸡蛋3个,绿豆芽200克。

调料: 酱油适量,盐、味精、香油各少许。

做法:

1. 将绿豆芽去根洗净,在开水中余一下,沥干水,放入盘中。

2. 将鸡蛋磕碗内,打散,倒入热油锅中摊成蛋皮,将蛋皮晾凉,切成细丝,放入盛绿豆芽的盘中。

3. 在盘中加入酱油、盐、味精、香油,调好味,拌匀即可。

小提示: 摊鸡蛋皮时,锅中油不宜太多,而且要边倒蛋液边转动炒锅,使其均匀地布于锅底。

素酿油面筋

材料: 油面筋100克,冬笋50克,香菇20克,山药泥200克。

调料: 香油适量,酱油、姜末、盐、鸡精各少许。

做法:

1. 香菇泡发洗净切丁,冬笋切丁,再加入山药泥,香油、盐、鸡精搅拌均匀。

2. 油面筋用热湿布闷软,再用小刀在油面筋上划一小口,慢慢塞入调好的馅料,将封口处捏紧。

3. 将少许香油放入锅内,烧至七八成热,放入姜末炒香,再加入酱油,少许盐,适量水烧开,然后将油面筋下入烧开,再改用小火焖烧十几分钟,烧至面筋入味。

巧变化: 面筋的馅料可换成其他原料,如山药泥换成土豆泥,冬笋、香菇可换成其他时令蔬菜。

蒜泥蚕豆

材料：水发蚕豆250克，大蒜25克。

调料：辣椒油50克，酱油、盐、鸡精少许，醋5克。

做法：

1. 碗中放入酱油、精盐、鸡精、醋、蒜泥，搅拌均匀制成调味汁。

2. 将水发蚕豆洗净，剥壳，入凉水锅内调旺火烧开，再用小火煮至酥而不碎。捞出控水，放入碗内，加入精盐腌一会儿，使之入味，然后浇上已调好的调味汁，淋上辣椒油拌匀即可食用。

小提示：也可用鲜蚕豆来制作此菜，鲜蚕豆煮的时间不宜过长。

鸡蛋三丁

材料：鸡蛋4个，豌豆50克，胡萝卜1根。

调料：盐5克，香油少许，味精少许。

做法：

1. 鸡蛋煮熟，捞出去皮，留蛋白，将蛋白切丁，备用。

2. 豌豆洗净，胡萝卜洗净，切丁，撒盐，腌片刻。

3. 将蛋白丁、胡萝卜丁、豌豆盛入盘中，加入剩余的盐、香油、味精拌匀。

小提示：可以加入适量芥末油使口感更爽，另外如果把鸡蛋换成皮蛋变成三丁皮蛋。

焖黄豆

材料：鲜黄豆300克，香菜100克。

调料：酱油适量，白糖、精盐、鸡精、橄榄油各适量，棒骨肉汤1000克。

做法：

1. 鲜黄豆用水焯一会儿，香菜洗净切成小段备用。

2. 锅放入棒骨肉汤、调味料煮开，将黄豆放入锅内后转用小火焖煮，煮至收汁后，撒上香菜即可。

小提示：煮豆时一定要煮熟，夹生黄豆不宜吃。如与猪蹄同煮，味道更加鲜美。

棒棒鸡丝

材料：鸡胸肉200克。

调料：酱油20克，芝麻酱、辣椒油各15克，白糖10克，葱白5克，花椒油少许。

做法：

1. 鸡胸肉煮熟晾凉捞出，将鸡肉平放案板上，用木棒轻打，肉质疏松后撕成丝，装入盘中。葱白切丝放在上面。
2. 将芝麻酱用醋调稀，再倒入其他调料调匀，浇在鸡丝上拌匀即可。

小提示：

◎此菜起源于川西平原青神县汉阳坝，由于制作时用木棒敲打而得此名。

◎鸡肉不要煮得过软，煮熟后自然冷却，再捞出，这样鸡丝才会嫩。

白斩鸡

材料：嫩仔鸡1只。

调料：大葱50克，姜片、料酒各30克，花椒适量，盐10克，香油少许。

做法：

1. 将鸡收拾干净，用沸水反复冲洗；葱白部分切斜段，葱叶部分切葱花。
2. 锅中倒入适量水（没过鸡即可），加入葱段、姜片、花椒、料酒煮沸，把鸡放入锅中，关火，盖严，闷约20分钟至熟，取出晾凉，拆骨切段。

3. 锅置火上，倒入油及香油烧热，倒入盛有葱花、盐和少量鸡汤的碗中，拌匀，浇在鸡块上即可。

小提示：

◎鸡要选择嫩的，放汤锅中闷制时间要恰当，以断生为宜，时间长鸡肉易老。

◎最好选择三黄鸡制作此菜。

怪味鸡

材料：嫩公鸡1只。

调料：淡色酱油30克，葱段15克，红油、料酒各10克，姜片、醋、白糖各10克，蒜泥、芝麻酱、姜汁、香油各10克，葱花5克，花椒粉、味精、盐各少许。

做法：

1. 将鸡收拾干净，入沸水中余烫，待鸡紧皮时捞出，冲洗净。
2. 锅置火上，倒入清水烧开，放入鸡，烧开后撇去浮沫，改小火，放入姜片、葱段、料酒煮至刚熟盛出，冷却后斩去头、翅，切成块盛盘。
3. 将剩余调料置于碗中调匀，淋在鸡块上即可。

小提示：此菜因同时具备咸、甜、麻、辣、酸、鲜、香等多种口味，故得名"怪味鸡"。

菊花鸡肫

材料：鸡肫6个。

调料：料酒30克，香油15克，葱花、盐、红油各5克，胡椒粉、味精各少许。

做法：

1. 鸡肫洗净，剖成菊花形，用料酒、盐、胡椒粉、味精拌匀，腌约20分钟。
2. 锅置火上，倒油烧至七成热，放入鸡肫炸熟后捞出，晾凉，盛入盘中，加入葱花、香油、红油拌匀即可。

小提示：下鸡肫油炸时，油不要太热，以免外表煳了，而里面却不熟。

鸡丝拉皮

材料：鸡胸肉150克，粉皮300克，黄瓜100克。

调料：芝麻酱30克，蒜末、醋各10克，白糖5克，芥末酱、盐适量。

做法：

1. 鸡胸肉洗净，入开水锅中煮熟，捞出沥干，晾凉，用手撕成细丝备用；粉皮切宽条，入沸水中焯至成熟透明，捞出过凉，盛盘，倒入少许色拉油拌匀；黄瓜洗净切丝。

2. 芝麻酱用水调稀，加入蒜末、醋、白糖、芥末酱、盐调匀成酱汁。

3. 鸡丝、黄瓜丝放在粉皮上，倒入调好的酱汁拌匀即可。

小提示：粉皮也可用凉粉代替，可以不焯水，如果焯水时间一定要短。调料中可以不放芥末酱，如果喜好辣味可以加一些辣椒油。

红油莴笋鸡

材料：鸡肉250克，莴笋150克。

方便主料：红油100克。

调料：鸡汤50克，盐5克，生抽2小匙，醋2小匙，白糖少许，葱花10克，香油少许，熟花生仁5克，熟白芝麻10克，鸡精少许，葱、姜片各5克。

做法：

1. 鸡肉洗净，放入开水中，加入葱段和姜片，以中火加热20分钟，至肉质刚熟时取出，入冷开水中漂洗干净。新鲜莴笋切去粗老部分，放入清水中用中火加热煮至熟透，捞入清水中漂冷。

2. 将熟鸡带骨剁成块摆放整齐。莴笋切成薄片，围在鸡块四周。另用一碗加入盐、白糖、生抽、醋、鸡精、红油、香油、冷鸡汤拌匀，上桌时淋在鸡块上，再撒上熟花生仁、熟白芝麻和葱花。

小提示：夏天食用可以将鸡肉和配菜用凉开水漂冷，若是冬天可以省略漂冷的步骤。

白煮肉

材料：带皮五花肉400克。

调料：蒜泥、酱豆腐汁各10克，腌韭菜花5克，酱油20克，辣椒油适量。

做法：

1. 将猪肉肉皮朝上放入锅内，加水适量，盖上锅盖，旺火煮开后，改小火煮2小时左右，撇净浮油，捞出猪肉晾凉，切成薄片，码入盘中。

2. 将所有调料倒入小碗内，拌匀，同肉片一同上桌，蘸食即可。

小提示：

◎看猪肉是否煮熟，可用筷子捅一下肉，筷子一戳即入则为合适。

◎煮肉时中途不要添水。

蒜泥白肉

材料：五花肉300克，大蒜5瓣。

调料：葱花5克，香油、生抽、醋各适量。

做法：

1. 五花肉放入冷水锅内煮熟，盛出，晾凉，切片。

2. 大蒜去皮，砸成泥，与香油、生抽、醋调成味汁。

3. 五花肉片盛入盘中，撒上葱花，倒入味汁即可食用（或用五花肉蘸味汁食用）。

小提示：五花肉不要去皮，煮时还可加几粒花椒。

巧变化：把五花肉换成牛肚，变成蒜泥牛肚。

杏干肉

材料：瘦猪肉300克，面粉适量。

调料：白糖20克，醋50克，红曲粉少许。

做法：

1. 猪肉切片，放入干面粉里裹匀，再放筛子里筛去多余的面粉。

2. 炒锅倒油烧热，将裹好面的肉片炸焦。

3. 锅内放醋熬开，再放入白糖，待白糖溶化后加入稀释红曲。

4. 将炸好的肉片放入白糖醋汁里炒至收汁为止，晾凉食用。

小提示：可把猪肉换成肘子或猪蹄来制作。

干香肉片

材料： 猪瘦肉200克，生菜1大片。

调料： 酱油50克，料酒10克，白糖5克，姜片、香油各3克，味精少许。

做法：

1. 猪瘦肉洗净切片，放碗中，放入全部调料拌匀，腌约6小时。
2. 将腌过的肉片倒去汤汁，逐片放在通风处晾至两面都呈半干状，码碗内，上笼用大火蒸熟。
3. 生菜洗净，铺盘，将蒸熟的肉片滗去汤汁，晾凉，扣在生菜上即可。

小提示：

◎在腌肉片时，腌约3小时后，给肉片翻个身，再腌约3小时。

◎可在成菜上撒上一些熟芝麻。

五彩大拉皮

材料： 拉皮2张，里脊肉50克，胡萝卜、水萝卜、黄瓜、白萝卜各适量，木耳少许。

调料： 盐、鸡精、白糖、醋、酱油、辣椒油、芝麻酱、香油、葱段、姜、香菜末、蒜片各适量。

做法：

1. 胡萝卜、水萝卜、白萝卜、黄瓜、里脊肉切丝。
2. 锅中放底油烧热，放入里脊肉丝、葱段、姜片，少许酱油炒熟。
3. 将盐、鸡精、白糖、醋、酱油、辣椒酱、芝麻酱、香油调和成汁备用。
4. 拉皮用刀切成宽条，装盘浇上配好的调味汁，把几种丝码在上面，炒熟的肉丝放最上面，再撒上香菜末、蒜片即可食用。

小提示： 买回的拉皮最好用开水烫一下，这样干净卫生。

肉丝拌粉皮

材料： 猪瘦肉150克，绿豆粉皮150克。

调料： 酱油10克，醋、芥末油、盐、麻酱各适量，味精少许，香油3滴。

做法：

1. 先将猪瘦肉洗净，先切成片，再切成细丝；粉皮泡软后也切成丝，入开水锅里烫一下，捞出放凉水里，一会儿捞出控水，盛入盘里，用筷子搅散。
2. 锅中放底油，将肉丝入锅煸炒至熟，加酱油，待肉变色盛出放在粉皮丝上。随后浇上醋、香油、芥末油、盐、味精调成的汁，淋上麻酱即成。

小提示： 粉皮中的明矾主要起凝固作用，但明矾中含有铝离子，过量摄入会对身体有害，最好选用无明矾粉皮。

盐水猪肝

材料：鲜猪肝300克。

调料：葱段、姜片各20克，料酒15克，香油10克，花椒10粒，盐5克，味精少许。

做法：

1. 猪肝正面切花刀，洗净，入沸水中余烫去血水，捞出沥干备用。
2. 锅置火上，倒入适量清水，放入猪肝、葱段、姜片、盐、花椒、料酒，煮至熟透，撇去浮沫，晾凉。
3. 捞出猪肝，抹去水分，刷上香油，切片装盘，取少许原汤与味精调匀，淋于肝片上即可。

小提示：猪肝煮熟后，放锅中晾凉，不要捞出晾凉，这样比较入味。

麻辣肚丝

材料：熟猪肚250克，香菜2棵，胡萝卜适量。

调料：醋、酱油各10克，辣椒油、白糖各5克，花椒10粒，姜丝、盐、味精各少许。

做法：

1. 熟猪肚切丝；香菜洗净切段；胡萝卜洗净，切丝；将猪肚丝、香菜段、胡萝卜丝与姜丝盛入盘中。
2. 花椒炒熟捞出，擀成花椒面，加入盐，拌成花椒盐。
3. 将花椒盐、醋、酱油、辣椒油、白糖、味精倒入肚丝中，拌匀即可。

小提示：如用生肚丝，需将猪肚彻底洗净，煮熟。洗猪肚时先将其污秽冲净，剪去肚油，洗净，放入清水中，旺火烧开后取出，将猪肚白衣刮去，用盐、醋反复揉搓，使其黏液溢出，再洗净。

红油猪耳

材料：猪耳朵250克，红油辣椒20克。

调料：葱白1小段，盐、白糖、香油各5克，味精少许。

做法：

1. 取新鲜猪耳朵洗净，入开水锅中煮至刚熟，取出，自然晾凉，将凉透的猪耳朵切成薄片。
2. 葱白切丝；碗中加入盐、白糖、味精、红油辣椒、香油，调匀成调味汁，将猪耳朵片与调味汁、葱丝拌匀，装盘即可。

小提示：在处理猪耳朵时，用盐和白醋多搓洗几遍，可以去掉腥味。

茶香猪手

材料: 猪蹄500克。

调料: 茶叶适量,红葡萄酒20克,红白糖20克,葱、姜、盐、鸡精各适量。

做法:

1. 将猪蹄燎去毛洗净剁成小块,入冷水锅烧开焯一下,撇去浮沫,捞出备用;葱切段,姜切片备用。
2. 用锅将红、白糖炒成糖色,放入红葡萄酒、葱段、姜片、茶叶、水和猪蹄。
3. 大火烧开,改用小火炖煮,待猪蹄七八成熟时放盐、鸡精即可。

小提示: 茶叶用一小块纱布包起来。最好用砂锅炖煮,使其味道更加鲜美。

香辣蹄花

材料: 新鲜猪蹄500克,芹菜50克,罐装朝天椒适量。

调料: 老姜10克,枸杞少许,蒜末10克,姜末5克,葱花5克,麻辣味调料一份。

做法:

1. 将猪蹄洗净,放入滚水中焯两分钟,捞起备用;芹菜洗净切段,用滚水焯一下,备用。
2. 将焯好的猪蹄放入汤锅中,加入老姜(拍烂)、枸杞及盐加盖大火烧滚后,再用小火煮1小时,猪蹄熟透后,捞起放入凉开水中浸泡。
3. 将猪蹄连骨切成小块状,放入一个较大的容器中,加入芹菜、朝天椒、蒜末、姜末、葱花、麻辣味调料一份,拌匀后就可以吃了。

小提示: 麻辣的程度可以根据自己的口味调配,朝天椒可选用超市中罐装的,用时切成碎末就可以了。

夫妻肺片

材料: 黄牛肉250克,牛杂250克。

调料: 卤水250克,香酥花生米末30克,芝麻粉15克,葱末适量,香菜少许,麻辣味调料一份。

做法:

1. 将黄牛肉及牛杂一起下锅加卤水200克煮至质软熟透,晾凉后备用。
2. 将黄牛肉及牛杂切成薄片后装在一个较大的容器中,将剩余卤水和麻辣味调料一份调成味汁均匀地淋在容器中拌匀,最后将花生末、芝麻粉、葱末、香油以及香菜撒上装盘即可。

小提示: 牛杂可在农贸市场中买到,选购时以牛肚、牛百叶及牛心、牛舌为主要材料。其中若是没有卤水,可用超市中出售的牛肉汤汁代替。

酱牛肉

材料：牛腿肉1000克，山楂30克。

调料：酱油150克，葱段10克，姜片8克，花椒8粒、盐、白糖各3克，大料1个，小茴香、桂皮各少许。

做法：

1. 牛腿肉洗净，切成长方块；山楂洗净，去子备用。

2. 将牛肉块、山楂、葱段、姜片全部放入锅中，加清水适量（没过牛肉），大火煮开后，加入酱油、花椒、白糖、大料、小茴香、桂皮，改小火煮约2

小时后加入盐，煮至材料成熟、汤汁收浓后捞出牛肉，晾凉切片即可。

小提示：

◎看牛肉是否熟了，也可用筷子戳一下，能够轻松戳进去即可。

◎牛肉煮软后再收汁。煮牛肉的汁也可不收，留汁下次使用，即成老汤。

凉拌牛百叶

材料：水发牛百叶300克，香菜2棵。

调料：盐5克，白胡椒粉、醋、味精各少许。

做法：

1. 水发牛百叶洗净，放沸水中焯一下，切宽条，晾凉；香菜择洗干净，切段。

2. 百叶条与香菜段盛盘，加入所有调料，拌匀即可。

小提示：牛百叶焯水时间不宜过长。此外拌牛百叶还可用辣椒油、香油拌，香菜也可换成黄瓜等材料。

芥末鸭掌

材料：鸭掌10个。

调料：葱段10克，芥末油适量，盐、香油、醋各5克，料酒10克。

做法：

1. 鸭掌洗净，放沸水中加料酒、葱段，煮至六成熟，捞出，由爪背剖开抽去筋骨，剁去爪尖和上部节头，再放入沸水中煮熟，捞出沥干。

2. 将芥末油、盐、香油、醋倒入碗中调匀，浇在鸭掌上即可。

小提示：鸭掌去筋骨时，要从背部切开。鸭掌不宜煮得太熟，这样能保持爽脆口感。

怪味腰花

材料： 鲜猪腰 3~4 个。

调料： 葱末、蒜末各 5 克，麻酱、酱油、醋、辣椒油、胡椒粉、花椒粉、盐、白糖、味精各适量。

做法：

1. 猪腰顺中缝片开，去掉中间白色腰臊，切十字花刀，放入开水中焯熟。
2. 将所有调料调和均匀，待上桌时将调料浇在腰花上即可。

巧变化：

◎可将调料换成酱油、花椒粉、辣椒粉、白糖、味精、盐，少许醋变成麻辣腰花。

◎还可做怪味鸡、怪味鸭。

鸡蛋肉卷

材料： 猪肉馅 500 克，鸡蛋 5 个，水发木耳、胡萝卜各少许。

调料： 葱末、姜末、蒜末、盐各适量，香油、料酒、味精各少许，淀粉 100 克。

做法：

1. 鸡蛋打散放少许淀粉、盐调匀，摊成薄鸡蛋皮；木耳、胡萝卜均切碎。
2. 肉馅放油、盐、味精、香油、料酒、淀粉、葱末、姜末、蒜末、木耳碎、胡萝卜碎搅拌均匀。
3. 摊好的鸡蛋皮上放一层肉馅，把它卷起来，码放在平盘里，入锅蒸熟，取出晾凉切片装盘即可。

巧变化：

◎调料可加入辣椒粉、花椒粉变成麻辣香肠。

◎猪肉可换成牛肉、羊肉等。

卤凤爪

材料： 鸡爪（凤爪）500 克，柠檬 1 个，高汤适量。

调料： 大料、桂皮、小茴香、丁香、草果、豆蔻、干辣椒、酱油、料酒、白糖、盐各适量。

做法：

1. 鸡爪洗净，剁掉爪尖，用开水烫一下；柠檬洗净，切片。
2. 锅内倒入高汤，加入所有调料，加入柠檬片、鸡爪小火炖熟，捞出，晾凉即可。

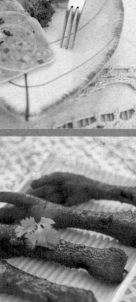

巧变化：

◎可以用干辣椒、花椒炒一下鸡爪做成香辣凤爪。

◎同样调料和做法还可做成卤鸡翅、卤鸭脖等。

泰式木瓜拌凤爪

材料：木瓜100克，熟鸡爪300克。

调料：香菜末、红椒末、花生碎各适量，蒜末5克，酱油、醋各10克，盐适量。

做法：

1. 木瓜去皮、切丝；鸡爪去骨头、切块。

2. 所有调料搅拌混合均匀，加入木瓜、鸡爪中拌匀即可。

小提示：若能在调料中加入鲜柠檬汁味道会更好。

川椒香鸭

材料：嫩鸭1只。

调料：绍酒10克，花椒20粒，葱段、姜片各15克，盐适量。

做法：

1. 嫩鸭去内脏洗净，沥干盛盘。

2. 花椒放入绍酒中浸泡，用葱段、姜片蘸上花椒酒搓抹鸭身，再用盐抹遍全身，放置一夜后，除去鸭身的盐粒。

3. 把葱段、姜片塞入鸭腹中，淋上绍酒，上笼蒸约30分钟至熟，取出滗去卤汁，冷却切块，食用时可再淋少许卤汁。

小提示：如果选用四川花椒，味道更佳。若夏天制作，鸭子抹盐后需放冰箱中过夜。

卤水猪蹄

材料：猪蹄2只。

调料：酱油、料酒、盐、老抽、白糖、葱、姜各适量，大料、丁香、肉桂、白芷、砂仁、豆蔻各1粒。

做法：

1. 猪蹄刮洗干净，用开水氽烫去血沫。

2. 猪蹄凉水下锅，加入所有调料，大火烧开，微火慢炖，直至软烂关火。

3. 让猪蹄在汤汁中浸泡一夜，捞出凉后即可食用。

巧变化：做完这道菜后，再煮八个鸡蛋，剥壳下入余汤中，煮10分钟，浸泡一夜，早上就有卤蛋吃啦。汤汁可续调料和香料，循环使用，是很好的卤水汁。

白糖醋三丝

材料: 瘦猪肉200克，黄瓜1根，胡萝卜1根。

调料: 白糖、酱油、醋各适量，盐5克，味精少许。

做法:

1. 黄瓜洗净，切丝，盛盘，撒少许盐拌匀；胡萝卜洗净，切丝，与黄瓜丝放一起，拌匀。

2. 猪肉洗净，切片，放沸水中焯熟，捞出，晾凉，切丝。

3. 将熟猪肉丝放入加工后的黄瓜、胡萝卜丝盘中，加入所有调料拌匀即可。

小提示: 煮猪肉时还可加入葱丝、姜片、料酒等调味。

土豆火腿沙拉

材料: 土豆1个，火腿肠150克，鸡蛋2个，胡萝卜半根，黄瓜50克。

调料: 沙拉酱、盐、鸡精、胡椒粉各适量。

做法:

1. 土豆、胡萝卜洗净，上火蒸熟，去皮后切成小丁；火腿肠切成小丁；鸡蛋洗净，入锅加水上火煮熟，捞出用凉水充分冷却剥皮，取鸡蛋白切成与土豆丁大小相仿的丁；黄瓜洗净，切丁。

2. 将土豆丁、胡萝卜丁、火腿丁、蛋白丁、黄瓜丁和沙拉酱、盐、鸡精、胡椒粉混合，拌匀即可。

巧变化: 根据个人口味可以加入适量番茄酱。另外若将土豆换成红薯就变成红薯火腿沙拉。

芹菜香肠沙拉

材料: 芹菜2棵，土豆1个，广味香肠100克。

调料: 沙拉酱、盐各适量。

做法:

1. 芹菜择洗干净，取茎干，切成长段，入沸水中焯一下捞出，过凉后沥干；土豆洗净，整个放入开水中煮熟，剥皮，切小丁；香肠蒸熟后切片铺在盘底。

2. 将芹菜段放在香肠上，土豆丁放在芹菜上，调入沙拉酱拌匀，可依个人口味添加适量的盐即可。

巧变化: 沙拉酱里可以加入苹果酱或草莓酱，芹菜可以换成芥蓝变成芥蓝香肠沙拉。

豆瓣拌鹅肠

材料： 鲜鹅肠 250 克。

调料： 葱花 25 克，红油 1 大匙，盐、鸡精、香油各少许，豆瓣酱 3 大匙。

做法：

1. 新鲜鹅肠，加盐拌匀后清洗干净，用小刀刮去过多的油脂，再次清洗后切成长段。
2. 将鹅肠放在漏勺中放入沸水锅中，用大火加热，微烫 30 秒，见鹅肠刚蜷缩，就立刻捞出沥干水分，晾凉后装盘。
3. 在鹅肠中加入红油、盐、鸡精、香油、豆瓣酱、葱花充分拌匀。

小提示：

◎豆瓣酱可以用家常豆瓣酱，不要用炒菜用的豆瓣酱，不然味道会过于浓烈。

◎鹅肠烫至蜷缩即可，若烫的时间太长，口感就不香脆了。

水晶羊羔

材料： 羊后腿 500 克，琼脂适量，芹菜 1 根，胡萝卜 1 根，香菜末、蒜末各适量。

调料： 葱头 1 个，姜、香叶、花椒、盐各适量，鸡精少许。

做法：

1. 羊腿肉洗净切大块，入冷水锅中煮，锅内加葱头、姜片、香叶、花椒、盐、鸡精、芹菜、胡萝卜。
2. 待羊肉煮熟出锅后，趁热用手将羊肉顺丝撕成细丝。
3. 把羊肉丝均匀地撒在平盘或平碗里。
4. 羊肉汤里的料捞出，继续熬开，放入琼脂。
5. 羊肉汤稍晾一会儿，浇在羊肉上，汤要没过羊肉。
6. 待汤稍凝固一会儿，将蒜末、香菜末均匀撒在上面，入冰箱冷藏。

小提示：

羊肉与胡萝卜、洋葱头、芹菜同煮可去除羊肉的膻味。

盐水鸡肝

材料： 鸡肝 250 克。

调料： 葱段 20 克，姜片 10 克，花椒 10 粒，大料 1 个，盐 5 克，料酒 15 克。

做法：

1. 鸡肝洗净，沥干。
2. 锅置火上，倒入清水，没过鸡肝，水烧开，将鸡肝、葱段、姜片、大料、花椒、盐、料酒放入，盖上锅盖，中火煮熟，晾凉后捞出沥干即可。

小提示： 鸭肝也可用此方法制作。

三文鱼片

材料：三文鱼300克，猕猴桃2个。

调料：绿芥末、生抽各适量。

做法：

1. 三文鱼洗净，切片；猕猴桃洗净，切片；绿芥末与生抽调制成汁。
2. 三文鱼片摆在盘子中间，将猕猴桃片摆在盘子四周，作为装饰，食用时用鱼片蘸调味汁即可。

小提示：

◎调料可以换成美极鲜酱油、辣椒油做成辣蘸汁。

◎三文鱼可以换成金枪鱼或北极贝。

干炸小黄鱼

材料：小黄鱼500克，鸡蛋1个，面粉100克。

调料：花椒10粒，盐适量。

做法：

1. 小黄鱼去鳞，去内脏，去头，洗净，控干。
2. 炒锅放入花椒，炒香，取出，擀碎，与盐混合，做成花椒盐；鸡蛋打散，倒入面粉，调成糊状，加入花椒盐，搅匀；将小黄鱼裹匀面糊。
3. 炒锅倒油烧热，将裹好面糊的黄鱼放入，炸至金黄色，捞出，控油，晾凉即可。

小提示：调面糊时，开始时可能会有很多小面球，别着急，多搅拌一会儿就好了，一定要等小面球全没有了再挂糊。

凉拌鱼皮

材料：鱼皮200克，熟花生米30克。

调料：红油30克，葱花、生抽各5克，蒜泥、盐各适量，花椒粉、白糖、香油、鸡精各少许。

做法：

1. 鱼皮洗净，入沸水汆烫至刚熟，捞入凉开水中浸泡，使鱼皮在短时内降温，质地即变爽脆，再将冷却后的鱼皮切成粗丝，装入盘内。
2. 将红油、生抽、蒜泥、盐、花椒粉、白糖、香油、鸡精放入小碗中调成调味汁，淋在鱼皮上拌匀，再撒上葱花和花生米碎即可。

小提示：鱼皮可以选择干鲨鱼皮，烹制前要涨发，先用温水将鱼皮泡透软，再放入沸水中浸泡，待水凉后除沙，去黑皮，洗净，加清水煮约30分钟，去除腥味，再用凉水浸洗干净即涨发好了。

香酥鲫鱼

材料： 小鲫鱼500克，酱瓜15克，酱生姜5克，鲜红辣椒2个。

调料： 葱丝15克，泡椒10克，酱油5克，料酒、醋、白糖各5克，香油少许。

做法：

1. 鲫鱼去鳞、鳃、内脏，洗净沥干；酱瓜、酱生姜分别切丝；鲜红辣椒洗净切丝；泡椒切末。

2. 锅置火上，放油烧热，放入鲫鱼炸至呈金黄色，捞出控油。

3. 锅内放上竹垫，放上酱瓜丝、酱生姜丝、葱丝、红辣椒丝，将鲫鱼腹朝下放入锅中，上面倒上泡椒末、酱油、料酒、醋、白糖、适量水，用旺火烧沸，转小火焖至鲫鱼酥烂，关火，冷却后提起竹垫，连鲫鱼一端出，把鲫鱼腹朝上排在盘中，点上香油即可。

小提示： 此菜是热菜凉吃，搁竹垫可以防止材料煳锅，还可防止鲫鱼在锅中煮碎烂，起锅时连竹垫一起端出，可避免用锅铲盛出时铲碎鱼肉。

鱼子拌海鲜

材料： 净墨鱼500克，虾仁50克，西兰花200克，鱼子酱适量。

调料： 醋5克，蜂蜜3克，柴鱼高汤50克。

做法：

1. 将墨鱼洗净剞花刀，虾仁去沙线，西兰花洗净切小朵。

2. 将鱼子酱、醋、蜂蜜、柴鱼高汤混合搅拌均匀备用。

3. 把所有原料用水氽熟后过凉，捞出放盘内，浇鱼子酱拌匀即可。

小提示： 可以尝试在鱼子酱中放入30克柠檬汁，味道会有奇妙变化。

红油海带丝

材料： 海带200克，葱白1段。

调料： 干辣椒50克，辣椒面5克，精盐、鸡精、白糖、蒜末、香油、油各适量。

做法：

1. 海带泡软洗净切丝，用开水氽透过凉，葱白洗净切细丝。

2. 锅中放油烧热，放入辣椒面，炸出辣椒油备用。

3. 海带丝中放入精盐、鸡精、蒜末、白糖、香油、辣椒油拌匀，上面撒上葱丝即可。

小提示： 炸辣椒油时要小火温油时下辣椒。用油炸辣椒，快出锅时可放适量香油。

蟹肉拌菠菜

材料：熟蟹肉350克，菠菜、绿豆芽各200克。

调料：红辣椒3个，芥末20克，砂白糖10克，酱油10克，鸡骨高汤300克，盐适量。

做法：

1. 将蟹肉撕成丝；菠菜洗净、切段；绿豆芽洗净，掐去两头；红椒洗净、切丝。

2. 把菠菜、绿豆芽氽熟后冲凉，与蟹肉一起拌匀。另将所有调料放到在碗里混合，然后浇在菜上拌匀即可。

小提示：芥末是味道较冲的调料，可以根据个人需要有所增减。

泰式海鲜

材料：鲜贝100克，净虾仁100克，黄瓜1根，鸡蛋液1份（1个蛋）。

调料：泰式酸辣酱适量。

做法：

1. 鲜贝洗净，裹上鸡蛋液入蒸锅蒸熟；虾仁入开水烫熟；黄瓜洗净切丁，也烫一下，将三种材料盛入盘中，晾凉。

2. 将泰式酸辣酱浇在材料上拌匀即可。

巧变化：将酸辣酱换成沙拉酱。

凉拌海带丝

材料：水发海带200克，五香豆腐干100克，水发海米25克。

调料：盐、白糖、味精各少许，酱油、香油、姜末各适量。

做法：

1. 将海带洗净，入沸水略焯，捞出沥水，上锅蒸熟，取出晾凉后切丝，装盘待用。

2. 将五香豆腐干洗净切成细丝，入沸水氽烫，取出用凉开水过凉后沥干水分，放在海带丝上；海米撒在豆腐干丝上面。

3. 碗内放入酱油、盐、味精、姜末、香油、白糖、调拌成汁，浇在海带盘内，拌匀即可食用。

小提示：海带氽烫捞出后一定要沥干水分，否则拌出的海带会有很多水。

芝麻双丝拌海带

材料：水发海带丝250克，青尖椒、红尖椒各50克，熟白芝麻20克。

调料：姜末5克，盐适量，酱油、白糖各5克，醋10克，香油少许。

做法：

1. 海带丝洗净，将青尖椒、红尖椒去蒂及子，洗净，切成丝，将它们分别放入开水中焯一下，捞出过凉，沥干水分。

2. 取一小盆，倒入海带丝、尖椒丝，放入姜末、盐、酱油、醋、白糖、香油搅拌均匀，再盛入盘中，撒入熟芝麻即可。

巧变化：
◎可加入辣椒油变成酸辣海带丝。
◎把海带丝换成海白菜变成芝麻双丝海白菜。

海带三丝

材料：水发海带300克，胡萝卜100克，葱丝50克，香菜少许。

调料：蒜末、醋各10克，盐适量，香油少许。

做法：

1. 海带洗净沥干，切10厘米左右长的丝；胡萝卜洗净切丝；香菜洗净切段。

2. 将海带丝、胡萝卜丝、葱丝放入盘中，加入香菜段及所有调料，拌匀即可。

小提示：挑选干海带时，要选择带白霜的，品质较好。

水晶虾冻

材料：大虾150克。

调料：鸡汤30克，琼脂15克，料酒5克，姜片、葱段、盐、味精各适量。

做法：

1. 将大虾去壳去头尾，剥出虾仁，放入大碗，加清水用筷子沿一个方向打，除去红筋、血水，捞出沥尽水分，加盐略腌，琼脂洗净用清水浸泡。

2. 锅中注入适量清水煮沸，加入姜片、葱段、部分料酒，放入虾仁，待虾仁煮熟呈白色，捞出沥干水分，放入碗中铺平。

3. 另起锅置火上，注入鸡汤，烧沸后撇去浮沫，改小火，放入琼脂溶化后，加味精、盐、剩余料酒调味，烧沸后再撇去浮沫，盛出过滤后倒在虾仁上，待琼脂鸡汤凝结成冻后即可盛入盘中。

小提示：此菜要待琼脂鸡汤完全凉透定型后，才可起冻装入器皿。

盐水虾

材料： 鲜虾400克。

调料： 葱段、姜片、盐各适量，料酒10克，花椒少许。

做法：

1. 虾剪去须、腿，洗净备用。
2. 锅中倒入适量清水，放入所有调料，旺火煮沸，撇去浮沫后放入虾煮红煮熟，捞出晾凉。
3. 剩下的汤去掉葱段、姜片、花椒，冷却后将虾倒回原汤浸泡入味，食用时，将虾摆盘，淋上少许原汤即可。

小提示：
◎去除原汤中的葱段、姜片、花椒，既便于食用，又不影响菜肴美观。
◎一般盐水虾肠泥不易剔除，食用时要特别注意，去除后再吃。

老醋蜇头

材料： 蜇头250克，胡萝卜50克，香菜少许。

调料： 醋15克，蒜末、盐、白糖各适量，生抽、香油各5克，味精少许。

做法：

1. 蜇头用清水浸泡，反复洗去细沙后，切成片，入沸水汆烫后立即捞出，倒入凉开水中浸泡片刻，捞出沥干。
2. 胡萝卜洗净去皮，切细丝；香菜洗净切小段。
3. 将蜇头片盛盘，放上切好的胡萝卜丝、香菜段及所有调料，拌匀即可。

小提示： 蜇头要反复清洗，以免吃时有牙碜的感觉。蜇头汆烫的时间要短，否则影响其爽脆的口感。

蜇头拌白菜丝

材料： 蜇头100克，白菜心150克，香菜叶少许，红椒1个，大蒜3瓣。

调料： 盐少许，味精、白糖、香油各适量，白醋5克。

做法：

1. 把蜇头切成薄片，用清水泡去咸味；白菜心顶刀切成细丝；大蒜去皮切成蒜末；红椒洗净切丝。
2. 锅内倒入香油烧热，加入盐、白糖、味精、白醋、蒜末炒出香味制成味汁。
3. 将蜇头、白菜丝盛入碗中，倒入味汁拌匀，撒入红椒丝及香菜叶即可。

小提示： 在制作蜇头时，也可先用热水汆一下，之后马上浸泡在凉水中，这样能保证蜇皮的爽脆口感。

菠萝虾仁沙拉

材料： 虾仁120克，菠萝150克，西芹100克。

调料： 姜少许，沙拉酱适量。

做法：

1. 虾仁洗净，去背部虾线，放沸水中加入少许姜煮熟，捞出，放凉。
2. 西芹去老筋，洗净，切段，入沸水中焯一下，捞出，过凉，沥干；菠萝去皮，用盐水泡一下，洗净，切块，沥干。

3. 将所有加工完的材料放在碗中，加入沙拉酱拌匀即可。

巧变化： 根据个人喜好可以在沙拉酱里加入菠萝酱，此菜的果蔬可据季节及个人喜好选择。

草莓沙拉

材料： 鲜草莓200克，苹果半个，狝猴桃1个，松子仁20克。

调料： 沙拉酱适量，果酒少许。

做法：

1. 将草莓洗净，去蒂，一切两半；苹果洗净去皮，去核儿，果肉切块；狝猴桃去皮，切片。
2. 将狝猴桃片放入玻璃碗中，再放入

苹果块、草莓，倒入沙拉酱与果酒，混合均匀，上面撒上松子仁即成。

巧变化： 可以把沙拉酱换成浓缩果汁做成果汁草莓。可把草莓换成小番茄，就是小番茄沙拉了。

草莓黄瓜

材料： 草莓150克，黄瓜1根。

调料： 白糖50克，白醋1小匙，盐、味精各适量。

做法：

1. 白糖用凉开水化开制成白糖水；草莓去蒂，洗净，沥干水分后捣碎，淋入白糖水、白醋搅拌均匀，放入冰箱中冷藏1小时；将黄瓜洗净，切去两头，切成长条，放入小盆内，加盐、味精腌制10分钟，捞出，在凉水中稍漂洗，轻轻挤干水分，放入容器内。

2. 将冷藏过的草莓碎浇在黄瓜条上即成。

巧变化： 可以不加白糖，味道则比较清爽，可以把黄瓜换成青笋做成草莓青笋。

柠檬黄瓜

材料：黄瓜1根，柠檬2个，番茄半个，香菜叶适量。

调料：蒜末、姜末各5克，盐、辣椒油、生抽各适量。

做法：

1. 柠檬洗净，切片，取两三片将汁液挤在小碗中，柠檬皮切成碎末待用，将剩下的柠檬片铺在盘中；番茄洗净，切成薄片码在柠檬片上。

2. 黄瓜洗净，切长段，用适量盐腌制约5分钟后，用清水简单冲洗，控干水分后整齐码在番茄上面。

3. 将柠檬皮碎末与蒜末、姜末和盐、生抽、辣椒油、柠檬汁一起放入碗中，搅拌均匀后浇在黄瓜上面，最后撒上香菜叶即可。

巧变化：

调料可以加入青芥末，拌个芥末黄瓜，还可以将黄瓜换成油麦菜。

橘子沙拉

材料：橘子2个，哈密瓜、西瓜各适量。

调料：沙拉酱适量。

做法：

1. 橘子去皮、子，切碎；哈密瓜、西瓜取果肉切块。

2. 将哈密瓜、西瓜块盛入碗中，撒上橘子碎，拌入沙拉酱即可。

小提示：在沙拉酱里加少许炼乳味道更加香甜。

水果沙拉

材料：哈密瓜、芒果各200克，荔枝6个，草莓4个。

调料：原味酸奶250克，橙汁30克，蜂蜜、柠檬汁各15克。

做法：

1. 哈密瓜去皮、瓤，切块；芒果去皮、核，切块；荔枝去皮、核；草莓洗净。

2. 将全部水果放入大碗中，所有调料调匀成沙拉酱，拌入水果中即可。

小提示：水果可以根据个人喜好更换，如换成苹果、香蕉、橘子、梨等。如果用现成的沙拉酱，不要用金属器皿盛水果，否则拌制后会影响口感。

玉米沙拉

材料：嫩玉米粒300克，豌豆50克，番茄50克。

调料：沙拉酱、盐、胡椒粉各适量。

做法：

1. 将玉米粒洗净，用淡盐水煮熟后冷却；番茄洗净，放入沸水中稍烫，剥皮、去子、切丁；豌豆洗净，煮熟后冷却。

2. 将玉米、番茄丁、豌豆、盐、胡椒粉放入碗内，浇上沙拉酱拌匀即成。

巧变化： 把沙拉酱换成酸奶变成酸奶玉米，把玉米换成土豆变成土豆沙拉。

什锦沙拉

材料：生菜、紫甘蓝、黄瓜、小番茄、熟鸡蛋、罐头玉米粒、土豆各适量。

调料：沙拉酱适量。

做法：

1. 生菜剥叶，洗净；黄瓜洗净，切斜片；番茄洗净，切片；鸡蛋去壳，切瓣，玉米粒捞出控水。

2. 紫甘蓝剥叶，切丝，放沸水中快速焯烫；土豆洗净去皮，切丁，放沸水中煮熟。

3. 将加工后的所有材料盛入碗中，加入沙拉酱拌匀即可。

小提示： 蔬菜可根据个人喜好添加，以能生吃的为佳。

京糕梨

材料：梨2个，京糕（山楂糕）200克。

调料：白糖5克。

做法：

1. 梨去皮、核，切1厘米厚的片；京糕切与梨一样厚的片。

2. 将梨和京糕一片压一片地码在一起，切成长条。

3. 将切好的梨、京糕条摆盘，撒上白糖即可。

巧变化： 可以把白糖换成蜂蜜，还能美容养颜。梨可以换成菠萝，就成了京糕菠萝。

苹果柠檬盅

材料：青、黄柠檬各1个，苹果半个，荸荠4个，樱桃4个。

调料：白糖适量。

做法：

1. 柠檬洗净，一切两半，挖去果肉；苹果洗净，去皮，切小丁；荸荠去皮，洗净，放沸水中焯一下，捞出，晾凉，切丁；樱桃洗净，切两半去子。

2. 锅置火上，放一点儿油，烧到五成热时，放入白糖，加少许水，炒至白糖溶化即可。

3. 将苹果丁、荸荠丁放到柠檬盅里，每一个盅里放半个樱桃，浇上白糖汁即可。

小提示：可在白糖汁里加入适量橙汁，还可把柠檬换成橙子，做成苹果橙子盅。

酸辣凉粉

材料：凉粉300克，鲜红辣椒3个。

调料：大蒜3瓣，醋15克，香油10克，盐、白糖各5克，味精、葱花各少许。

做法：

1. 凉粉洗净切长条，盛盘；鲜红辣椒去蒂、子，洗净，入沸水中略焯，捞出切碎；大蒜瓣去皮捣成泥。

2. 将凉粉条、辣椒碎、蒜泥拌匀，再加入剩余调料拌匀即可。

小提示：可将红辣椒入热油锅中炸成辣椒油，浇在凉粉上拌匀。还可将凉粉与黄瓜丝拌在一起，加入蒜末、盐、醋、香油等调料拌匀即可。

赛香瓜

材料：梨1个，山楂糕100克，黄瓜半根。

调料：白砂糖适量。

做法：

1. 将梨、黄瓜洗净去皮切丝。

2. 山楂糕切丝后与梨、黄瓜丝一同装盘，撒上白砂糖即可食用。

小提示：黄瓜尾部含有较多的苦味素，苦味素具有清热、解渴、利水消肿之功，所以食用时不要把黄瓜尾全部丢掉。

芝麻蜜枣

材料：小枣80克，芝麻10克。
调料：冰糖、蜂蜜各适量。
做法：
1. 小枣用水泡开，上屉蒸熟。
2. 将冰糖、蜂蜜熬成汁，然后放入小枣，翻炒几下，使小枣均匀地裹上蜜汁，装盘，上面撒上熟芝麻即可。

小提示：蒸枣时一定要少放水，蒸的时间长一些，枣味会更浓。为了食用方便，最好将枣核去掉。

拌什锦粉丝

材料：粉丝150克，熟火腿、熟鸡肉、熟香肠各25克，海米15克，金针菇25克，菠菜50克，鸡蛋2个。
调料：酱油、香油、盐各适量，鸡精、醋、芥末各少许。
做法：
1. 粉丝用热水烫熟，熟火腿、熟鸡肉、熟香肠切成丝。
2. 海米泡发后，与金针菇、菠菜一起用开水烫熟。

3. 鸡蛋打匀在油锅中摊成薄蛋皮，而后切成丝。
4. 粉丝加入以上准备好的丝料，然后放入所有调料，拌匀即可食用。

小提示：
◎打鸡蛋时少加点盐、淀粉，这样摊出的蛋皮容易成形。
◎用热水烫过的粉丝，不要再用凉水冲，否则易碎。

山楂豆泥

材料：红豆80克，山楂20克。
调料：冰糖适量。
做法：
1. 红豆洗净先泡一会儿，山楂洗净去核备用。
2. 用高压锅将红豆、山楂煮熟成泥，然后加入冰糖即可。

小提示：红豆要煮烂成泥状，还可做成水果豆泥。在夏季吃山楂豆泥时还可放些冰块，会给人清爽口感。

麻仁鸽蛋

材料：鸽蛋10个，黑芝麻适量。

调料：色拉油适量，盐、鸡精、面粉各少许。

做法：

1. 鸽蛋上屉蒸15分钟后，放入凉水中浸凉，剥去蛋壳，裹上面粉。

2. 黑芝麻炒熟，用擀面杖压碎后加些盐。

3. 锅中放油烧至四成热时，将鸽蛋逐个下入炸2分钟，呈金黄色捞起，将黑芝麻撒到鸽蛋上即可。

小提示：黑芝麻可补血、益脑，还能起到明目、润肠的作用。

韩式拌桔梗

材料：桔梗300克，香菜叶少许，糯米粉20克，橙汁30克，熟芝麻少许。

调料：辣椒粉300克，葱末350克，姜末80克，蒜泥250克，白糖5克，盐10克，味精10克，醋30克。

做法：

1. 将250克辣椒粉用少许开水冲烫搅匀，然后加入剩余的辣椒粉与糯米粉、橙汁、熟芝麻、姜末、葱末、蒜泥、白糖、盐、味精、醋混合搅匀即可。

2. 将桔梗洗净、撕成丝，用盐水浸泡后挤出水分。

3. 取适量拌好的辣椒酱拌入桔梗中搅匀，点缀香菜即可。

小提示：用手反复搓揉可去除桔梗的苦味；辣椒酱若低温冷藏保存效果更佳。

冰糖核桃仁

材料：鲜核桃仁250克。

调料：冰糖30克，橄榄油适量。

做法：

1. 鲜核桃仁撕去细皮，冰糖捣碎。

2. 锅中放入橄榄油，待油烧至四成热时，将核桃仁下入，炸约两分钟待核桃微脆，捞出倒入漏勺内沥去余油。

3. 炒锅置旺火上，加入清水，放入冰糖溶化，翻鱼眼泡时下入核桃仁，并用勺拌匀，使核桃仁挂满糖汁即可。

小提示： 炸核桃仁时火不要太大，使用中火就可以。

酿宝珠梨

材料: 鸭梨3个, 松子仁、莲子、白果、桂圆肉、薏米、火腿各适量。

调料: 冰糖200克, 色拉油、水淀粉各适量。

做法:

1. 从梨把下边切下一片(不能切得过多), 用小钢勺挖去梨心和梨核。

2. 松子仁用小火炒香, 搓去细皮; 白果去外壳, 在开水锅内煮熟去细皮; 薏米淘洗干净与切成丁的火腿一起上屉蒸熟, 冰糖捣碎。

3. 将松子仁、白果仁、莲子、薏米、火腿丁、桂圆肉拌匀, 连同冰糖一起装入梨心内, 盖上梨把, 装在盘内用旺火蒸半小时取出。

4. 锅内煮少许清水, 水开后放入冰糖溶化后, 再放水淀粉勾芡, 浇在宝珠梨上即可。

小提示: 宝珠梨内的果馅可随心所欲调换。

什锦西瓜盅

材料: 小西瓜1个, 香蕉、桃、菠萝、苹果、梨、橘子、荔枝各适量。

做法:

1. 西瓜洗净, 从瓜蒂处切下露出红瓤, 然后用小勺挖出瓜瓤, 去子后切块, 并将上述其他水果也加工成小块。

2. 所有材料装入西瓜内, 放入冰箱内, 冰镇1小时即可。

小提示: 可根据自己口味, 在材料装入西瓜前撒些白糖或拌些沙拉。西瓜冰镇时间不宜过长, 太凉伤胃。

香辣黄瓜花生沙拉

材料: 黄瓜2根, 香菜20克, 花生碎100克。

调料: 白醋5克, 白糖3克, 甜辣酱8克。

做法:

1. 将黄瓜洗净, 去皮, 对半切开, 切成薄片, 盛盘; 香菜择洗干净, 切段。

2. 将白糖和白醋倒入小碗内混合, 搅拌至白糖溶化, 倒在黄瓜片上, 再加入甜辣酱、香菜段, 拌匀腌制45分钟即可。

小提示: 此菜中的白糖可以用蜂蜜代替。

蔬菜类

酱烧茄条

材料：茄子500克。

调料：葱末、姜末、蒜末各适量，甜面酱30克，酱油10克，盐、味精、白糖各5克，水淀粉适量。

做法：

1. 茄子削皮，切长条。

2. 炒锅加油烧热后，放入茄条炸呈金黄色后捞出。

3. 锅中留少许底油，把葱末、姜末、蒜末和甜面酱一同下锅煸炒，炒香后放适量水。

4. 把茄条和酱油、盐、味精、白糖一同入锅，烧开后转小火将茄子烧熟透，勾芡。

小提示：炒茄子时在锅里放一点儿醋，茄子就不会炒黑。

辣酱烧茄子

材料：茄子500克。

调料：红油30克，辣酱15克，葱末、蒜片、大料、香菜各适量，生抽、料酒、盐各1小匙，鸡精、白糖、水淀粉各1/2小匙。

做法：

1. 将茄子切成滚刀块，用少许盐拌匀，腌渍15分钟，然后挤掉渗出的黑水。

2. 锅中加入红油烧至四成热，放入茄块翻炸，使各面受热均匀，呈金黄色时盛出。

3. 炒锅中留少许底油，加入辣酱及葱、蒜、大料煎出香味，放入茄子炒至软熟。

4. 再在锅中加入料酒、生抽、白糖、鸡精、适量清汤后烧开，勾芡后撒一把香菜即可。

小提示：将辣椒段、油与适量水一起下锅，加盖慢火熬至辣椒酥香即成红油。

怪味茄子

材料：茄子500克。

调料：蒜泥、香菜各适量，干辣椒2个、醋、酱油、盐各5克，胡椒粉、鸡精、蚝油、白糖各适量。

做法

1. 将茄子洗净切成条，在六成热的油锅里炸熟捞出；香菜洗净，切段。
2. 锅内留油，放入干辣椒煸出香味。
3. 加入葱丝、姜丝、蒜泥、醋、白糖、鸡精、蚝油、酱油、盐搅匀，熬至起泡。

4. 出锅倒在茄子上，撒上胡椒粉、香菜即可。

小提示： 茄子在切好后浸泡在冷水中，可防止茄子吸过多油。

什锦素茄丁

材料：茄子300克，红甜椒、黄甜椒各1个，胡萝卜、黄瓜各30克。

调料：葱末、姜末、蒜末各适量，酱油、盐各1小匙，白糖、鸡精少许，水淀粉适量。

做法

1. 茄子洗净去皮，切小丁；红甜椒、黄甜椒、胡萝卜、黄瓜分别洗净切小丁。
2. 锅置火上，放油烧热，放入茄丁煎

至呈金黄色，捞出沥油。
3. 锅留底油烧热，用葱末、姜末、蒜末炝锅，放入胡萝卜丁、黄瓜丁、红甜椒丁、黄甜椒丁翻炒。
4. 再放入茄丁，加酱油、白糖、鸡精、盐拌匀，熟后勾芡即可。

小提示： 还可加入糟鸡丁一同炒熟，即可吃出类似茄酱的风味。

蒜香茄子

材料：茄子500克。

调料：大蒜5瓣，豆瓣酱15克，白糖、盐各5克。

做法

1. 茄子去柄，削去皮，切成滚刀块，放入清水中泡5分钟，捞出，沥干；大蒜切片。
2. 炒锅倒油烧热，放入茄子块，炒至呈金黄色，盛出备用。
3. 原锅再倒油烧热，大火爆炒豆瓣

酱、白糖，将茄子倒入炒至软烂入味，放入蒜片炒匀。

小提示： 茄子熟烂后放入大蒜，即可关火，或关火后放入大蒜，盖上锅盖焖两分钟，可以充分发挥蒜的香味。

家常茄子

材料：茄子500克，韭菜1小把。

调料：蒜末、盐、酱油、白糖各适量。

做法：

1. 茄子去柄、去皮，切成小块，放入水中浸泡5分钟后捞出，沥干；韭菜择洗干净，切成小段。
2. 炒锅烧热，倒入油烧至六成热，放入茄子翻炒，大约10分钟后，放入盐、酱油、白糖调味。
3. 盖上锅盖烧一会儿，打开盖放入韭菜翻炒至熟，出锅前放入蒜末即可。

小提示：也可以加入一些肉馅，味道更好。

素炒三丝

材料：白萝卜、胡萝卜各150克，芹菜100克。

调料：花椒10粒，葱花、姜末各5克，醋5克，味精、淀粉各适量。

做法：

1. 将白萝卜切丝；胡萝卜切丝；芹菜择洗干净，切丝。
2. 将切好的白萝卜丝、胡萝卜丝、芹菜丝分别用沸水焯烫后，用凉水过凉，控去水分备用。
3. 炒锅加油烧至四成热，放花椒炒香，花椒去掉，用葱、姜炝锅，下三丝用旺火翻炒，烹醋，加盐、味精，勾少许芡即可出锅。

小提示：焯烫白萝卜丝时，看其颜色发白即可捞出。

酸辣洋葱圈

材料：洋葱1个，青、红辣椒2个。

调料：醋30克、盐5克、胡椒粉、味精、白糖各适量。

做法：

1. 将洋葱剥去老皮，洗净后切圈，辣椒洗净，切末。
2. 炒锅加油烧热后，倒入辣椒末炒香，再放入洋葱圈翻炒几下。
3. 放入盐、白糖、味精调味；最后倒入醋炒匀。

小提示：炒洋葱时，加点白葡萄酒就不容易炒焦了。

山药炒甜椒

材料：山药半根，红、绿甜椒各1/2个。

调料：葱丝、姜丝各适量，高汤15克，白糖、盐、白醋、鸡精各5克。

做法：

1. 山药去皮、洗净、切丝；甜椒切丝；将山药丝、甜椒丝放入沸水中焯一下。

2. 炒锅放油加热，放入葱丝、姜丝炒香；放入山药和红、绿甜椒翻炒5分钟。

3. 加入高汤、白糖、盐、白醋、鸡精炒匀，略煮即可。

小提示：山药稍焯就可以了，时间不要长，以去掉多余的淀粉，使口感更脆滑。

韭菜酿彩椒

材料：彩椒2个，虾皮5克，韭菜50克，青椒、红椒各1个，锡纸1张。

调料：葱末、姜末、蒜末、盐1小匙，胡椒粉、香油、味精各少许，料酒5克。

做法：

1. 韭菜择洗干净后切段；青椒、红椒洗净后去子，切成粒；虾皮焯水；彩椒破开，掏出子，用锡纸包住彩椒柄放入烤箱中，强火烤至彩椒有糊痕。

2. 锅内放色拉油，用葱末、姜末、蒜末爆锅，然后放入韭菜、虾皮和青椒粒、红椒粒，用盐、味精、胡椒粉、料酒调味，炒熟之前滴一点香油。

3. 把炒后的韭菜、虾皮、青椒、红椒装入烤好的彩椒中即可。

小提示：香油在菜出锅之前滴入就没有太重的味道。

酱烧春笋

材料：春笋500克。

调料：蚝油10克，甜面酱5克，白糖、鸡精、麻油各适量。

做法：

1. 将鲜春笋削去老皮，切成长条，再用刀面将笋段轻轻拍松，放入开水锅中余烫一下。

2. 用水将甜面酱调拌开。

3. 炒锅放油，烧至五成热，放入笋段翻炒。

4. 放入鲜汤烧沸；汤汁快收干时，放入调味料炒匀。

小提示：靠近笋尖处要顺切，下部要横切，这样烹制时不但易熟烂，而且更易入味。

油焖春笋

材料：春笋500克。

调料：酱油、白糖各30克，香油10克，味精少许。

做法：

1. 春笋洗净，去皮，笋肉对半切开，用刀拍松，改刀切成小块。

2. 炒锅倒油烧热，放入笋块炸至金黄色捞出，控油。

3. 原锅留少许油烧热，下笋块翻炒，加酱油、白糖、开水，旺火烧开，加盖，小火焖10分钟，至春笋没有草涩味，待汤汁稠干时，加入香油、味精炒匀即可。

小提示：烧笋时要加开水，如果加冷水，会使笋表面收缩，有损口感。

清炒蜜刀豆

材料：蜜刀豆80克，山药1小段，马蹄4个，藕1小段，小番茄3个，南瓜1小块。

调料：葱1段，姜1小块，盐5克，味精适量。

做法：

1. 所有蔬菜洗净，山药、马蹄、藕、南瓜去皮，切片，小番茄去皮切开。

2. 蜜刀豆在热水中烫熟，捞出，备用。

3. 锅内热油，用葱、姜炝锅，放入各种加工后的蔬菜急火翻炒，用盐和味精调味即可。

小提示：蔬菜一定要旺火快炒，否则很容易把蔬菜里面的水分煮出来，变成煮时蔬。

番茄豌豆脆

材料：小番茄10个，红、绿甜椒各半个，紫甘蓝1/4个，豌豆若干。

调料：白糖10克，盐、鸡精、醋各5克，香油少许。

做法：

1. 所有材料洗净，红、绿甜椒及紫甘蓝切丝；小番茄切半。

2. 炒锅加油烧热，放入红、绿甜椒和紫甘蓝，翻炒半分钟，放入小番茄和豌豆炒熟；加盐和鸡精炒几下。

3. 最后放入白糖和醋拌匀。

小提示：炒番茄时可以不放水。

什锦番茄盅

材料： 大番茄3个，西兰花1棵，玉米笋8根。

调料： 盐、味精各少许。

做法：

1. 玉米笋入沸水略焯，切成小条；西兰花洗净，掰成小块。

2. 番茄洗净，从上部1/3处切开，挖出内瓤，内瓤切丁，番茄盅留用。

3. 锅置火上，放油烧热，倒入西兰花块、玉米笋条、番茄丁翻炒，加入精盐、味精炒匀，熟后倒入番茄盅内即可。

小提示： 如果嫌番茄的外皮影响口感，可以在其蒂部划十字刀，再入沸水中略烫，即可轻松去皮。

芙蓉番茄

材料： 番茄250克，鸡蛋4个，核桃仁50克，洋葱20克。

调料： 盐、料酒各10克，白糖、鸡精各适量。

做法：

1. 将番茄洗净，放入盆中用开水略烫，揭去表皮，切成小丁；将鸡蛋打破一个小口，让鸡蛋清流入碗中，鸡蛋清液中加入少许盐、料酒，搅打起泡，待用；核桃仁略切几刀；洋葱洗净，切成小粒。

2. 将炒锅置于火上，放入油烧至四成热时，放入洋葱粒炒出香味，倒入蛋液炒散。

3. 待蛋液凝固后，下番茄丁、白糖、盐、鸡精翻炒均匀，最后撒上核桃仁即可。

小提示： 未成熟的青番茄含生物碱，不宜食用。

鱼香番茄

材料： 番茄250克。

调料： 葱末、姜末各5克，蒜3瓣，白糖30克，醋20克，酱油10克，面粉30克，盐10克，味精、香油、水淀粉各适量。

做法：

1. 番茄洗净，用沸水烫一下，剥去外皮，去蒂切成厚片；蒜切片。

2. 锅置火上，放油烧热，将番茄片裹满面粉下入锅中炸至外表结成酥皮，盛出沥油，装盘。

3. 锅留底油烧热，放入葱末、姜末、蒜片煸香，加入适量水、白糖、醋、酱油、盐、味精，烧开后勾芡。

4. 加入少许香油拌匀，盛出浇在炸好的番茄片上即可。

小提示： 切好的番茄一定要将子和汁都拨出，再挂面粉去炸，否则炸的时候它们仍会流出，而破坏外形。

番茄炒鸡蛋

材料：鸡蛋4个，番茄3个。

调料：猪油适量，盐10克，白糖5克。

做法：

1. 番茄洗净后用沸水焯一下，去皮、去蒂，切片备用。

2. 将鸡蛋打入碗中，加盐用筷子充分搅打均匀备用。

3. 炒锅置于中火上，放猪油烧热，倒入搅好的鸡蛋液，待蛋膨胀后用锅铲炒散，铲出待用。

4. 将锅内余油烧热，下番茄煸炒，放糖，再倒入蛋同炒，加适量盐调咸淡，炒匀即成。

小提示：猪油也可以用花生油代替。

洋葱烧番茄

材料：洋葱250克，番茄2个。

调料：番茄酱30克，盐10克，醋、白糖、水淀粉、鸡精各适量。

做法：

1. 把洋葱去掉老皮，切成滚刀块；番茄洗净，去蒂，切成块。

2. 炒锅置旺火上，放油烧至七成热，下洋葱块炸一下，捞出沥干油，把番茄块放在漏勺里，当油烧至八成热时，下油锅炸一下，捞出沥干油。

3. 炒锅内留少许底油，加热后放入番茄酱，翻炒至熟后加入少许水，加入盐、醋、白糖、鸡精。

4. 待汤烧开后放入炸好的洋葱和番茄，翻炒几下，勾芡，芡汁熟后即可出锅。

小提示：番茄也可以不过油。

番茄炒玉米粒

材料：番茄2个，甜玉米1罐（超市可以购到）。

调料：小葱适量，盐10克，白糖3克。

做法：

1. 将番茄切小丁备用；将甜玉米粒取出一小碗，沥干水分备用；将小葱切成葱花备用。

2. 锅置火上，倒入植物油烧热，放入番茄、玉米粒，炒熟后，加入盐、白糖调味，起锅。

3. 撒上葱花即可食用。

小提示：此菜不宜放味精，如果食用者偏好味精，可以酌情放些许味精即可。

松仁玉米

材料：玉米粒200克，熟松子仁75克，胡萝卜半根。

调料：盐5克，白糖10克，水淀粉15克，味精适量。

做法：

1. 玉米粒洗净；胡萝卜洗净，切成和玉米粒相仿的丁，焯水后，捞出控水。

2. 炒锅倒油烧热，放人玉米粒和胡萝卜丁翻炒，放盐、白糖、味精炒匀。

3. 放松子仁，炒匀后用水淀粉勾芡即成。

小提示：如果用生松子仁，用小火慢慢焙熟即可。

百合炒芦笋

材料：芦笋200克，鲜百合150克。

调料：蚝油15克，盐5克，柠檬汁适量。

做法：

1. 将芦笋切成段，放人沸水中焯熟；鲜百合掰开，用水轻轻地冲净。炒锅放油，加热，放人鲜百合和芦笋，大火翻炒。

2. 加盐、鸡精、白糖、少许水炒几下，勾芡。

小提示：芦笋焯水时要让芦笋的下端先浸人滚水中。

多彩芦笋

材料：芦笋250克，熟火腿50克，油菜心2棵，口蘑5朵。

调料：葱段5克，盐3克，料酒15克，姜汁10克，鸡精少许。

做法：

1. 将芦笋洗净，削去根部，切成段；火腿切成菱形片；油菜心洗净，对剖切开；口蘑切片；将芦笋、口蘑、油菜心分别放人沸水中焯一下，捞出沥水，芦笋、油菜心过凉。

2. 将炒锅置火上，倒人油烧至五成热，下葱段爆香，随后放人芦笋、火腿、口蘑、油菜心翻炒片刻。

3. 加高汤、料酒、盐，开锅后撇去浮沫，加姜汁、鸡精，翻拌均匀即可。

小提示：食用芦笋对胆固醇高的人很有益处。

珍珠芦笋烩

材料：芦笋200克，玉米笋150克。

调料：蒜末、姜汁各适量，料酒、盐各10克，白糖、水淀粉各5克。

做法：

1. 将芦笋洗净，削去头及根部，切段；珍珠笋用沸水焯一下，捞起，沥干水分。

2. 将炒锅置于火上，倒入油烧热，下蒜末爆香，倒入珍珠笋及芦笋段，烹入姜汁和料酒翻炒片刻。

3. 加盐、白糖及适量清水，烧开后用水淀粉勾薄芡，汤汁收浓后即可出锅。

巧变化：将玉米笋换成鲜百合，做成百合芦笋烩，更具有安神降压的功效。

莴笋炒蒜苗

材料：莴笋、蒜苗各100克，红，黄彩椒各1/2个。

调料：盐10克。

做法：

1. 莴笋取茎洗净、去皮、切长条片；蒜苗洗净切段；彩椒洗净切长条。

2. 锅中加油烧热，倒入莴笋、蒜苗、彩椒，翻炒近熟时，放盐调味继续炒熟即可。

巧变化：把莴笋带皮切片煮汤，睡前服用，具有助眠功效。

醋熘藕片

材料：嫩藕半根。

调料：葱末、姜末各适量，酱油、花椒油各10克，醋、盐、味精各3克，高汤45克，水淀粉适量。

做法：

1. 藕去皮，冲净，切片，放入开水中略烫。

2. 炒锅加30克油，烧至五成热，放入葱末、姜末炒香后立刻倒入醋略炒，加酱油、盐和高汤，放入藕片翻炒。

3. 勾芡，最后淋上花椒油，炒匀后出锅。

小提示：藕切成薄片，入锅爆炒，翻几下，放入盐、味精就出锅，这样炒出来的藕片色白、清脆多汁。

啤酒炸藕

材料：藕300克，啤酒1罐。

调料：白糖30克，干淀粉、面粉各75克，苏打粉少许。

做法：

1. 藕洗净，切块，均匀沾上干淀粉待用；取一小盆，加入干淀粉、面粉、一半啤酒和匀，再加入苏打粉拌匀成啤酒糊待用。

2. 炒锅倒油烧至六成热，将藕块沾匀糊下油锅中炸制，当糊结壳时捞出；待油温升到八成热时，再入锅复炸至色泽金黄表面起壳时，捞出沥油。

3. 另用净锅，加入剩余的啤酒、白糖烧开后用水淀粉勾芡，起锅浇在炸好的藕块上即可。

巧变化：如果将肉馅加入藕夹中，裹上面糊，下锅炸，则成了炸藕盒。将藕换成茄子，便是炸茄盒。

糖醋小萝卜

材料：小萝卜500克。

调料：白糖15克，醋10克，水淀粉适量，盐、酱油各10克，味精少许。

做法：

1. 小萝卜去掉缨、根须，洗净，切成滚刀块。

2. 炒锅倒油烧热，放入小萝卜块翻炒，倒入少许水，中小火焖制熟软。

3. 放入酱油、盐、白糖、醋、味精翻炒均匀，用水淀粉勾芡即可。

小提示：小萝卜也可先焯熟后再炒，将调料倒入碗中调制成味汁，倒入炒匀即可。

炒胡萝卜丝

材料：胡萝卜2根（约300克）。

调料：香菜1棵，盐10克，味精适量。

做法：

1. 胡萝卜洗净，切片后切丝；香菜择洗净，切成小段。

2. 油烧热，放入胡萝卜丝煸炒，至胡萝卜丝有点软时放入香菜，再调入盐和味精。

小提示：胡萝卜本身有甜味，煸炒后很香腻。如果不喜欢胡萝卜本身的香甜，可以在炒前先炸香整个的干辣椒，出锅前调入一点醋。

南瓜炒洋葱

材料：洋葱80克，南瓜60克。

调料：蒜末适量，盐、醋各1小匙，砂糖1/2小匙，胡椒粉少许。

做法：

1. 南瓜切块，洋葱切细圈。
2. 炒锅加油烧热后，炒香蒜末。放入南瓜和洋葱翻炒。
3. 接着放入调料和适量水炒几下就可以出锅了。

小提示： 调味时也可以放些陈皮，增添酸甜的味道。

辣味白萝卜丝

材料：白萝卜300克，红、绿甜椒各1/2个。

调料：盐5克、味精适量。

做法：

1. 白萝卜洗净，切丝；红、绿甜椒洗净，切丝。
2. 炒锅加油烧热后，放入萝卜丝翻炒。
3. 放入红、绿甜椒丝和调味料一起炒匀。

巧变化： 如果不加红、绿甜椒，加少许白糖，最后撒些香葱末，就做成一道适合南方口味的清炒萝卜丝。

蛋香萝卜丝

材料：白萝卜250克，鸡蛋3个。

调料：盐5克，味精少许。

做法：

1. 白萝卜洗净，去皮，切丝，加少许盐、味精腌制后挤干水分；鸡蛋打散，再倒入少许温水、少许盐打成蛋花。
2. 炒锅倒油烧热，放入萝卜丝翻炒。
3. 待萝卜丝将熟时马上淋入蛋花，炒散后，放入味精调味即可。

小提示： 白萝卜丝易出水，所以炒制前最好先用盐腌一会儿，但是腌后要沥干水分再炒，否则会有生萝卜味。

糖醋胡萝卜丁

材料：胡萝卜200克，蘑菇50克，豌豆30克。

调料：醋、白糖、酱油、香油、干淀粉、水淀粉各适量，面粉少许。

做法：

1. 胡萝卜洗净，切成1厘米见方的块，放入沸水中焯熟后捞出，入冷水过凉，捞出沥水后放入盆内，加面粉、淀粉及少量水拌匀挂浆；蘑菇去杂质，洗净，切成丁；豌豆洗净，沥干；将醋、白糖、酱油倒入碗中兑成糖醋汁。

2. 将炒锅置于火上，倒入油烧热后下萝卜块，炸成金黄色，捞出控油。

3. 锅内留少许底油，油热后下入蘑菇、豌豆煸炒几下，淋入糖醋汁，倒入胡萝卜块，翻炒均匀，加水淀粉勾芡，淋入香油即可出锅。

巧变化：加入牛肉丝做成胡萝卜炒牛柳，此菜具有健脾养胃、强骨壮筋等功效。

小黄瓜炒草菇

材料：小黄瓜4根，草菇8个。

调料：葱末、姜末各适量，盐5克、鸡精1/10克，料酒适量。

做法：

1. 草菇去蒂，洗净，切片，在开水中焯一下。黄瓜洗净，切片。

2. 炒锅放油大火烧热，放入葱末、姜末炒香，加黄瓜片、草菇片翻炒。加入高汤、料酒、盐、鸡精调味煮滚。

巧变化：黄瓜和猕猴桃洗净，去皮，切小块，一起放入榨汁机，加入凉开水搅拌，倒出后加入蜂蜜，餐前喝一杯，对肌肤很有帮助。

麻辣酸黄瓜

材料：黄瓜250克，朝天椒2个。

调料：盐15克，醋10克，黄豆酱油5克，辣椒粉适量，花椒粒若干。

做法：

1. 黄瓜洗净切片；朝天椒切段。花椒粒放小碗中。

2. 炒锅放油烧热，放入黄瓜片翻炒。

3. 炒至黄瓜稍变软后，加入醋、盐、黄豆酱油、辣椒粉炒几下盛出。

4. 锅中加热少量油，关火稍微放10秒钟，倒在花椒上，再浇在炒好的黄瓜上。

小提示：花椒油是这道酸辣黄瓜的美味关键。最好选择新鲜的，粒大、发红的四川花椒。

黑木耳炒黄瓜

材料：黄瓜80克，黑木耳20克。

调料：葱花适量，盐10克，水淀粉、味精、香油各5克。

做法：

1. 黑木耳用清水泡发，去杂洗净，撕成小片；黄瓜洗净，切片；葱切成葱花。

2. 锅置火上，放油烧热，放入葱花煸香，放入黄瓜、木耳片煸炒均匀。

3. 加入素高汤、盐、味精，翻炒至材料熟软入味，用水淀粉勾芡，淋入香油即可。

巧变化：将黄瓜换成黄花菜，做成黄花炒黑木耳，一样很好吃。

海米冬瓜

材料：冬瓜500克，海米50克。

调料：盐、料酒各5克，鸡精、水淀粉各适量。

做法：

1. 冬瓜削去外皮，去瓤，冲洗干净，切成片，用少许盐腌5分钟，沥去水备用；海米用温水泡软。

2. 炒锅倒油烧热，放入冬瓜片炒至嫩绿时捞出，控油待用。

3. 锅内留少许底油，放入料酒、鸡精、海米，烧开后放入冬瓜片，用旺火翻炒均匀，烧开。

4. 转小火焖烧至冬瓜透明入味后，用水淀粉勾芡即可出锅。

小提示：冬瓜去皮时最好留一点儿青色，这样经过焖煮的冬瓜不致过于软烂，而不易夹食。

杭椒冬瓜条

材料：冬瓜300克，杭椒段30克。

调料：酱油、盐各5克，白糖适量。

做法：

1. 将冬瓜洗净，切条或块。

2. 炒锅加油大火烧热，将冬瓜块放入锅中煸炒。

3. 炒至冬瓜变黄色时加入杭椒、酱油，再加适量水，盖上锅盖烧一会儿。

4. 烧到冬瓜快熟烂时，加入盐、白糖，烧至冬瓜酥烂、汤汁半干就可以出锅了。

小提示：冬瓜不要切太厚，容易烧不烂。

香菇冬瓜球

材料：冬瓜300克，干香菇8朵。

调料：高汤500克，香菜碎、姜丝、盐、水淀粉各适量，味精、香油各少许。

做法：

1. 干香菇用水泡发，洗净切丝；冬瓜去皮，用小勺挖成球状。
2. 锅置火上，放油烧热，煸香姜丝，放香菇丝煸炒数分钟后，倒入高汤煮开，将冬瓜球下锅煮熟。
3. 放入盐、味精调味，待材料熟后用水淀粉勾芡，淋上香油，撒上香菜碎即可。

小提示：冬瓜有良好的清热解暑功效。夏季多吃冬瓜有解渴、消暑、利尿作用。

豉汁苦瓜

材料：苦瓜300克。

调料：蒜泥、松子各适量，豆豉15克，白糖5克，酱油、盐各1/30克，鸡精适量。

做法：

1. 将苦瓜去瓜蒂，平剖成两半，去瓤后切片。
2. 炒锅加油烧至六成热，放入苦瓜片，炒熟。
3. 再放入1/2杯水，加入调味料，大火烧至汁变稠，勾芡。

小提示：挑选形状均匀的苦瓜，切掉两头，然后用筷子将子捅出来就可以切成苦瓜圈了。

蒜蓉苦瓜

材料：苦瓜300克，红椒半个。

调料：蒜蓉适量，白糖、盐各1小匙，味精少许。

做法：

1. 苦瓜对半剖开，去瓤，斜片成片；红椒去蒂及子，切块。
2. 油烧热，放入苦瓜和红椒，边翻炒边放入白糖、盐、味精。
3. 炒到苦瓜渐软关火，放蒜蓉炒匀。

小提示：蒜蓉苦瓜适合选用南方的水分比较足的那种苦瓜，肉厚、炒后有点韧；做干煸苦瓜，用细小的北方苦瓜较好。

清炒苦瓜

材料：苦瓜300克。

调料：香葱末适量，盐、味精各1/2小匙，白糖2小匙，麻油适量。

做法：

1. 将苦瓜洗净，对半剖开，去瓤，斜片成片。

2. 炒锅加适量油烧热，爆香香葱末；下苦瓜，迅速翻炒。

3. 加入盐、白糖炒约1分钟，加入味精，翻炒半分钟熄火，淋上麻油即可。

小提示： 炒这道菜糖多放一些，滋味会更好。

白果凉瓜

材料：凉瓜250克，白果30克。

调料：盐、味精、水淀粉各适量。

做法：

1. 白果洗净，敲去外壳，放入锅中，加水煮约20分钟，捞出；凉瓜洗净切丁。

2. 锅置火上，放油烧热，放入白果、凉瓜丁翻炒约5分钟。

3. 加盐、味精炒熟，最后用水淀粉勾薄芡即可。

小提示： 如果觉得凉瓜苦味过重，可以把切好的凉瓜片放在容器中用凉水冲洗，多洗几次，泡一会儿，苦味就会大大减轻，但不要用热水，不然会损失苦瓜的营养和清脆口感。

干椒南瓜

材料：南瓜300克。

调料：红油15克，花生油15克，干红椒5个，盐、鸡精各适量，葱花少许。

做法：

1. 南瓜去皮，洗净，切滚刀块。

2. 锅置火上，油烧至五成热，放入干红椒爆锅。

3. 放入南瓜块，在锅边加入少量温水，再加入红油烧熟。

4. 出锅时撒上葱花即可。

小提示： 炒南瓜时不要放过多的水。

咸蛋黄炒南瓜

材料：小南瓜300克，熟咸鸭蛋黄4个，白芝麻适量，香葱段少许。

调料：黄酒5克，盐1/4小匙，鸡精1/10克。

做法：

1. 将咸鸭蛋黄和黄酒放入小碗中，入蒸锅隔水大火蒸8分钟，取出趁热用小勺碾散，呈细糊状；小南瓜去皮，挖去南瓜子，切成长条。

2. 锅内放油烧热，爆香香葱段，加入南瓜煸炒约2分钟，待南瓜边角发软，倒入蒸好的咸鸭蛋黄，调入盐、鸡精、白芝麻，再翻炒均匀即可。

小提示：可以先将南瓜切成细条，挂上淀粉，过油炸成金黄色再和蛋黄一起炒制。

珍珠南瓜

材料：南瓜250克，鹌鹑蛋8个，青椒1个。

调料：姜片10克，盐、白糖各5克，水淀粉15克，味精少许。

做法：

1. 南瓜洗净，去皮，切开去瓤及子，瓜肉切成滚刀块；鹌鹑蛋煮熟去壳；青椒洗净，去蒂及子，切片。

2. 炒锅倒入油烧至五成热后下姜片略炸，随后倒入南瓜块、青椒片、盐、白糖翻炒至八成熟。

3. 放入鹌鹑蛋、味精、高汤略煮，用水淀粉勾薄芡，待汤汁收浓后出锅即成。

巧变化：可以去掉姜片、盐，加入15克白糖，做成纯甜的；不喜欢吃甜味的朋友可以不放糖，做成咸鲜味的，其他同上。

脆炒南瓜丝

材料：嫩南瓜400克。

调料：葱花适量，盐10克，白糖5克，味精少许。

做法：

1. 将南瓜洗净，去皮，切开去瓤及子，瓜肉切成长约8厘米的细丝，加盐腌渍15~20分钟后挤去多余水分。

2. 将炒锅置于旺火上，倒入油烧热，下入南瓜丝，快速翻炒2分钟。

3. 放入白糖、味精、葱花，翻炒均匀后即可出锅。

小提示：南瓜选用红瓤的味道好。

皮蛋炒黄瓜

材料：黄瓜200克，皮蛋2个，红辣椒2个。

调料：葱末、姜末各适量，盐1小匙，白糖1/2小匙，鸡精少许。

做法：

1. 黄瓜洗净，切滚刀块；皮蛋去皮，切成瓣；红辣椒去蒂及子，洗净，切斜长片。

2. 炒锅倒油烧热，炒香葱末、姜末，然后放入皮蛋，不停翻炒，看到皮蛋边起小泡时放入黄瓜和辣椒，并加入白糖翻炒，再加入盐、鸡精，关火炒匀即可。

小提示：用刀切皮蛋容易碎，还容易粘刀，可以用消过毒的线来切，这样切出的形状既好，又不会碎。

辣炒卷心菜

材料：卷心菜300克，红辣椒少许。

调料：花椒10粒，蒜末10克，盐5克，白糖、醋、酱油各少许。

做法：

1. 卷心菜、红辣椒洗净，切丝。

2. 炒锅倒油烧至四成热，放入花椒炸出香味，捞出花椒不用，放入辣椒炒香，下入卷心菜翻炒。

3. 加入盐、白糖、酱油炒至熟，出锅前淋入少许醋，关火，撒入蒜末即可。

小提示：卷心菜固有的味道不是很好吃，所以调料上可以丰富一点，这道菜白糖、醋、酱油的分量都要适量，不可太多，如果喜欢清爽干净的颜色也可不放酱油。

葱香卷心菜

材料：卷心菜250克，紫红色洋葱150克。

调料：盐3克，浅色酱油15克，白糖15克。

做法：

1. 将洋葱洗净，剥去外衣，切成粗丝；卷心菜洗净，沥干水分，撕成小片，放入盘中备用。

2. 将炒锅置火上，放油烧热，下入洋葱丝，翻炒至出香味时关火，加入盐、酱油、白糖搅拌均匀。

3. 将卷心菜放入蒸锅中，水开后以大火蒸约8分钟，出锅，淋上做法2即可。

小提示：能够用手撕的菜，最好不用刀切，不仅避免刀锈味，而且营养流失更少。此菜需用大火爆炒。

清炒菜花

材料：菜花300克。

调料：盐5克，红椒、味精各少许，白糖适量。

做法：

1. 菜花用手掰成小块，在开水中余透；红椒洗净，去子，切细丝。

2. 锅里热油，将菜花炒熟，用盐、味精、白糖调味，撒上红椒丝即可。

小提示： 在制作之前，最好将菜花先放入盐水里浸泡几分钟，因为菜花很容易残留农药，还容易藏留菜虫，这样做更加卫生。

香菇烧菜花

材料：菜花300克，水发香菇100克。

调料：葱末、姜末、蒜末各适量，料酒5克，盐4克，味精少许。

做法：

1. 将菜花洗净，掰成小朵；香菇去掉蒂，洗净，切成片。

2. 炒锅倒油烧热后，先爆香葱末、姜末、蒜末，再下菜花煸炒。

3. 然后把香菇放入一起炒，加盐、料酒、味精，并加少量泡香菇的原汤，一起炒熟即成。

小提示： 香菇性平味甘，能补气健身，健益脾胃，提高人体的免疫功能；配合菜花两者共用，有益气补虚、健脾胃的效果。

番茄菜花

材料：菜花300克。

调料：番茄酱3大匙，盐、味精各适量。

做法：

1. 菜花掰成小朵，洗净控水。

2. 油烧热，放入菜花，翻炒时放一点水，烧2分钟。

3. 放入番茄酱、盐和味精炒匀，小火烩2分钟即可。

巧变化： 菜花适合和海味食物相搭配食用。可加适量虾仁制成虾仁炒菜花。

咖喱双花

材料：西兰花150克，菜花150克。

调料：咖喱粉、盐各5克，白糖10克，水淀粉少许。

做法：

1. 西兰花、菜花洗净，均掰成小朵，放入沸水中焯熟后沥干。

2. 油烧至六成热，将西兰花、菜花放入，并加入咖喱粉、盐、白糖烧至入味。

3. 用水淀粉勾芡，炒匀即可。

巧变化：把咖喱粉换成蚝油10克，做法同上，即成蚝油双花。

炒西兰花

材料：西兰花300克，干红辣椒4个。

调料：花椒10粒，盐3克，味精少许。

做法：

1. 西兰花去柄，切成小朵，洗净，放入沸水中烫一下，立即捞出，放入凉水中过凉，捞出沥干待用；将干辣椒去蒂及子，切成节。

2. 将炒锅置于火上，放油烧热，下花椒粒炸香后，铲出花椒粒，趁热油下干辣椒节，炸至刚变色时，放入西兰花，快速翻炒，下盐、味精稍炒，即可出锅。

巧变化：西兰花和番茄一起炒，相互搭配，可提升抗癌作用。

清炒莴笋

材料：莴笋300克。

调料：花椒10粒，葱花、盐各适量。

做法：

1. 将莴笋去掉叶和皮，洗净，切成3厘米长的薄片放入盆中，用开水烫一下，用凉水过凉，控干水分。

2. 炒锅倒入油烧热，放入花椒炸香，放入葱花稍炸。

3. 放入莴笋翻炒至熟，加入盐调味即可。

小提示：为了保持莴笋的绿色，炒莴笋时一般不放酱油。

蘑菇炒莴笋

材料：鲜蘑菇250克，莴笋150克、红甜椒1个。

调料：料酒10克，盐5克，味精、香油各少许。

做法：

1. 蘑菇洗净，去蒂，切片；莴笋去叶、外皮，洗净，与红甜椒同切斜片。

2. 炒锅倒油烧热，放入莴笋片、红甜椒片、蘑菇片翻炒。

3. 加入料酒、盐炒至熟，淋上香油，撒入味精炒匀即可。

巧变化： 将蘑菇换成鸡蛋就变成非常家常的鸡蛋炒莴笋了。

软炸香椿

材料：香椿200克，鸡蛋1个。

调料：淀粉15克，盐、花椒粉、味精各适量。

做法：

1. 鸡蛋取蛋清，倒入碗内，用筷子顺一个方向连续打出泡沫，再加淀粉继续顺一个方向搅打匀，制成蛋糊；香椿择洗净；盐、花椒粉、味精拌匀成花椒盐。

2. 将香椿逐根挂上蛋糊。

3. 锅置火上，放油烧热，放入香椿用中火炸熟至呈金黄色，盛出蘸花椒盐食用即可。

小提示： 炸时要用中火，同时用筷子轻轻拨动以免粘连。

地三鲜

材料：茄子200克，土豆1个，柿子椒2个。

调料：蒜蓉10克、盐、白糖、鸡精各少许，酱油15克，水淀粉适量。

做法：

1. 茄子洗净，去柄，去皮，切成滚刀块；土豆洗净去皮，也切成滚刀块，放入清水中浸泡5分钟；柿子椒去蒂及子，洗净，切片。

2. 炒锅倒油烧热，将土豆块放入炸约2分钟，放入茄子，炸至金黄色，捞出，控油。

3. 锅重置火上，留少量油烧热，爆香蒜蓉，加入适量水、料酒、酱油、盐、茄子、土豆、柿子椒片、鸡精，大火烧约1分钟后，用水淀粉勾芡即可。

小提示： 如果喜欢蒜蓉味道重一些，可以在出锅前再放入蒜末。

尖椒土豆丝

材料：土豆300克，尖椒2个。

调料：盐、醋、各5克，花椒、白糖各少许。

做法：

1. 土豆去皮，切丝，放入清水中泡去淀粉，炒前捞出沥干；尖椒去蒂及子，切丝。

2. 炒锅倒油烧热，下入花椒炸香，将沥干的土豆丝倒入爆炒，先加入醋，再放盐和白糖炒匀。

3. 土豆丝将熟时放入尖椒丝，翻炒约2分钟即可出锅。

巧变化：将调料换成葱花、姜末、花椒、盐、酱油、香油、味精炒制土豆丝，加大醋的用量，即成了醋熘土豆丝。

椒香炒土豆

材料：土豆300克，花椒10粒。

调料：葱丝少许，醋、盐、味精各适量。

做法：

1. 土豆洗净去皮，切片后再切细丝，放入清水中泡一会儿，捞出控干水。

2. 油烧热，放入花椒，炸到花椒棕黑，用铲子拨出不要，放入土豆丝快炒。

3. 放盐、醋和味精，炒到有点透明，放入葱丝。

小提示：土豆脆的好吃，稍熟一点，带一点焦也好吃。不过土豆容易回生，一次不要做多。

雪菜炒土豆

材料：土豆250克，雪菜、豆腐干、花生仁各50克。

调料：葱花、蒜末各5克，大料半个，酱油、盐各5克，味精适量。

做法：

1. 土豆去皮，洗净，切丁，下开水锅中煮至七成熟时捞出，用清水洗一下；雪菜切碎；豆腐干切成丁；花生仁放入大料煮熟。

2. 锅内放油，用中火将油烧热，炒香葱花、蒜末，下入土豆丁，旺火翻炒几下。

3. 放入酱油、盐，见土豆上色后，倒入雪菜、豆腐干丁、花生仁翻炒，见熟后加入味精即可出锅。

小提示：加雪菜一同烹制可使土豆味鲜，更加可口。

核桃仁土豆球

材料： 土豆500克，熟核桃仁75克。
调料： 白糖、淀粉、水淀粉各适量。
做法：
1. 土豆洗净去皮，放入碗内，上笼蒸熟，取出捣成泥，加入水淀粉、部分白糖调拌均匀。
2. 将土豆泥分成30份，分别压扁，包上适量核桃仁做成土豆球，裹满淀粉。
3. 锅置火上，放油烧热，放入包好的土豆球炸呈金黄色，捞出沥油，装盘后撒上剩余白糖即可。

小提示： 由于土豆是已经蒸熟的，所以在炸的时候用较高的油温炸就可以了。炸制食品时应遵循"温油炸熟，热油炸脆"的原则，才能达到外焦里嫩的效果。

土豆炖豆角

材料： 土豆150克，豆角200克。
调料： 姜末、蒜末、盐、酱油各适量。
做法：
1. 土豆洗净、去皮、切长条；豆角洗净切段。
2. 炒锅上火将油烧热，放入姜末、蒜末爆香，倒入豆角翻炒至变色。
3. 倒进土豆继续翻炒，放盐、酱油，加水盖上锅盖烧至土豆和豆角熟烂即可。

小提示： 也可加入干红辣椒提升香辣味。

怪味豆角

材料： 豆角300克，鸡蛋清2个，面粉50克，青椒1个，芝麻15克。
调料： 香菜少许，蒜末10克，干淀粉50克，盐5克，料酒、酱油各10克、白糖、鸡精、红油、胡椒粉各适量。
做法：
1. 豆角撕去老筋，洗净，折断成节，放入开水锅中焯至五六成熟捞出备用；鸡蛋取蛋清，搅匀；青椒、香菜均洗净，切末。
2. 将鸡蛋清中加入面粉、青椒末、芝麻、蒜末、盐、料酒、酱油、白糖、红油、胡椒粉及适量水搅拌均匀成糊状待用。
3. 炒锅倒油烧至四成热，将豆角蘸一层干淀粉再挂上糊，下入锅中炸至金黄色捞出，撒上香菜末即可。

小提示： 食用此菜时还可以配一碟椒盐供蘸食，咸味调料分量相应减少即可。

雪菜炒粉皮

材料：雪菜100克，粉皮1张，红椒1个，葱末、姜末各适量。

调料：盐、味精各少许，猪油适量。

做法：

1. 雪菜放入热水锅中余一下，然后立刻放入冷水中过凉，把水分挤干，切碎备用；粉皮用手撕成小块；红椒切成末。

2. 锅烧热，放入雪菜，把水炒干，然后盛出。

3. 在锅内加入猪油，待融化后放入红椒、姜、葱炒香，再放入雪菜和粉皮，加盐和味精调味，炒香即可。

小提示：倘若买到老雪菜，就只用梗不用叶，煮好后先试一下咸淡，再调整盐量的多少，以免太咸。

虎皮核桃

材料：核桃仁250克。

调料：白糖80克，盐适量。

做法：

1. 锅置火上，加清水150克，放入核桃仁、白糖，用小火慢熬至糖汁浓稠而且紧包在核桃仁上关火盛出。

2. 锅置火上，大火烧热，放花生油烧至四成热。

3. 倒入核桃仁，改用小火，将核桃仁炸至金黄色时捞出，冷却后盛盘即可。

小提示：炒、炸核桃仁时都不宜大火，以免变黑。

干煸茭白

材料：嫩茭白300克，芽菜末30克。

调料：酱油、料酒各5克，盐、香油各适量。

做法：

1. 将茭白去皮，切去老根，切成5厘米长的大粗条。

2. 炒锅上火，放油烧至六成热，放入茭白炸至棱角微呈黄色、皱皮时，加入酱油、盐翻炒入味。

3. 放入芽菜，烹入料酒，淋香油即可出锅。

小提示：茭白洁白柔嫩，含有大量氨基酸，味鲜美，可煮食或炒食，是我国特产的优良蔬菜。

杭椒炒茭白

材料：茭白300克，杭椒3个，红辣椒2个。

调料：葱末、姜末、猪油各适量，盐1小匙，味精少许。

做法：

1. 茭白洗净去皮，切成细丝；杭椒、红辣椒均洗净，切成丝。
2. 锅内放入猪油，待油热后，放入姜末、葱末爆香。
3. 再放入茭白丝和杭椒、辣椒丝，炒香放盐调味即可。

小提示： 杭椒和一般的辣椒相比，有淡淡的甜味，如果没有买到杭椒，用辣椒代替也是可以的，那样最好放一点白糖。

香辣茭白

材料：茭白300克。

调料：红辣椒适量，盐10克，酱油10克、白糖、水淀粉各5克，味精少许。

做法：

1. 茭白削去外皮，洗净，切滚刀块；红辣椒去蒂及子，洗净，切段；香菜择洗干净，切段。
2. 炒锅倒油烧热，放入茭白炸1分钟左右，捞出控油。
3. 锅中留少许底油，再次放入控过油的茭白，加入辣椒段、酱油、盐、白糖、高汤，用小火烧约1分钟。
4. 倒入水淀粉、味精炒匀，盛盘即可。

巧变化： 不喜辣者，炒此菜时可以不放辣椒；换成甜面酱，便成了酱烧茭白。

炒西葫芦

材料：西葫芦350克。

调料：葱末、蒜末各适量，盐、酱油各10克，白糖5克，味精少许。

做法：

1. 将西葫芦洗净，去子，切片。
2. 炒锅倒油烧热，爆香葱末、蒜末，投入葫芦瓜片，炒匀。
3. 加入盐、酱油及白糖炒至入味，加入味精炒几下即可。

小提示： 西葫芦味道清甜可口，既可作汤料，亦可炒食。西葫芦含维生素B、维生素C和膳食纤维，常食能清热润肺，可帮助身体新陈代谢。

百合西葫芦片

材料：西葫芦300克，鲜百合、圣女果（俗称小番茄）各50克。

调料：白糖、盐各适量，鸡精少许。

做法：

1. 小番茄洗净切两半；鲜百合洗净；西葫芦削皮去子，洗净切片，用少许精盐腌一会儿。
2. 锅置火上，放油烧热，放入西葫芦片翻炒，再放入百合，炒至变色。
3. 加鸡精、白糖及剩余精盐炒熟，盛出后用小番茄装饰即可。

小提示：西葫芦切片后用精盐腌，可令其出水，吃起来口感就会更加糯软。

西芹银耳百合

材料：西芹200克，银耳15克，百合25克。

调料：葱花、姜丝、高汤、盐、水淀粉、味精各适量。

做法：

1. 将西芹去老茎、叶，洗净，先剖细，再斜刀切段；银耳泡水涨发后，撕成小朵；百合剥开，撕成一瓣一瓣的。
2. 将西芹段放入沸水中焯一下，捞出过凉。
3. 炒锅烧热，倒入油烧至七成热，爆香葱花、姜丝，放入银耳、西芹、百合、盐、高汤，快速翻炒。
4. 出锅前淋入水淀粉，撒上味精炒匀即可。

小提示：如果喜欢辣味，可以在出锅前撒一些白胡椒粉，或在爆香葱花、姜丝的时候加入一两个干红辣椒。

酸辣百合芹菜

材料：芹菜300克，鲜百合80克，红辣椒1个。

调料：姜丝、辣椒油各适量，盐、白糖、醋、香油各5克，鸡精少许。

做法：

1. 将芹菜择洗干净，切成4厘米长的段；百合洗净，掰成片，与芹菜段一起放入沸水中焯熟，捞出，芹菜过凉；红辣椒去蒂、子，洗净切成细丝。
2. 将炒锅置于火上，倒入香油和辣椒油烧至五成热时放入红尖椒丝、姜丝煸炒出香味。
3. 加入醋、白糖、盐、鸡精及适量水，待白糖化开后出锅稍放凉，制成酸辣汁。
4. 将芹菜段和百合片放入干净容器中，倒入酸辣汁腌制20分钟左右，控去多余的汁液装盘即成。

小提示：西芹可以直接炒，焯水后过凉虽然麻烦，但可保持西芹炒出的颜色翠绿。

熏干炒百合

材料：熏干100克，鲜百合200克，番茄60克，青椒50克。

调料：蒜2瓣，白糖、盐、水淀粉、香油各适量。

做法：

1. 鲜百合洗净，焯水，捞出沥干，撕开；番茄表面划十字，焯水，剥去外皮，切成块；青椒去蒂去子，切块；熏干切块；蒜切片。
2. 锅中放油，烧热后放蒜片煸出香味，下入百合快炒。
3. 依次将青椒、熏干、番茄倒入，放入高汤、白糖、盐烩煮约3分钟。
4. 用水淀粉勾薄芡，淋上香油即可。

小提示：百合属于绿色食品，具有润肺、止咳、养阴、清热、安神、利尿等保健功能。

炒绿豆芽

材料：绿豆芽400克。

调料：花椒8粒，醋、盐各适量。

做法：

1. 绿豆芽择洗干净，沥去水分。
2. 油烧热后放入花椒，冒烟后，放入豆芽旺火快炒几下。
3. 加入醋和盐，翻炒至熟即可出锅。

小提示：绿豆芽含有丰富的植物蛋白和多种维生素。它非常适合制作家常菜，凉拌或烹炒，全都美味无比。经常食用绿豆芽有助于消腻、利尿、降脂。

干煸黄豆芽

材料：黄豆芽400克，青蒜3根，干辣椒2个。

调料：葱丝、姜丝各适量，盐、料酒各5克，味精少许。

做法：

1. 黄豆芽去掉根须，清洗干净；青蒜择洗干净，切寸段；干辣椒去蒂及子，切丝。
2. 炒锅烧热，倒入油烧至五成热，放入黄豆芽煸炒，待黄豆芽出水后，盛入盘中。
3. 炒锅内留少许油，烧至四成热，放入干辣椒丝翻炒，待出香味后加入葱、姜丝炝锅。
4. 淋入料酒，再将黄豆芽回锅，加盐调味，放入青蒜翻炒至熟，加入味精炒匀即可。

小提示：黄豆芽不如绿豆芽易熟，特别是豆瓣部分，所以炒制时间要稍长些。

清炒豌豆苗

材料：鲜豌豆苗 500 克。

调料：香菜段、葱丝、姜丝各适量，料酒、盐各 5 克，味精、香油各少许。

做法：

1. 将豌豆苗择洗干净，捞出控净水分。
2. 锅置火上，放油烧热，用葱丝、姜丝爆锅，倒入豌豆苗翻炒。
3. 烹入料酒，加盐、味精、香菜段及少许水，迅速炒至豌豆苗断生，淋入香油即可。

小提示： 炒豆苗的关键是要旺火热油，放入豆苗后迅速翻炒几下，淋入少许凉水，借油爆将菜迅速炒熟，这样既减少了高温烹制的时间，保存了营养素，又保持了豆苗鲜绿的色泽。

炒五仁

材料：青豆、花生米、玉米粒、松仁、莲子各 30 克，小红辣椒 2 个。

调料：白糖、盐各 5 克，鸡精、水淀粉各适量。

做法：

1. 青豆、花生米、莲子、玉米粒洗净煮熟；小红辣椒洗净切细丝。
2. 锅置火上，放油烧热，放入青豆、花生米、莲子、玉米粒、松仁翻炒。
3. 加入盐、白糖、鸡精、辣椒丝炒匀，加水淀粉勾芡即可。

小提示： 因"五仁"在炒制前已煮熟，略加翻炒即可。

虎皮尖椒

材料：大辣椒 250 克。

调料：醋、白糖、酱油、料酒、豆豉酱各 5 克。

做法：

1. 将大辣椒洗净，去蒂及子，剖成两半。
2. 将醋、白糖、酱油、料酒、豆豉酱拌匀成调味汁。
3. 锅烧热，投入大辣椒用小火干燔至表皮出现斑点时盛出。
4. 锅内放入调味汁煮开，再投入大辣椒稍焖约 2 分钟后出锅即可。

小提示： 选材时一定要选用新鲜、皮薄的辣椒，若初次制作切成小段更易入味。

核桃仁炒韭菜

材料：韭菜段200克，核桃仁60克。

调料：盐5克。

做法：

1. 锅置火上，放油烧热，放入核桃仁炸黄。
2. 另起油锅，放入韭菜段翻炒。
3. 放入核桃仁，加盐调味，翻炒至韭菜熟后盛出即可。

小提示：补肾助阳。适用于肾阳不足而导致的阳痿、恶寒等症。

韭菜炒鸡蛋

材料：韭菜100克，鸡蛋2个。

调料：姜丝、料酒、醋、盐各适量，味精少许。

做法：

1. 韭菜洗净，切段；鸡蛋打成蛋液。
2. 锅置火上，放油烧热，倒入蛋液翻炒。
3. 待蛋液凝固时放入韭菜段，加入料酒、姜丝、醋、盐、味精，煸炒至熟即可。

小提示：可将鸡蛋打入碗内，加料酒、盐、味精搅匀，炒出的味道更好。

蚕豆炒韭菜

材料：水发蚕豆100克，韭菜150克。

调料：姜末、料酒各5克，白糖、葱末、蒜末、盐各3克。

做法：

1. 蚕豆去壳取肉；韭菜洗净切段。
2. 锅置火上，放油烧热，放入姜末爆香，放入蚕豆和适量清水炒至蚕豆熟软。
3. 再放入韭菜段、料酒、白糖、葱末、蒜末和盐翻炒，熟后装盘即可。

巧变化：将韭菜换成雪里蕻与蚕豆同炒更下饭。

白萝卜各200克。

调料：盐、姜片、葱花、味精各适量。

做法：

1. 将莴笋、胡萝卜、白萝卜均去皮、根，洗净，分别削成圆球或切块，各15枚，入沸水中汆烫透捞出。

2. 锅置火上，放油烧热，放入葱花、姜片煸香，加入清水、胡萝卜球、白萝卜球、莴笋球，用旺火烧沸，加入盐，改用小火炖烧至材料成熟入味，加入味精调味即可。

巧变化： 三圆的材料可以根据口味来变化。冬瓜、芋头、山药都是不错的选择。

黑木耳炒黄花菜

材料：干黄花菜80克，干黑木耳20克。

调料：葱、高汤、盐、水淀粉、味精、香油各适量。

做法：

1. 黑木耳用清水泡发，去杂洗净，撕成小片；干黄花菜用温水泡发，去杂洗净，挤去水分，切成小段；葱切成葱花。

2. 锅置火上，放油烧热，放入葱花煸香，放入干黄花菜段、木耳片煸炒均匀。

3. 加入高汤、盐、味精，翻炒至材料熟软入味，用水淀粉勾芡，淋入香油即可。

小提示： 鲜黄花菜在食用前一定要先焯熟。干黄花菜因其毒素已经被破坏掉了，所以可以放心食用。

珊瑚金钩

材料：嫩黄豆芽350克，红辣椒1只，木耳10克。

调料：葱丝、姜丝、花椒各适量，盐5克，酱油、醋、料酒、白糖各3克。

做法：

1. 将黄豆芽洗净，掐去根部，放入开水中焯熟，捞出沥干；红辣椒切丝；木耳用清水泡发后切丝。

2. 锅置火上，放油烧至五成热，放入花椒，炸至变色捞出，放入红辣椒丝、葱丝、姜丝炒香，再依次放入木耳丝、黄豆芽，加入酱油、料酒、醋、白糖、盐，翻炒至熟即可。

小提示： 烹调黄豆芽要旺火快炒。

红酒炖橙梨

材料： 红葡萄酒300克，鸭梨2个，香橙1个。

调料： 桂皮5克，丁香10克，冰糖适量。

做法：

1. 鸭梨洗净削皮，对半剖开，去核；香橙去皮，掰成瓣。

2. 将鸭梨、香橙、桂皮、丁香放入锅中，倒入红酒，加热至沸腾。

3. 加入冰糖，改用小火煮至冰糖溶化即可。

小提示 有丰富的维生素，具有暖胃、帮助肌肤补充维生素之功效。所以，本品具有通过促进血液循环来改善肌肤的作用。

香菇蕨菜

材料： 蕨菜250克，香菇50克，胡萝卜、青椒各20克。

调料： 葱丝、姜丝各3克，酱油、料酒各5克，盐、水淀粉、味精各适量。

做法：

1. 蕨菜择洗干净，放入沸水中焯熟，捞出放入凉水中浸泡约1小时，取出切寸段。

2. 香菇用清水泡发，去蒂，切成粗丝，放入沸水中焯一下，捞出沥干；胡萝卜、青椒分别洗净，分别去根去子蒂，切成碎丁。

3. 小碗中放入盐、味精、酱油、水淀粉，调成芡汁备用。

4. 起油锅，放入葱丝、姜丝煸炒出香味，放入香菇丝、蕨菜段、胡萝卜丁、青椒丁翻炒几下，烹入料酒，倒入调好的芡汁，翻炒熟即可。

小提示： 买来的蕨菜无论是鲜菜还是干品，在食用前都应先在沸水中浸烫一下后过凉。

皮蛋炒山药

材料： 山药半根，皮蛋1个。

调料： 葱末、姜末各适量，盐1小匙，鸡精少许。

做法：

1. 山药去皮、洗净，切条，入锅蒸熟。皮蛋去壳，切成4瓣。

2. 炒锅放油烧热，加入葱末、姜末爆香。

3. 放入山药、松花蛋翻炒几下，加调料炒匀。

小提示： 剥皮后的山药非常滑手，在手上涂些醋或盐之类的东西会好处理一些。

豆干炒水芹

材料: 水芹菜（中等大小）2棵，豆腐干、蘑菇各50克。

调料: 葱末、姜末、水淀粉各适量，盐、生抽、鸡精各1小匙。

做法:

1. 水芹菜洗净，切段，豆腐干切丁，蘑菇焯水，切小丁。
2. 起油锅，放入葱末、姜末炝锅。
3. 放入水芹菜、豆腐干丁、蘑菇丁炒几下。
4. 加入盐、生抽、鸡精炒匀勾芡。

小提示:

◎炒芹菜要将油锅用大火烧热并快炒，这样炒出来口感才会好。留些嫩叶一起炒更营养。

◎牛肉末要多炒一会儿，炒去水分。

香干炒芹菜

材料: 芹菜350克，香干100克。

调料: 葱花5克，盐、料酒各5克，香油、味精各少许。

做法:

1. 芹菜择洗干净，剖细（根据个人喜好及刀工程度，粗点、细点都行）后，再切成4厘米左右的长段；香干切条。
2. 炒锅倒油烧热，炒香葱花，下入芹菜段翻炒几下，再放入香干、料酒、盐炒拌均匀，出锅前淋入香油，撒入味精拌匀即可。

巧变化: 芹菜换成水芹、西芹来配炒都可以。还可以将香干换成海米，加盐、味精炒制，就变成了海米芹菜。

香芹炖栗子

材料: 栗子肉150克，大白菜100克，胡萝卜50克，芹菜100克。

调料: 姜丝10克，熟猪油15克，醋、盐、白糖各5克，胡椒粉、味精各少许。

做法:

1. 栗子肉洗净沥干；大白菜洗净切块；胡萝卜洗净，切片；芹菜择洗干净，切段。
2. 炒锅下油，放入姜丝，注入清汤，加入栗子、胡萝卜片，用中火慢煮出味。
3. 下入大白菜、芹菜，放入盐、白糖、醋，煮至入味，出锅前调入胡椒粉、味精即成。

小提示: 栗子、胡萝卜不易入味，要多煮一会儿。

金钩炒丝瓜

材料：丝瓜400克，海米20克。

调料：大蒜1头，盐5克，味精、胡椒粉各少许，高汤半碗，水淀粉15克。

做法：

1. 丝瓜洗净，去皮，切成长段；海米泡洗干净；大蒜剥粒去皮。

2. 炒锅倒油烧热，放入大蒜、海米，待大蒜呈金黄色出香味后，放入丝瓜段，加入盐、高汤，改小火炒至汤汁剩下原来的1/3。

3. 加入味精、胡椒粉炒匀，用水淀粉勾芡即可。

小提示：此菜可用猪油炒，味道更香。

蒜蒸丝瓜

材料：丝瓜1根，红辣椒1个，大蒜4瓣。

调料：盐、白糖、香油、淀粉各5克，味精少许。

做法：

1. 将丝瓜洗净，去皮，切块，装盘；大蒜去皮，切末；红辣椒洗净，去蒂及子，切末。

2. 炒锅烧热，倒入油烧热，下入一半蒜末炸至黄色，盛出；与另一半没炸的蒜和盐、白糖、味精、淀粉均匀撒在丝瓜上。

3. 蒸锅中倒入水，烧开，放入盛丝瓜的盘子，大火蒸约6分钟，取出，撒上红辣椒末，香油烧开后淋在丝瓜上即可。

小提示：用丝瓜做菜最好将皮去掉，否则丝瓜会变得不易熟。另外烹制丝瓜时最好不要用葱爆锅，以免影响丝瓜鲜嫩清淡的口味。

香菇烧丝瓜

材料：丝瓜500克，香菇15克。

调料：姜5克，料酒5克，水淀粉、盐、味精、香油各适量。

做法：

1. 香菇水发后捞出，去蒂，切片；泡香菇的水放置一旁沉淀。

2. 将丝瓜去皮，竖着一剖两半，再切成片；姜切末，加水浸泡，取其汁。

3. 锅置火上，放油烧热，倒入姜汁略烹，再放入料酒、香菇水、盐、味精略煮，放入香菇片、丝瓜片炒至熟透，用水淀粉勾芡，淋入少许香油即可。

小提示：丝瓜易出水，可以在炒前加点盐，先杀出水来再炒。

菠菜炒鸡蛋

材料：菠菜350克，鸡蛋2个，粉丝50克，海米10克。

调料：蒜末5克，盐5克，醋10克，香油、味精各少许。

做法：

1. 菠菜择洗干净，放入沸水中略烫，捞出切成长段；粉丝泡发后，剪成长段；海米泡发；鸡蛋加少许盐打散。

2. 煎锅倒油烧至五成热，倒入鸡蛋液，让其在锅内摊开，待摊成蛋皮后，取出切成丝。

3. 炒锅倒油烧热，炒香蒜末、海米，加入菠菜、粉丝、鸡蛋丝、盐、醋、香油、味精，翻炒至熟即可。

巧变化：可以简单地用鸡蛋和菠菜炒，即成最家常的菠菜炒鸡蛋。

五彩菠菜

材料：菠菜250克，火腿50克，胡萝卜50克，荸荠4个，水发香菇3朵，玉兰片50克。

调料：姜末10克，盐、料酒、水淀粉、味精各适量。

做法：

1. 将菠菜择洗干净，用刀从根部一剖四半，入沸水中焯一下，再放入冷水中过凉，捞出挤干水分，顶刀切成末后再剁一下；胡萝卜去皮，洗净，荸荠去皮，洗净，香菇去蒂，将它们与火腿、玉兰片均切成小丁。

2. 炒锅置火上，倒入油烧热，炒香姜末，放入所有材料翻炒片刻。

3. 放入盐、料酒、味精和鲜汤，汁沸后用水淀粉勾芡，翻一个身盛在盘内即成。

小提示：简单些的话，用菠菜炒火腿也很美味。

胡萝卜炒菠菜

材料：胡萝卜100克，菠菜300克。

调料：盐5克。

做法：

1. 胡萝卜洗净，去皮，切丝；菠菜洗净，入开水锅中焯熟后切段。

2. 炒锅上火将油烧热，倒入胡萝卜丝翻炒。

3. 将熟时，加入菠菜，放盐炒匀出锅。

小提示：可加入蒜蓉提升蒜香味。

炒小白菜

材料：小白菜100克，豆腐皮数张，干辣椒3个。

调料：韭菜、葱末、姜末、味精各适量，盐5克，猪油15克。

做法：

1. 小白菜择洗干净后，在开水中烫一下，然后切碎；豆腐皮切成巴掌大的正方形；干辣椒切小段。

2. 把切碎的小白菜直接放入锅中炒干水分，盛出来，然后在锅里加入猪油，用干辣椒、葱末、姜末爆香，放入炒干的小白菜，加盐，翻炒入味即可。

3. 将炒过的小白菜卷入豆腐皮中，并用烫软的韭菜系住。

小提示：可以用电饭锅熬制猪油，在电饭锅内放一点水或者植物油，然后放入猪板油或者肥肉，接通电源后，就能自动把猪油炼好，不溅油，不煳油渣，油质清。

炒双翠

材料：西瓜皮3块，青椒1个。

调料：盐5克，味精少许。

做法：

1. 西瓜皮削去外皮，斜刀切薄片；用盐腌一下，滤去盐水。

2. 炒锅加油烧热，将青椒先煸炒一下。

3. 再放入腌好的瓜皮和调料炒匀。

巧变化：和西瓜皮搭配的材料可以是藕、毛豆、竹笋；换成海蜇之类的鲜货也别有风味。

醋熘白菜

材料：白菜500克。

调料：醋20克，盐、白糖各5克，酱油、水淀粉各10克。

做法：

1. 白菜择洗干净，取嫩帮，切成菱形片。

2. 炒锅倒油烧热，下入白菜片，翻炒一会儿，放入酱油、盐、白糖炒至熟。

3. 出锅前将醋、淀粉、调成芡汁倒入炒匀即可。

巧变化：可用干辣椒3个切段，炝锅后放入白菜煸炒，即成一道"炝炒白菜"。

芝麻小白菜

材料：小白菜400克，熟白芝麻15克。
调料：盐5克。
做法：
1. 小白菜择洗干净，切段。炒锅倒油烧热，放入小白菜，大火爆炒约1分钟，放入盐调味，炒匀后盛出。
2. 在炒熟后的小白菜上撒上熟芝麻即可。

小提示： 如果是生芝麻，可直接放入干锅中，小火焙香，待芝麻微变黄色时盛出即可，尽量让白芝麻与锅一起热起来，这样可以使白芝麻的香味更多地被"赶"出来，如果等锅烧得很热了再放芝麻则容易烧煳。

金边白菜

材料：白菜500克，干红辣椒3个。
调料：盐5克，酱油10克，醋15克，白糖3大匙，水淀粉10克，香油少许。
做法：
1. 白菜取嫩帮洗净，沥干，放案板上用刀拍一下，然后片成4厘米长，2厘米宽的薄片；干辣椒去蒂及子，洗净，切段。
2. 炒锅倒油烧热，下入辣椒段，炸出香味后放入白菜片，旺火快炒，见白菜刀口略黄时，加入醋，再放入酱油、盐、白糖，煸炒至白菜刀口呈金黄色。
3. 用水淀粉勾芡，出锅前淋入香油翻炒均匀即可。

小提示： 炒这道菜时，要选择嫩菜帮，炒时火要大，白菜易出水，如果火不大就会有菜水味。

栗子烧白菜

材料：白菜500克，栗子20个。
调料：姜末适量，盐、料酒、白糖、水淀粉各5克，香油、味精各少许。
做法：
1. 白菜清洗干净，顺切成长条；栗子用沸水煮熟，剥去外壳内膜。
2. 炒锅烧热，倒入油烧至六七成热，放入白菜炸至金黄色，捞出，再将栗子也用热油炸一下，捞出。
3. 原锅倒入油烧热，炒香姜末，倒入料酒、高汤、盐、白糖、味精调好口味，将白菜、栗子放入烧开，改小火慢慢收汁。
4. 待汤汁渐少时，改大火，用水淀粉勾芡，淋入香油即可。

小提示： 为使成菜美观，可以加少许枸杞装饰。

鱼香白菜

材料：嫩白菜帮250克。

调料：葱末、姜末、蒜末各适量，酱油、醋、白糖、料酒、豆瓣酱、盐各5克，水淀粉3克。

做法：

1. 白菜帮洗净，切菱形块；将酱油、醋、白糖、料酒、葱末、姜末、蒜末、盐、水淀粉放入碗中，拌成调味汁。

2. 锅置火上，放油烧热，加入豆瓣酱煸炒出香味。

3. 放入白菜块翻炒，炒熟后将调好的汁倒入锅中，炒匀即可。

小提示：白菜帮所含的营养成分具有很强的抗氧化作用，可以抑制癌细胞生长。

酒醉冬笋

材料：冬笋400克。

调料：盐5克，白糖少许，白酒15克，高汤适量。

做法：

1. 冬笋去壳，放入沸水中煮透，捞出过凉后切成条。

2. 将高汤、白糖、白酒及笋条放入碗中拌匀。

3. 碗口用保鲜膜封好，上锅蒸20分钟即可。

小提示：放白酒的量及品种可根据个人口感相应增减及更换。

蚝油生菜

材料：生菜200克。

调料：姜末少许，蚝油15克，盐、味精各适量。

做法：

1. 生菜洗净，一片片剥开。

2. 油烧热，放入姜末，生菜入锅，翻炒一下马上关火。

3. 放入盐、味精、蚝油翻匀。

小提示：生菜不要炒得过熟。

清炒荷兰豆

材料：荷兰豆300克，胡萝卜片20片。

调料：盐5克，味精适量。

做法：

1. 荷兰豆择去两头，撕去筋，洗净控干。

2. 油烧热，放入荷兰豆和胡萝卜片，一边翻炒一边放入盐和味精炒匀。

3. 见荷兰豆半透明即关火。

巧变化：荷兰豆可以用芥蓝代替，做成清炒芥蓝。

炒素什锦

材料：黄瓜半根，番茄1小个，西兰花50克，胡萝卜半根，莴笋50克，水发香菇3朵。

调料：姜片适量，盐、水淀粉、姜汁各5克，胡椒粉、味精各少许。

做法：

1. 黄瓜、番茄、胡萝卜洗净切片；西兰花洗净，掰成小朵；莴笋去皮，洗净，切片；香菇去蒂，切片。

2. 把西兰花、胡萝卜、香菇放入沸水锅中焯烫一下，捞出，控水。

3. 炒锅烧热，倒入油烧热，炒香姜片，放入西兰花、胡萝卜、香菇、番茄翻炒。

4. 再放入莴笋、黄瓜，加入盐、姜汁、胡椒粉、味精调味，出锅前用水淀粉勾芡即成。

小提示：也可以不先焯烫蔬菜，在炒制的时候适当加长烹饪时间。

素爆什锦

材料：木耳20克，银耳15克，罐装玉米笋10根，草菇6朵，胡萝卜半根。

调料：葱段、姜片、蒜片各适量，盐、水淀粉各5克，香油少许。

做法：

1. 木耳、银耳放入温水中泡发，捞出去除老根，撕成小朵；草菇洗净，从中间剖开；胡萝卜洗净，去皮，切菱形片。

2. 炒锅烧热，倒入油烧至七成热，放入姜片、蒜片爆香，随后依次放入胡萝卜、木耳、银耳、草菇、玉米笋、盐翻炒。

3. 出锅前调入水淀粉，淋入香油调味，最后撒上葱段即可。

小提示：如果用笋代替玉米笋也可以，但是笋要先在沸水（加少许盐）中煮15分钟左右，取出用清水过凉后再炒。

香菇油菜

材料：小油菜10棵，香菇6朵。

调料：盐、酱油、白糖各5克，水淀粉适量，味精少许。

做法：

1. 小油菜择洗干净，控水备用；香菇用温水泡发，去蒂，挤干水分，切成小丁备用。

2. 炒锅倒入油烧热，放入小油菜，加一点儿盐，炒熟后盛出。

3. 炒锅再次放入油烧至五成热，放入香菇丁，勤翻炒（不用加水，香菇会慢慢炒出水分），然后加盐、酱油、白糖翻炒至熟，闻到香菇特有的香气后，加入水淀粉勾芡，再放入味精调味，最后放入炒过的油菜翻炒均匀即可。

巧变化：可不加酱油和白糖，加5克蚝油，少许味精调味。油菜换成菜心、芥蓝也行。

蒜蓉空心菜

材料：空心菜350克。

调料：大蒜5瓣，葱末5克，盐5克，香油、味精各适量。

做法：

1. 空心菜择洗干净，切成长段；大蒜去皮，剁成蒜末。

2. 炒锅烧热，倒入油烧至六成热，放入葱末和一小半蒜末炝锅，然后加入空心菜炒至断生，加入盐、味精、香油翻炒至入味。

3. 出锅前加入剩下的蒜末翻匀即可。

巧变化：在原有做法的基础上，不放蒜，加入花椒10粒，红辣椒10节，即成炝炒空心菜。

蒜蓉油麦菜

材料：油麦菜300克，蒜蓉20克。

调料：盐5克，味精适量。

做法：

1. 油麦菜择洗干净，切成6~7厘米长的段。

2. 油烧热，放入油麦菜，加入味精和盐，炒到油麦菜碧绿关火，放入蒜蓉。

巧变化：加入一些超市可以买到的罐头豆豉鲮鱼，即做成一道豆豉鲮鱼油麦菜。

芝麻卷心菜

材料：圆白菜嫩心350克，芝麻30克。

调料：盐5克。

做法：

1. 将芝麻淘洗干净，放入锅内，用小火不断翻炒，炒出香味时出锅，用擀面棍压碎。

2. 锅置火上，放油烧热，投入圆白菜嫩心，加盐和少许水，中火翻炒约2分钟，改用大火炒至菜心熟透发软，盛出装盘，撒上芝麻碎拌匀即可。

小提示：芝麻要用小火炒制，并不断翻动，这样才能香而不煳。

炒蔬菜

材料：胡萝卜120克，荷兰豆80克，圆白菜半个，青甜椒1个，紫圆白菜少许。

调料：盐5克。

做法：

1. 将胡萝卜、圆白菜、紫圆白菜洗净，切片；荷兰豆择洗干净；青甜椒去蒂和子后洗净，切片。

2. 锅置火上，倒入适量油烧热，放入胡萝卜、圆白菜翻炒一下，再放入荷兰豆、青甜椒、紫圆白菜翻炒至熟，出锅前放入盐调味即可。

小提示：也可以根据自己的喜爱选择蔬菜。

拔丝山药

材料：山药500克。

调料：冰糖（或白糖）80克。

做法：

1. 山药洗净去皮，切成滚刀块；冰糖碾碎成面儿（白糖可以直接用）；盛盘用少许油抹匀。

2. 锅置火上，放油烧热，放入山药块炸熟至外表金黄、皮脆里熟，捞出沥油。

3. 锅留底油烧热，放入冰糖面、少许清水和糖桂花，小火熬制，不断搅动，待糖汁呈浅红色时，马上将炸过的山药倒入锅中，迅速翻动，使糖汁将山药裹匀，盛出倒入盘中即可。上桌时要配上一小碗凉开水。

小提示：大便燥结者不宜食用山药。

烧红薯

材料：红薯500克。

调料：葱花适量，酱油、盐各5克，水淀粉3克。

做法：

1. 红薯洗净，切块。

2. 锅置火上，下花生油烧热，将红薯放入油中炸至金黄色，关火捞出，锅内留少许油。

3. 开火，再将红薯倒进锅内，注入100克清水，调入酱油、盐、味精，用中火慢焖入味，出锅前用水淀粉勾芡，撒下葱花即成。

小提示：红薯先炸后焖不仅不易烂，而且更好吃。

香糖薯泥

材料：红薯500克，芝麻20克。

调料：熟猪油70克，白糖100克，冰糖15克。

做法：

1. 芝麻小火炒出香味，碾碎；冰糖砸碎成糖渣；碎芝麻跟冰糖渣拌匀备用。

2. 红薯洗净，放入蒸锅蒸20分钟，熟后取出，去皮，稍凉后压成薯泥。

3. 锅置火上，下50克猪油，烧至七成热时，放入薯泥反复翻炒。

4. 待水气炒干后，调入白糖和剩下的猪油，炒至成红薯沙，即可盛出装盘，最后撒上芝麻冰糖渣即成。

小提示：用猪油炒味道鲜香，如有忌讳也可用植物油代替。

拔丝红薯

材料：红薯500克，鸡蛋1个。

调料：白糖100克，干淀粉、面粉各适量。

做法：

1. 红薯洗净，削去外皮，切成滚刀块；鸡蛋打入碗内，加适量水调匀，加面粉、淀粉调成稀糊，将红薯块放入挂匀。

2. 锅置火上，下油，小火烧至四成热，将红薯块逐个放入油中炸透后捞出，转大火将油烧至八成热，将薯块回锅，炸至金黄色，皮脆里软时关火捞出。

3. 将油倒出大部分，留少许在锅内，烧热后下白糖，不停翻炒至糖化开，呈黄色小泡时，将炸好的红薯下入，洒少许凉水，翻两三个身，即可起锅倒入事先抹好油的盘中。

小提示：拔丝的菜蘸着凉水吃比较脆。

蜜四果

材料：山楂150克，板栗150克，大枣150克，白果150克。

调料：白糖100克，香油、蜂蜜、食用碱、糖桂花各适量。

做法：

1. 将山楂、板栗、大枣、白果分别洗净；山楂入锅内加水煮熟，取出剥皮去核；大枣洗净，去核；板栗用刀在顶部划成十字口，放进沸水中煮约2分钟取出，剥去外壳。

2. 白果用刀拍破，除去外壳，放入热水中加少许食用碱，用细刷刷去果皮，再放进沸水锅中煮约20分钟，捞出放清水中漂洗，反复漂洗三四次，沥干；将板栗、白果放笼屉中蒸熟取出，晾干水分。

3. 锅置火上，放油烧热，放入白糖炒至浅红色，倒入适量白开水，随即放入蜂蜜、山楂、板栗、大枣、白果，用旺火烧沸后改用小火慢慢烧至糖汁浓稠，撒上糖桂花，淋入香油拌匀即可。

清炒蜜豆

材料：蜜刀豆200克，红椒1/4个，葱丝适量。

调料：盐1/10克，味精适量。

做法：

1. 蜜刀豆择洗干净，在开水中放入盐和味精，余烫，捞出沥水，装盘；红椒去子，切细丝。

2. 锅内热油，放入蜜刀豆快炒，加少许盐，淋入生抽，撒入葱丝、红椒丝出锅。

小提示：蜜刀豆先在开水中余烫的目的是让其在快炒之后还能保持翠绿的色泽，不会变黄。

薯丁炒玉米

材料：鲜玉米粒200克，红薯150克，青椒50克，枸杞10克。

调料：盐、水淀粉、胡椒粉、鸡精各适量。

做法：

1. 玉米粒洗净用沸水焯一下，捞出沥水；将红薯洗净去皮，切成同玉米粒大小的方丁；青椒去蒂及子，洗净切小丁；枸杞用温水泡发。

2. 将炒锅置于火上，倒入油烧至七成热，放入红薯丁，炸至表面硬结，捞出沥干油。

3. 锅中留少许底油，下青椒丁和玉米粒略炒，再放入红薯丁翻炒，加入高汤、盐、鸡精、胡椒粉炒熟后，下枸杞炒匀，用水淀粉勾芡即可。

小提示：可加入鸡丁一起炒，营养又美味。

炒菊花菜

材料：菊花菜1棵，松花蛋1个，咸鸭蛋1个，草菇3个，枸杞少许，姜丝适量，大蒜3瓣。

调料：盐1/3小匙，味精、胡椒粉各适量，鸡汤1碗，料酒10克。

做法：

1. 松花蛋、咸鸭蛋切成瓣；大蒜去皮用油炸熟；菊花菜择洗干净，焯水后捞出；草菇切成小块；枸杞洗净。
2. 锅内油热后放入姜丝、松花蛋、咸鸭蛋、大蒜和草菇炒香。
3. 淋入料酒，再加入鸡汤，用盐、味精和胡椒粉调味，放入菊花菜、枸杞煮熟即可。

小提示：炒松花蛋和咸鸭蛋的时候注意不要将之炒得过碎。

菠萝炒素

材料：新鲜菠萝1个，鲜百合70克，西芹75克，芦笋120克，红灯笼椒1个。

调料：姜丝适量，淀粉、盐、白糖各5克。

做法：

1. 将菠萝切成块，用少许盐水略浸片刻捞起，沥干水分。
2. 将百合剥成瓣后洗净；西芹洗净切成小块；红椒洗净切块；芦笋洗净切斜片。
3. 锅置火上，倒入植物油，爆香姜丝，放入西芹块、红椒块、芦笋片同炒匀。
4. 将百合、调味料一同加入锅中炒匀，最后加入菠萝块炒匀即可。

小提示：百合和菠萝一定要在起锅前略微炒制一下，不宜炒制时间过长，否则本品的色泽和营养都不能达到最佳状态。

炒仙人掌条

材料：仙人掌500克。

调料：干辣椒2个，盐、香油、白糖各5克，味精少许。

做法：

1. 将仙人掌去皮去刺、洗净，切成4厘米长的条，永烫，捞出用凉开水过凉。
2. 锅置火上，放入香油烧热，放入干辣椒，小火炸出香味。
3. 放入仙人掌炒至将熟，放入盐、白糖、味精炒匀；最后淋入香油即可。

小提示：菜用仙人掌有些苦味，所以加工前要将皮、刺削去，并用淡盐水浸泡15～20分钟或用水焯过后，再用清水漂一下，就可以去掉苦味。

家常红烧肉

材料：五花肉600克。

调料：酱油75克，料酒20克，白糖30克，桂皮1小片，大料3粒，盐3克，姜1小块，大蒜半头，大葱1根，香葱末少许。

做法：

1. 五花肉洗净、切成2～3厘米见方的块，姜、蒜切片，大葱切段。

2. 坐锅热油，先放葱、姜、蒜炒香，倒入肉块翻炒2分钟左右，待肉色变白，加入其余调料（除香葱外）炒匀。

3. 加清水（高出肉面约5厘米），大火烧开，转小火盖上锅盖炖约40分钟至肉酥烂，再以中火收汁。为避免煳底，中途需轻轻翻动肉块，直到汤汁开始浓稠、香味四溢时挑除桂皮等调料，撒上香葱末。

巧变化：可用白菜、豆腐或土豆、胡萝卜垫底，上面放红烧肉块，盖好锅盖，小火焖熟菜料，能变化出多种好吃的炖肉菜。

苏式红烧肉

材料：五花肉600克。

调料：料酒115克，老抽75克，冰糖60克，醋3克，盐3克，香葱末少许。

做法：

1. 五花肉切成麻将块大小，浸没在冷水中，再放半杯料酒（约100克），15分钟后拿出简单冲洗一遍。

2. 将冲好的肉放入锅中，加清水（高出肉面约6厘米），放入剩余料酒、醋，大火烧开后继续煮5分钟，待水面起浮沫时用勺撇出；改小火盖上锅盖焖至少1小时。

3. 将肉和汤水一起倒进炒锅，加老抽，敞开锅盖用中火继续煮30分钟，再加冰糖，大火收汁，最后撒上香葱末即好。

小提示：放醋是为了让肉质酥松，也可以放几个干山楂代替，效果更好。

毛式红烧肉

材料：猪前腿肉500克。

调料：酱油75克，料酒20克，白糖15克，干红辣椒3个，青蒜15克，大料2粒，大蒜8瓣，姜片适量。

做法：

1. 猪肉洗净、切成3厘米见方的块，大蒜剥开，青蒜洗净切段。

2. 坐锅热油，下肉块煸炒至表面变白，放入蒜瓣稍微炒几下，将肉、蒜推到锅边，锅底会留少许油，放入白糖炒至化开，加入酱油炒至翻滚琥珀色的泡，与锅内的肉和炒，肉块均匀上色后淋入料酒。

3. 加清水（高出肉面约5厘米）、大料、姜片、干红辣椒，大火烧开后小火焖1小时左右，拣去大料，放入青蒜段，改中火翻炒5分钟左右即可出锅。

小提示：蒜瓣经长时间炖煮，少了刺激，却增添了肉汁的味道，这样吃蒜，不论味觉还是营养，皆为"大补"。

腐乳烧肉

材料：五花肉500克，油菜心100克，南乳汁50克。

调料：盐3克，白糖20克，鸡精2克，料酒10克，蒜末、葱段各10克，姜片5克。

做法：

1. 五花肉切成3厘米见方的块，放入开水中汆烫一下，沥出备用；油菜心洗净沥干水分。
2. 坐锅热油，放入蒜末、南乳汁炒香后放入肉块，加料酒、白糖、葱段、姜片继续翻炒至肉上色后，加入清水（高出肉块约5厘米），大火烧开后将肉连汤水一起倒入砂锅中。
3. 砂锅放在小火上焖1.5小时左右，至肉块酥烂后再加入少许盐，改用中火收干汤汁。
4. 炒锅放在旺火上，加油烧热，放入油菜心略炒，加盐、鸡精调味后盛在肉块周围即可。

芽菜烧肉

材料：五花肉500克，芽菜150克。

调料：盐2克，鸡精1克，白糖15克，花椒15粒，大料2粒，姜片10克，葱段20克，高汤1000克。

做法：

1. 芽菜洗净切末备用；五花肉入沸水中汆烫一下捞出，冲净后切成约4厘米见方的块，与高汤、姜片、葱段一同放入炒锅内。
2. 旺火烧沸后，撇去浮沫，加花椒、大料、盐、白糖，改为小火炖至肉块熟软。
3. 放入芽菜，改中火烧至肉烂汁浓，芽菜特有的香气泛起，加入鸡精即可起锅。

巧变化：喜辣者可以加入干辣椒，做成川菜口味。

烧樱桃肉

材料：带皮肋条肉500克，油菜心100克。

调料：盐、味精、红曲米水、葱、姜各适量，冰糖15克，大料5克，丁香2克，料酒15克。

做法：

1. 将肋条肉刮洗干净，入沸水中汆烫，撇去浮沫，保留煮肉的汤；取出肉块，肉皮朝上，用刀在肉皮面上剔一个3厘米见方的十字花刀（深至第一层瘦肉）。
2. 取砂锅一只，内垫竹箅，肉皮朝上放入锅内，加入肉汤、葱、姜、料酒、红曲米水，大火烧约30分钟后，放入冰糖、盐，再以小火焖1小时至肉酥烂，改中火收汁，关火拣去葱、姜等调料，去掉肋骨。
3. 另将油菜心炒熟调味后垫底，把肉（皮朝上）盛入盘中即可。

咖喱猪肉块

材料：猪肉 500 克，清汤 700 克。

调料：咖喱沙司 50 克，香叶、油炒面、胡椒粉、盐、鸡精各少许。

做法：

1. 猪肉切成 3 厘米见方的小块，撒上盐、胡椒粉，用热油炸至上色。

2. 肉锅内放入香叶、适量清汤，开始焖煮，待焖至八成熟时，用咖喱沙司、油炒面调剂汤汁浓度，放盐、鸡精调好口味，再用小火将肉焖熟即成。

小提示：咖喱沙司色泽深黄，味道浓香，一般在超市都可以买到。

叉烧肉

材料：猪前臀肉 500 克。

调料：料酒、盐、白糖、生抽、老抽、红曲米水各适量，姜 1 小块、葱 2 段。

做法：

1. 猪肉用开水氽烫去血水后切成拇指粗 6 厘米长的条，放入容器，加入 25 克料酒、5 克盐、10 克白糖、15 克生抽、姜块（拍扁）、葱段、50 克红曲米水，腌渍 24 小时。

2. 平底锅倒少许油，将腌好的肉放入锅内，再加 50 克白糖、3 克盐、15 克料酒、10 克老抽、10 克生抽、100 克红曲米水大火烧开，小火煮熟，再大火收汁，直到汁裹在肉上即成。

东坡肉

材料：五花肉 500 克。

调料：葱段 50 克，白糖 35 克，黄酒 150 克，姜块 20 克，酱油 50 克。

做法：

1. 将猪五花肉刮洗干净，切成方块，放在沸水锅内煮 5 分钟，取出洗净。

2. 取一只大砂锅，用竹箅子垫底，先铺上一层葱段，放入姜块，将猪肉皮面朝下整齐地排在上面，再加入黄酒、葱段、清水，置旺火上烧开后改用微火焖约 1 小时，加入白糖、酱油再焖 30 分钟。

3. 砂锅端离火口，撇去油，将肉块码入小砂锅中肉皮朝上，加盖置于蒸笼内，用旺火蒸 30 分钟至肉酥透，拣去葱姜即成。

小提示：相传宋代大文学家苏东坡"发明"以酒（黄酒）代水的烧肉方法，肉特别香醇味美，一时传为佳话，故称"东坡肉"。

香糟扣肉

材料：猪肋条肉500克。

调料：香糟50克，料酒20克，酱油15克，白糖30克，盐5克，味精1克。

做法：

1. 将肉洗净放入锅内煮20分钟左右，剔去肋骨，切成长条。将切好的肉条码放在碗内，淋上酱油稍稍上色。

2. 将香糟加料酒、清水捏碎，滤去渣子，加入白糖、味精和盐拌匀，倒入盛肉的碗内，上笼用旺火蒸2小时，取出翻扣在盘中即可。

巧变化：香糟是用酿造黄酒的酒糟精加工而成，除了做"香糟扣肉"外，还可制作"糟熘鱼片"、"糟熘肉片"、"糟鱼"等。用香糟烹制的菜肴具有独特的风味，闽菜、江浙菜等较多使用。

霉干菜扣肉

材料：带皮五花肉500克，霉干菜适量。

调料：酱油30克，料酒20克，白糖30克，葱段、姜片、盐各适量。

做法：

1. 先将清洗后的五花肉放入冷水锅中煮至七八分熟（也可用高压锅），捞出用刀刮去肉皮上的油，用纸巾擦干，趁热抹上酱油，料酒，放一会儿备用。

2. 锅内倒油，烧至七分热的时候将五花肉放入油中炸（肉皮朝下），炸到肉皮起小泡，捞出沥油。

3. 炒锅留少许油，下姜片、蒜片炒至出味，放入炸好的五花肉，加入料酒、酱油、白糖、适量清水，用小火焖15分钟，然后收浓卤汁，冷却。

4. 冷却后的五花肉切成薄片，整齐地码在碗底，再把泡软、洗净的霉干菜铺在肉上面，上笼蒸至肉酥烂，沥出卤汁，扣入盘中，最后把卤汁浇在扣肉上。

金银扣肉

材料：带皮五花肉250克，豆腐200克，生菜100克。

调料：辣椒酱50克，盐3克，味精2克，料酒15克，姜汁、白糖各10克，鸡汤80克，红果酱、醋各25克，水淀粉5克。

做法：

1. 将带皮五花肉整块放入清水锅中煮熟、捞出，在肉皮上抹续辣椒酱；豆腐切成0.5厘米厚的长条片待用。

2. 炒锅中倒入油烧至五成热，将晾凉的猪肉放入油中炸2分钟，呈酱红色时捞出、控油。猪肉切成与豆腐大小相同的片，按一片豆腐一片肉的顺序码在大碗里，肉皮朝下，加入辣椒酱、盐、醋、白糖、味精、料酒、姜汁、清水，放入蒸锅蒸熟。

3. 生菜择洗干净、切段，用开水焯烫后放入肉碗里，然后将碗里的肉和豆腐扣入深盘内。炒锅里放鸡汤、红果酱、白糖烧开，用水淀粉勾芡，烧开后浇在扣肉上即可。

粉蒸肉

材料：五花肉400克，籼米200克。

调料：葱丝、姜丝、甜面酱、酱油、料酒、大料、桂皮、花椒、辣椒末各适量。

做法：

1. 将肉切成长约10厘米、宽约5厘米、厚约0.5厘米的大片，放在大盘内，放入葱丝、姜丝、酱油、甜面酱和料酒拌匀，腌制1小时左右，接着把肉一片片地夹出来盛入另外的盘内待用。

2. 把大料、桂皮、花椒等碾碎，和籼米、辣椒末混合在一起，用小火将籼米炒香后碾碎。

3. 把腌好的肉和调好的米粉加少许水拌匀，腌制约1小时，肉皮朝下码入碗内用中火蒸约2小时即熟，出锅后扣入盘内。

小提示：做粉蒸肉最好选用肥七瘦三的五花肉，并且皮要稍微厚一点的。

小烧肉

材料：五花肉500克。

调料：酱油、盐、料酒、白糖、葱段、姜块、大料、高汤各适量，鸡精、香葱末少许。

做法：

1. 把肉切成10厘米长、3厘米宽、1厘米厚的片，用开水煮至七成熟，捞出控水。

2. 炒锅内放白糖，炒成红色，倒入肉片炒上色后盛出，再用八成热的油炸

一下捞出，码放在碗内，加入高汤、盐、酱油、料酒、葱段、姜块、大料，上笼蒸熟。

3. 去掉大料、葱、姜，将汤控在炒锅内，把肉扣在盘中。将汤烧开，撇去浮沫，加鸡精，浇在肉上，最后撒些香葱末即可。

洋葱猪扒

材料：猪通脊肉500克，洋葱1个。

调料：淀粉75克，生抽25克，白糖、料酒、蚝油各5克，味精、白胡椒粉各少许。

做法：

1. 猪通脊肉洗净切厚片，用刀背拍松，放入大碗，加生抽、白糖、料酒、蚝油、味精、白胡椒粉腌约30分钟，再加入适量食用油拌匀，裹上淀粉备用。

2. 将裹上淀粉的猪肉片放入微波炉专用煎盘内，入微波炉用高火加热约

3分钟后翻面，再加热3分钟，至两面煎熟，盛盘。

3. 洋葱洗净、切丝，在煎盘中均匀铺平，淋上适量食用油，入微波炉用高火加热3分钟至熟，铺在猪排上即可。

菜根蒜香骨

材料: 猪肉排600克, 大蒜150克, 胡萝卜50克, 洋葱50克, 芹菜100克, 香菜75克。

调料: 剁椒酱15克, 盐、鸡精、料酒、淀粉各5克, 胡椒粉少许。

做法:

1. 排骨洗净、斩段, 入清水泡去血水; 大蒜、胡萝卜、洋葱、芹菜、香菜均切末, 装盘待用。

2. 将清水中的排骨捞起沥干水, 放入装有蔬菜末的盘中, 加入淀粉、料酒, 再调入盐、胡椒粉、鸡精用手抓匀, 放入冰箱中冷藏3小时。

3. 锅置火上, 油烧至五成热, 将冷藏后的排骨取出, 抹去表面蔬菜末, 下入锅中炸至七八成熟, 待油温回升后, 再将排骨下锅炸至熟透, 捞出、沥油、装盘。

小提示: 排骨码味要经过冷藏, 以便更加入味。

粉蒸排骨

材料: 排骨500克。

调料: 郫县豆瓣酱30克, 大米粉60克, 盐少许, 料酒15克, 生抽、红糖、腐乳汁各5克, 高汤20克, 姜末、香菜各5克。

做法:

1. 排骨洗净后斩成4厘米长的段; 香菜洗净切成3厘米长的段; 豆瓣酱入四成热油锅中炒香待用。

2. 排骨入汤碗加盐、郫县豆瓣酱、生抽、料酒、红糖、姜末、腐乳汁拌匀, 再加入高汤和大米粉拌匀, 腌制20分钟。

3. 将腌制好的排骨装入蒸碗, 入笼用旺火沸水蒸1.5小时, 出笼翻扣于盘中即可。

小提示: 大米粉可以自己研磨, 也可以购买袋装成品。自己研磨时米粉不能太细, 可加少许香料和花椒。

清蒸丝瓜排骨

材料: 猪小排骨400克, 丝瓜500克。

调料: 盐、鸡精、料酒、葱段、姜块、鸡油各适量。

做法:

1. 将排骨洗净剁成方块, 入沸水中烫一下, 用清水冲去浮沫, 放入蒸碗里; 把原汤倒入汤锅中, 加少许盐和料酒, 烧沸后撇去浮沫, 起锅倒入盛排骨的碗中, 放入葱段、姜块, 入笼蒸至排骨软烂, 捡掉葱姜。

2. 丝瓜去皮, 切滚刀块, 放沸水中煮至八成熟。

3. 把丝瓜块放在排骨上, 加少许盐, 再蒸5分钟, 取出蒸碗, 放少许鸡精, 淋上鸡油即可。

小提示: 丝瓜是不可多得的美容佳品, 具有美白、嫩肤等功效。

冰糖肘子

材料：去骨猪前肘子1个（约500克）。

调料：冰糖100克，料酒、酱油、盐、葱段、姜片各适量。

做法：

1. 肘子四周的肥肉切去，修成圆形放入开水中煮10分钟至外皮紧缩。

2. 锅里放一只竹箅子，将肘子放在上面，加水淹没肘子，加入料酒、酱油、盐、冰糖、葱段、姜片，旺火烧开。

3. 加盖后小火烧30分钟，将肘子翻个面，继续烧至肘子软烂熟透（至少2小时），再改用旺火烧至汤水如胶汁，拣去葱、姜即可。

小提示：肘子还可以按照炖肉的方法加大料、桂皮、花椒、肉蔻、香叶等各种香料以及老抽、料酒一起炖，同时加一些鸡蛋同炖，最后出来"炖肘子"和"卤鸡蛋"两道菜，可谓"一举两得"。

红香猪蹄

材料：猪蹄2只、红衣花生米50克。

调料：大料1粒，桂皮1块，料酒、酱油、白糖、盐、葱段、姜片各适量。

做法：

1. 将猪蹄从中间劈开、切块，用沸水烫后刮洗干净，用料酒、酱油腌30分钟。

2. 炒锅内倒油烧热，先放入葱、姜爆香，再放入猪蹄，煎炸至皮呈金黄色，加入清水、桂皮、大料、花生米、酱油、白糖和料酒，旺火煮沸，撇去浮沫，改用小火盖锅盖焖煮2.5小时，待猪蹄软烂即可出锅。

巧变化：如果不放花生米，还可以做成红烧猪蹄；如果用冰糖替代白糖，还可做成冰糖猪蹄花生。

什锦猪蹄锅

材料：土鸡腿1只（约100克），猪蹄2个（约600克），竹荪6~8个，花菇8个，干贝4~6粒，火腿6片，姜3片，小油菜4棵，胡萝卜半根。

调料：料酒20克、盐5克。

做法：

1. 竹荪、花菇分别泡软，竹荪去头尾、切长段，花菇去梗，小油菜洗净，胡萝卜洗净切片，均放入开水中氽烫，捞出备用。

2. 土鸡腿洗净、切块，猪蹄刮洗干净、切小块，分别放入开水中氽烫去血水，捞出沥干水分。

3. 干贝冲净，放入碗中加料酒、温水泡软，蒸熟备用。

4. 除小油菜、胡萝卜外，所有材料放入砂锅中，加入热水盖过材料，移入蒸锅蒸至完全熟透（约1小时），加盐调味，最后放入小油菜及胡萝卜即可。

咕咾肉

材料：肥瘦猪肉 300 克，青、红椒片、笋块各 20 克。

调料：白糖、醋各 50 克，酱油、盐、淀粉、水淀粉各适量。

做法：

1. 将猪肉切成厚块，用刀背轻轻拍松，用少许盐、酱油、淀粉腌拌，再依次放入水淀粉、干淀粉内滚过（蘸粉时要松，不用捏紧）。

2. 青、红椒片和笋块过油，捞出控油。

3. 将猪肉块放入六成热的油锅中，炸至八成熟时取出，隔一二分钟待油温升高，再投入锅中炸透，倒出控油。

4. 炒锅中留少量底油，加入白糖、醋，烧开后用水淀粉勾芡，再将炸好的所有材料倒入锅中翻炒几下即可起锅装盘。

巧变化： 咕咾肉的做法有很多种，材料中可以配菠萝，调料中可加番茄酱，酸甜度按照个人口味来调整。

糖醋里脊

材料：猪里脊肉 300 克，蛋清 3 个。

调料：淀粉 50 克，面粉 30 克，盐、味精、料酒各 3 克，醋 20 克，白糖 40 克，酱油 5 克，葱、姜、大蒜各 2 克。

做法：

1. 猪里脊肉拍松，切成 5 厘米长，截面 1 厘米见方的条，加盐拌匀；葱、姜、大蒜切末。

2. 将蛋清、淀粉、面粉搅拌均匀，放入里脊肉条拌匀。

3. 油烧至五成热，放入里脊肉炸至淡黄色，捞出沥油；油加热至七成热，再放入里脊肉复炸至金黄，捞出沥油。

4. 取一小碗，加白糖、盐、料酒、酱油、醋、少量淀粉、味精调成汁。油烧热，煸香葱、姜、蒜末，倒入调好的汁，待汁黏稠时，倒入里脊肉，翻炒至肉块均匀蘸裹味汁即可盛盘。

小提示： 一般的糖醋菜肴，只要按 2 份糖、1 份醋的比例调配，便可甜酸适度。

农家小炒肉

材料：五花肉 200 克，尖椒 200 克。

调料：辣酱 20 克，盐、姜、大蒜各 5 克，味精 3 克、酱油 30 克。

做法：

1. 将五花肉洗净切片；姜切丝；大蒜切末。

2. 锅烧热放油，放入姜丝、肉片、盐炒至六成熟。

3. 加入尖椒煸炒，淋入酱油，待肉熟后，加入辣酱、味精、大蒜末，香味溢出后即可装盘。

小提示： 最好选购排酸肉，炒出来才更好吃。

木樨肉

材料：瘦猪肉150克，鸡蛋2个，干木耳5克，黄瓜1根。

调料：盐、料酒各5克，酱油3克，香油、淀粉、葱、姜丝各少许。

做法：

1. 将瘦猪肉切片，加入少许淀粉抓匀；鸡蛋磕入碗中打匀；干木耳加温水泡开，去掉根部，撕成小片；黄瓜斜刀切片。

2. 坐锅热油，倒入鸡蛋炒散，划成不规则的小块，盛在盘中（即为所说的木樨）。

3. 锅中再加2大匙油烧热，将肉片放入煸炒，肉片变色后马上加入葱、姜丝同炒至八成熟时，加入料酒、酱油，炒匀后加入木耳、黄瓜和鸡蛋块同炒，最后加盐调味，翻炒匀后淋入香油即可。

回锅肉

材料：五花肉300克，尖椒50克。

调料：郫县豆瓣酱20克，花椒、大料各3克，桂皮1小块，料酒20克，酱油15克，白糖10克，姜5克。

做法：

1. 开水下入整块肉，放姜、花椒、大料、桂皮、料酒煮开，撇去浮沫，继续小火煮到筷子刚能插入肉中，关火，泡5分钟再出锅。

2. 尖椒去蒂、子，洗净，切块，煮好的肉切成大薄片。

3. 炒锅烧热，放少许油，下肉片煸炒，肥肉变得卷曲、透明后盛出。

4. 原锅内放一点油，下郫县豆瓣酱，煸出红油，放入尖椒和炒好的肉片以及酱油、白糖同炒，尖椒稍变软即可出锅。

小提示：这道菜炒时不用加盐，因为豆瓣酱已经够咸了。煮好的肉最好等半凉的时候再切，这样既不烫手，还能切得比较薄。

五花肉炒泡菜

材料：五花肉100克，韩国泡菜（白菜）150克。

调料：味精2克，香油、蒜末各5克。

做法：

1. 五花肉切片；泡菜切成和五花肉大小相仿的块。

2. 热锅放油，放入五花肉和蒜末，炒至肉变色后放入泡菜，翻炒至五花肉熟，放入味精和香油即可关火。

小提示：泡菜本身有滋味，不用再调味，这道菜又快又简单，是韩式家常菜。

青椒炒肉片

材料：猪肉150克，青椒100克。

调料：生抽、白糖各5克，盐3克，水淀粉15克，葱、姜末各适量。

做法：

1. 将青椒去蒂、子，洗净，切块；猪肉切片，用一半水淀粉抓拌匀。
2. 坐锅热油，下入葱、姜末炒香，放入肉片煸炒，加入生抽，肉变色后，放入青椒块，放盐、白糖、少许水，汤汁沸腾后用水淀粉勾芡即可。

巧变化：可将青椒换成红、黄彩椒，成菜色泽更加好看；如果喜欢吃辣，换成尖椒也可。

蘑菇肉片

材料：猪里脊肉、鲜口蘑各200克。

调料：盐、料酒、味精各3克，淀粉5克，葱10克，姜8克，泡椒少许。

做法：

1. 葱、姜切末，与料酒、味精调成汁；猪里脊肉切片，用盐、料酒、淀粉拌匀上浆；口蘑切片。
2. 坐锅热油，下肉片划散，加入口蘑片、泡椒炒至肉熟，再倒入调好的味汁，大火炒匀收汁即成。

巧变化：蘑菇可选用的品种很多，配鲜香菇、鸡腿菇、草菇、平菇等来炒肉片，味道一样鲜美。入锅前需要改刀，香菇切丝、鸡腿菇切片、草菇对半切、平菇撕成小片，更容易入味。

菜心肉片

材料：猪肉200克，油菜心150克，鸡蛋1个。

调料：酱油、料酒各10克，盐、白糖、味精各3克，淀粉适量，香油少许，葱、姜末各2克。

做法：

1. 猪肉洗净、沥水，切成薄片，加入鸡蛋、盐和淀粉拌匀；油菜心洗净。
2. 水烧开，放少许盐，滴几滴食用油，放入菜心稍加焯烫，断生即可捞起，码在盘底。

3. 油烧至六成热时，下肉片划散，加葱、姜、酱油、白糖、料酒、味精，炒匀后淋上香油即可盛盘。

小提示：以选购短小的嫩油菜为最佳，焯烫易熟，色泽又碧绿生青，看上去就有食欲。

熘肉片

材料：肥瘦猪肉250克，鸡蛋清1个。

调料：淀粉、葱、青蒜各10克，盐、味精、香油、姜各3克，料酒5克。

做法：

1. 肉切片，青蒜切小段，葱、姜切末。

2. 肉片用鸡蛋清、淀粉（5克）、盐、味精上浆，另用料酒、淀粉（5克）、葱姜末、少许水调成芡汁。

3. 用温油将肉片滑至熟透，倒出沥油后重放入锅中，放入青蒜，用调好的芡汁勾芡，出锅时淋少许香油。

小提示：可以选择肥少瘦多的后臀尖，炒时一定要待肥肉变得透明了再勾芡，这样出锅的时候可以做到油汁分明，肉不腻，味道好。

麻辣肉片

材料：猪里脊肉250克，青菜心100克，鸡蛋清1个。

调料：泡椒5克，酱油、白糖、味精、熟芝麻、盐、花椒、姜末各2克，郫县豆瓣酱10克，香油、淀粉各适量。

做法：

1. 将猪肉洗净、沥水，切成薄片，盛装碗内，加鸡蛋清、盐拌匀；青菜心洗净；花椒捣碎。

2. 将酱油、白糖、味精、淀粉、姜末、少量清水调成芡汁待用。

3. 油烧至六成热，下菜心煸炒至断生，加盐调味后盛盘。

4. 原锅洗净，倒油烧至七成热，下入拌好的肉片划散，加入花椒、豆瓣酱，翻炒至肉片上色时，倒入芡汁炒匀，最后加入泡椒、熟芝麻，淋少许香油炒匀，起锅盛放在菜心上即可。

巧变化：猪肉可以改用鸡肉替代，做成"麻辣鸡片"，口感也不错，还可减少脂肪的摄入量。

菠菜面筋肉片

材料：瘦猪肉200克，油面筋50克，菠菜100克。

调料：酱油、料酒各5克，水淀粉10克，白糖、盐、葱、姜末各3克。

做法：

1. 将瘦猪肉切成薄片，拌入盐、水淀粉上浆，用旺火、温油将肉片划散，捞出沥油。

2. 菠菜择洗干净，切成小段；油面筋剪成小块，用温水泡软待用。

3. 坐锅热油，下入葱、姜末炝锅，放入炒好的肉片、酱油、料酒、盐、白糖翻炒均匀，放入菠菜、油面筋稍加翻炒至菠菜断生即可。

小提示：葱、姜炝锅要防止炸煳，下锅后散出香味马上放入肉片翻炒。

菊花炒肉片

材料：瘦猪肉300克，鲜菊花瓣20克，鸡蛋1个。

调料：盐3克，味精2克，料酒5克，淀粉适量，葱花、姜末各少许。

做法：

1. 将猪肉洗净切成片；菊花瓣轻轻洗净；鸡蛋磕入碗中，加入料酒、盐、淀粉调成糊，放入肉片拌匀备用。

2. 锅烧热，放油，下肉片炒熟，投入葱花、姜末煸香，淋入少量水，放入菊花瓣、味精翻炒均匀即成。

小提示：为避免花瓣在炒前就干枯，最好是泡在水中，临炒时捞出沥干。

芝麻肉片

材料：猪肉300克，熟芝麻5克。

调料：酱油、盐、香油、花椒、白糖各5克，辣椒粉1克，葱、姜各2克。

做法：

1. 葱切段，姜切片；猪肉洗净，放入清水中，加盐、花椒、葱、姜煮熟后捞出切片，肉汤留用。

2. 坐锅热油，下入肉片炸至浅黄色捞出。

3. 将肉片投入原汤中加酱油、白糖，烧至汁将干时，放入香油、白糖、辣椒粉、熟芝麻即可。

巧变化："芝麻肉片"还可以用另一种制作方法：肉切片，以盐、味精、料酒、水淀粉上浆，待油热后下锅翻炒，加入葱丝、姜丝、酱油，起锅前加入熟芝麻，淋上香油即可。

肉片焖扁豆

材料：瘦猪肉200克，扁豆200克。

调料：盐、味精各3克，酱油少许，姜末2克。

做法：

1. 将猪肉切成薄片；扁豆择好洗净，掰成段。

2. 油烧热后先炒肉片，放入姜末、酱油同炒，待肉片变色后盛出。

3. 锅洗净烧热，放油煸炒扁豆，待扁豆表面翠绿时加半杯温水，盖上锅盖，小火将扁豆焖至熟软，放入肉片，加盐、味精调味，旺火快炒几下即成。

小提示：扁豆一定要焖熟，不熟会引起食物中毒。

肉片豆腐卷

材料: 羊肉片（涮羊肉片）200克，豆腐250克。

调料: 生抽5克，料酒、白糖各3克，水淀粉少许。

做法:

1. 豆腐改刀，切成长度跟羊肉片宽度一致的块。

2. 把一片羊肉片平铺在案板上，把豆腐放在肉片的一端，用肉片卷起豆腐，卷成一个豆腐卷。用同样的方法做好所有的豆腐卷。

3. 把卷好的豆腐卷摆到一个浅盘子上，浇上用生抽、料酒、白糖、水淀粉调好的汁，腌10~15分钟。

4. 煎锅里热少许油，把腌好的豆腐卷放进去，小火慢慢煎至豆腐卷的两面呈金黄色，盛出切为2段，摆盘即可。

巧变化: 如果吃不惯羊肉，可换成牛肉或猪肉做豆腐卷，味道也很相配。

香菇肉片

材料: 猪瘦肉200克，香菇150克。

调料: 盐4克、料酒、水淀粉、香油各5克，胡椒粉1克，葱末、姜末各3克。

做法:

1. 猪瘦肉洗净切片，加盐、料酒、淀粉拌匀腌制片刻；鲜香菇洗净去蒂，对半切开（若是干香菇需事先泡发）。

2. 坐锅热油，将葱末、姜末爆香，倒入肉片炒香，再放入香菇、盐、胡椒粉炒熟，最后用水淀粉勾芡，淋香油炒匀出锅。

圆白菜肉卷

材料: 猪肉馅250克，鸡蛋1个，圆白菜150克。

调料: 盐、胡椒粉、鸡精、姜末、葱花、淀粉各适量，高汤少许。

做法:

1. 将猪肉馅、姜末、葱花、半个鸡蛋、盐、胡椒粉、淀粉、少许高汤一起拌匀、打上劲，做成肉馅备用。

2. 选叶片完整的圆白菜叶在沸水中烫软，抹干水分；把剩下的半个鸡蛋与淀粉调成蛋粉糊。

3. 将菜叶铺平，抹上一层蛋粉糊，放上肉馅，裹成直径约3厘米的卷。如法逐一做好，入笼用旺火蒸约10分钟，至熟取出，待稍凉后，切成2厘米长的段即可装盘。

巧变化: 也可用大白菜叶来卷肉卷，要把菜帮子切掉。

红烧猪蹄筋

材料：水发猪蹄筋200克，水发玉兰片、水发香菇、熟鸡肉各50克。

调料：熟猪油适量，料酒、酱油各25克，盐3克，鸡精2克，清汤200克，香油、水淀粉、葱各适量。

做法：

1. 猪蹄筋切成3厘米长的条，入沸水中氽一下再捞出，沥干水分。
2. 鸡肉、玉兰片、香菇都切成跟蹄筋一样大小的条，葱切段。
3. 将猪油烧热，下入玉兰片、香菇、鸡肉煸炒几下，放入料酒、酱油、盐、清汤，再放入蹄筋，加鸡精，盖锅盖焖至蹄筋入味，淋水淀粉勾芡，放入葱段、香油，即可装盘。

巧变化：猪油特有的香味是别的食用油无法取代的，但考虑到健康因素，也可以用植物油代替。

萝卜干炒腊肉

材料：萝卜干50克，腊猪肉（肥瘦各半）100克，青蒜10克。

调料：红干辣椒20克，料酒、酱油各5克，鸡精3克。

做法：

1. 腊肉上锅蒸透，待凉后切成薄片，蒸出的油留着备用。
2. 干辣椒切丝；青蒜切段；萝卜干用温开水泡两三分钟，捞出攥干切成段。
3. 将蒸出的油烧热，放入切好的腊肉片翻炒，腊肉肥的部分透明时盛出备用。
4. 原锅加热，放少许油，放入干红辣椒、青蒜翻炒，再加入萝卜干、腊肉片翻炒几下后加料酒、酱油、鸡精调味即可。

巧变化：也可用西芹、荷兰豆等与腊肉搭配来炒，西芹、荷兰豆分别要撕去老筋。

客家酿苦瓜

材料：苦瓜2根，猪肉馅250克，虾仁50克，干香菇3朵。

调料：盐3克，酱油5克、水淀粉适量，香葱2根。

做法：

1. 苦瓜洗净，斜切去头尾，切成3～4厘米的段，用勺将其中间的瓤、子挖掉；虾仁洗净，剁成泥；干香菇泡发后，去蒂，切碎；香葱洗净，切末。
2. 将苦瓜段放入沸水焯一下，捞出，过凉水；将猪肉馅、虾泥、香菇末、葱末逐一放入碗中，加入盐、酱油，按同一方向搅拌均匀，中间分几次加适量水，使肉馅更有弹性。
3. 将搅拌好的馅逐一填入苦瓜段中，并用勺压紧，放入盘中，入蒸锅，大火蒸至熟透，将盘中的汤汁滗入炒锅中，用水淀粉勾芡后浇在苦瓜段上即成。

蒜苗肉丝

材料：瘦猪肉150克、蒜苗150克。

调料：料酒、酱油、淀粉各10克、盐4克、味精1克。

做法：

1. 肉洗净切丝；蒜苗择洗净、切段。
2. 用淀粉、酱油、料酒和少许盐、味精把肉丝腌拌匀。
3. 大火热锅放油，将腌好的肉丝炒熟。
4. 原锅内再放少许油，放入蒜苗快炒，将熟时加入炒好的肉丝，翻炒后加盐调味，炒匀即可。

小提示： 想吃脆口的蒜苗把蒜苗炒至断生即可；想吃熟软的则加一点水焖一下，但蒜苗颜色会发黄。

京酱肉丝

材料：瘦猪肉250克，葱白30克，姜5克，鸡蛋清1个。

调料：盐1克，甜面酱80克，料酒5克，白糖20克，淀粉、味精各2克。

做法：

1. 将猪肉切丝，放入碗内，加料酒、盐、鸡蛋清、淀粉抓匀上浆。
2. 将葱白斜切成丝放在盘中垫底，姜切片略拍，取少量葱丝同放一碗内，加少量清水，泡成葱姜水。
3. 坐锅热油，放入肉丝炒散，至八成熟时盛出、沥油。
4. 原锅烧热放少许油，加入甜面酱略炒，放入葱姜水、料酒、味精、白糖，不停翻炒，待白糖全部溶化，且酱汁开始变黏时，放入肉丝，不断翻炒，使甜面酱均匀地裹在肉丝上，将肉丝放在盛有葱丝的盘上，食用时拌匀即可。

小提示： 可以准备一些豆腐皮，卷着吃更香。

鱼香肉丝

材料：瘦猪肉200克，水发木耳、水发笋片各25克。

调料：酱油、白糖、姜末、蒜末各10克，盐3克，醋8克，味精1克，水淀粉50克，泡椒酱40克，料酒、葱花各15克。

做法：

1. 将猪肉切粗丝（截面0.5厘米见方），用盐、料酒码味，再用水淀粉拌匀。
2. 木耳洗净切丝，笋片切丝，用开水焯烫后捞出、沥水。
3. 取一小碗，放酱油、白糖、醋、味精、水淀粉和少许清水调成鱼香汁。
4. 锅内油烧至五成热，放泡椒炒出红色，下葱花、姜末、蒜末炒香，再放入木耳丝、笋丝炒匀，下肉丝炒散，烹入鱼香汁，快速翻炒几下，芡汁浓稠时即可装盘。

榨菜肉丝

材料：猪肉(肥肉与瘦肉比例为3∶7)200克，榨菜100克，红椒丝适量。

调料：盐1克，白糖、料酒各10克，水淀粉15克，味精3克，葱8克，姜5克。

做法：

1. 肉、榨菜、葱、姜均洗净、切丝，肉用盐和5克料酒拌匀，用10克水淀粉上浆并拌入一点油。

2. 用葱、姜和余下的料酒、水淀粉和白糖、味精调成汁。

3. 坐锅热油后下肉丝划散，再下榨菜、红椒翻炒几下，倒入调好的汁勾芡，烧开后翻炒几下即成。

小提示：如果想使肉更香，可在上浆时拌入香油，拌好后用保鲜膜盖上，使其香味不散。

冬笋雪菜肉丝

材料：瘦猪肉200克，冬笋150克，雪菜25克。

调料：盐3克，料酒、水淀粉各10克，味精1克。

做法：

1. 猪肉洗净，切成细丝，放在碗内，加水淀粉抓匀上浆。

2. 冬笋洗净，切成与肉丝相同粗细的丝，用开水焯烫断生；雪菜用清水洗去咸味后切成细末。

3. 锅里倒入清水烧开，下入上浆的肉丝氽熟，捞出沥干。

4. 另起油锅下笋丝、雪菜末，加入料酒、盐炒匀后，倒入肉丝同炒，最后放入味精调味即可。

小提示：肉丝也可以直接过油炒，上浆的时候加一点盐，使其入味，炒的时候要旺火大油，肉七成熟下笋丝、雪菜。

烂糊肉丝

材料：瘦猪肉300克，大白菜心100克，红椒50克，鸡蛋清1个。

调料：水淀粉、白糖、酱油各10克，盐4克。

做法：

1. 大白菜心、红椒洗净、切细丝；猪肉洗净切丝，用鸡蛋清抓匀。

2. 锅烧热放油，先放入肉丝炒至变色，然后放入大白菜丝和红椒丝。

3. 待菜六七成熟后放入半杯水焖2~3分钟，加入盐、酱油、白糖，起

锅前再加入水淀粉勾芡即可。

小提示：大白菜本身会出水，所以如果看到锅里水不少，就不要再加水了。

瓜皮肉丝

材料：西瓜皮300克，瘦猪肉100克，红椒丝少许。

调料：淀粉、盐、生抽、料酒、白糖、味精各适量。

做法：

1. 肉洗净切丝；西瓜皮片去绿色硬皮，切丝。
2. 用生抽、淀粉、料酒和少许盐、味精抓拌肉丝，腌10分钟。
3. 坐锅热油，将腌好的肉丝炒至八成熟，放入瓜皮丝、红椒丝，翻炒后加盐、白糖等调料，炒匀即可。

小提示：西瓜皮性味甘凉，有清热解毒、利尿消肿的功效。

龙爪肉丝

材料：蕨菜（龙爪）150克，猪里脊肉150克，蒜苗50克，红椒丝少许。

调料：豆豉20克，盐3克，味精2克，香油适量。

做法：

1. 蕨菜、蒜苗洗净切段，里脊肉洗净切丝。
2. 油烧至六成热，先放入肉丝翻炒，再放入豆豉、蒜苗、蕨菜、红椒丝一同翻炒。
3. 待所有原料都熟后放盐、味精调味，最后淋少量香油即成。

巧变化：如果没有蕨菜，也可用其他野菜替代。

豉椒肉丝

材料：瘦猪肉200克，青椒、冬笋各50克，鸡蛋液20克。

调料：豆豉30克，料酒、水淀粉各10克，酱油、盐、味精、干辣椒各5克，葱15克。

做法：

1. 将猪肉切丝，加酱油、料酒、鸡蛋液、水淀粉上浆。
2. 冬笋、青椒切丝；干辣椒切段；葱切末。
3. 炒锅中放油烧至六成热，下入肉丝划散，盛出沥油；冬笋丝用开水焯烫，捞出沥干。
4. 锅留底油，下入豆豉、干辣椒、葱末炒香，投入冬笋丝、肉丝，加入料酒、盐、味精、酱油、少许清水，再放入青椒丝翻炒，出锅前用水淀粉勾芡，淋少许明油即可。

炒胡萝卜酱

材料：瘦猪肉250克，胡萝卜200克，豆腐干50克，海米25克。

调料：黄酱20克，酱油、料酒各5克，淀粉10克，盐、味精、香油、熟猪油各少许，葱末、姜末各适量。

做法：

1. 把猪肉、胡萝卜、豆腐干切成0.5厘米见方的小丁；海米用温水泡透。

2. 炒锅烧热后放入熟猪油，将胡萝卜丁炸透捞出，随即放入切好的肉丁煸炒至肉色变白、锅内油爆声变小时，放入葱末、姜末和黄酱，待炒出酱香味后，加入料酒、味精、酱油翻炒片刻，放入胡萝卜、豆腐干、海米翻炒两三下，用水淀粉勾芡，淋上香油炒匀即成。

巧变化：将胡萝卜换成青笋，豆腐干换成青豆都可以。

黄瓜炒肉丁

材料：黄瓜2根，猪瘦肉200克。

调料：盐5克，酱油10克，淀粉适量，姜粉、味精各少许，葱花、姜丝各5克。

做法：

1. 黄瓜洗净，切成约1厘米见方的小丁备用；猪肉洗净，切成与黄瓜相似的小丁，放入碗里，加入一半盐、酱油和姜粉、淀粉、味精，抓拌均匀，放一边备用。

2. 炒锅烧热，倒入油烧热后将腌好的肉丁炒至八九成熟，盛入碗中。

3. 锅里再放油，油热后放葱花、姜丝，然后放黄瓜丁翻炒，放入剩下的盐、酱油翻炒均匀，然后将炒好的肉丁放进去，炒匀炒熟即可。

巧变化：可加入10克甜面酱，炒成酱香味的；也可将黄瓜换成莴笋，做成"莴笋肉丁"。

什锦肉丁

材料：猪里脊肉150克，干香菇4朵，豌豆80克，胡萝卜半根，红辣椒1个。

调料：盐5克，料酒10克，淀粉、水淀粉各适量，胡椒粉、味精各少许，葱花、姜丝各5克。

做法：

1. 猪里脊肉洗净，切成约1厘米见方的小丁，盛入碗中，加入葱花、姜丝、料酒、胡椒粉、味精、淀粉腌制约15分钟；干香菇放入温水中泡发，去蒂，切成丁；豌豆泡洗干净；胡萝卜去皮，洗净，切丁；红辣椒去蒂及子，洗净，切成小块。

2. 炒锅倒油烧热，放入里脊肉丁滑熟，捞出控油。

3. 锅中留少许油，放入红辣椒炒出香辣味，再放入豌豆、香菇丁、胡萝卜丁、盐翻炒至八成熟，放入肉丁炒至熟，用水淀粉勾薄芡即可出锅。

巧变化：喜欢吃辣的可加入15克豆瓣酱，10克老干妈辣酱同炒。

酱爆肉丁

材料：肥瘦猪肉200克，冬笋50克，鸡蛋清1个。

调料：甜面酱20克，水淀粉15克，香油适量，姜10克，葱30克。

做法：

1. 将肉切成1.2厘米见方的丁，放入碗内，加鸡蛋清、水淀粉抓匀；冬笋焯烫后切成与肉丁同样大小的丁；葱切段、姜切片。

2. 炒锅内放入油，中火烧至五成热，放肉丁，炒至七成熟，盛出备用。

3. 原锅留少许油，放入葱段、姜片炝锅，加入甜面酱炒出香味，再加入肉丁、冬笋丁，快速翻炒，随即用水淀粉勾芡，淋上香油即可出锅。

辣子肉丁

材料：瘦猪肉200克，黄瓜、冬笋各50克。

调料：盐5克，料酒、白糖、酱油、姜、大蒜各10克，淀粉20克，味精3克，葱、泡辣椒各25克。

做法：

1. 猪肉切丁，用盐、料酒、酱油、淀粉、适量清水、少许油拌匀上浆；黄瓜、冬笋切丁，用盐腌一下。

2. 葱切段；姜、蒜切末；泡辣椒剁碎；用料酒、淀粉、酱油、白糖、味精、少许清水调成汁。

3. 坐锅热油，下入肉丁炒散，再下入辣椒炒出香味，加入黄瓜、冬笋、葱、姜、蒜翻炒几下，这时把调好的汁搅匀倒入，翻炒至汤汁收干即可。

巧变化： 泡辣椒蒜味较浓，可用豆瓣酱或豆豉辣椒酱代替。

咖喱肉丁

材料：瘦猪肉200克，胡萝卜、黄瓜、土豆各50克。

调料：咖喱块1块，盐3克。

做法：

1. 先将所有原料洗净、切丁；肉丁过油炒至八成熟，盛起备用。

2. 锅烧热放油，放入胡萝卜、土豆丁翻炒，再放入肉丁、黄瓜丁一同翻炒至原料将熟时拨到锅边。

3. 锅中放入咖喱块，加少许水，用小火将咖喱化开后与所有原料一同炒匀，最后加盐调味即可。

小提示： 咖喱一定要选择块状的，咖喱粉无法做出这个味道。

文山肉丁

材料：猪里脊肉200克，冬笋50克，鸡蛋清1个。

调料：干辣椒、生抽、白糖、淀粉各5克，料酒10克，醋少许，盐3克，鸡精2克。

做法：

1. 猪里脊肉切小丁，加淀粉、鸡蛋清上浆；冬笋焯烫后切小丁；干辣椒切段。

2. 锅烧热倒油，待油热时放入肉丁，炒至变色后捞出沥油。

3. 锅内留余油，烧至七成热时，放入干辣椒段煸香，再放入冬笋丁、肉丁翻炒数下，加料酒、生抽、盐、醋、白糖、鸡精炒匀即可。

小提示："文山肉丁"是江西省的一道名菜。相传在南宋末年，文天祥在家中设宴亲自下厨房为乡亲们烹制的。因文天祥号文山，这道菜便被老百姓命名"文山肉丁"，流传至今。

银杏肉丁

材料：猪里脊肉200克，银杏（罐头）50克，鸡蛋1个，红椒少许。

调料：生抽、水淀粉、葱各15克，盐3克，醋5克。

做法：

1. 猪里脊肉洗净，切丁，用水淀粉、盐、鸡蛋液搅拌均匀后静置。

2. 红椒切片；葱切段；银杏汆烫、控水备用。

3. 起锅将油烧至三成热时，放入猪肉丁滑炒至七成熟，捞出控油。

4. 炒锅内留底油，旺火烧热，放入红椒片、银杏、肉丁炒匀，放入生抽、盐、醋、葱段炒匀即可出锅。

小提示：此菜脱胎于韩国菜，最好选用豆油，味道最为正宗。

山楂肉丁

材料：山楂干20克，瘦猪肉200克，香菇5朵。

调料：胡椒粉3克，盐、味精各2克，白糖适量，料酒、姜、葱各5克。

做法：

1. 将瘦猪肉切成丁；山楂干、香菇用水泡软，切小块；葱、姜切末。

2. 油烧热，放入肉丁爆熟，再放入山楂、香菇、葱、姜一同翻炒，加入胡椒粉、味精、白糖、盐、料酒调味，加少量水稍加焖煮即可。

巧变化：可将猪肉换成牛肉，营养价值会更高。

麻辣肉丁

材料：瘦猪肉200克，炸花生米75克。

调料：花椒10粒，酱油、白糖、姜末、蒜末各10克，干辣椒段8克，辣椒面、盐各2克，料酒、水淀粉、葱花20克，醋少许，味精3克。

做法：

1. 瘦猪肉切丁，用盐、10克料酒、5克酱油、10克水淀粉浆好，再拌少许油待用。

2. 用余下的料酒、水淀粉、酱油以及葱、姜、蒜、白糖和味精调成汁。

3. 坐锅热油后下花椒，炸黑后捞出，再下入干辣椒段稍炸后放入肉丁翻炒几下，再放入辣椒面，将调好的汁倒入锅内，芡汁熟时翻炒数次，滴入醋，最后加入炸花生米即成。

毛豆肉丁

材料：猪里脊肉200克，毛豆50克，水发香菇8朵。

调料：料酒10克，味精、胡椒粉各3克，水淀粉、干辣椒、葱末、姜末各5克。

做法：

1. 猪里脊肉切丁，加料酒、葱、姜、胡椒粉、味精腌拌入味。

2. 毛豆焯水至熟后捞出；水发香菇切丁。

3. 起锅，油至七成热时，下入拌好的肉丁炒熟后捞出控油。

4. 锅中留少许底油，下干辣椒煸香，放入肉丁、毛豆、香菇丁翻炒均匀，用水淀粉勾薄芡即可出锅。

巧变化：还可配上胡萝卜、玉米粒、木耳等同炒。

油爆里脊丁

材料：猪里脊肉200克，鸡蛋清1个。

调料：盐、味精、醋各5克，料酒、青蒜、大葱各15克，水淀粉20克，香油25克。

做法：

1. 将猪里脊肉洗净，去筋膜，切成丁，用清水浸泡后，捞出控干；青蒜、大葱切末。

2. 把里脊丁放在碗内，加入蛋清、盐、水淀粉拌匀上浆，再另取小碗，放入青蒜末、葱末、料酒、盐、味精、醋、水淀粉调成芡汁。

3. 炒锅烧热放油，油至六成热时，放入里脊丁炒至九成熟，倒入漏勺，沥油。

4. 原锅烧热，放入香油，将里脊丁倒入煸炒几下，随即倒入调匀的芡汁，迅速用旺火翻炒1分钟即可装盘。

巧变化：如果不想加青蒜，可以尝试用香菜，做成"芫爆肉丁"。做时可少放大葱，多放香菜。

冬菜肉末

材料：猪肉馅（肥与瘦肉为3∶7）200克，冬菜75克。

调料：酱油、料酒、白糖各10克，味精3克，葱、姜各5克。

做法：

1. 冬菜去根洗净，切成小碎段；葱、姜切末。

2. 坐锅热油，先放入肉馅煸炒至没有水分，再加入葱、姜末稍炒后，放入料酒、酱油、白糖和味精炒匀，最后放入冬菜翻炒1分钟即成。

小提示：不要选纯瘦的猪肉，否则冬菜的香味很难靠素油激发出来，有一点荤油会更好。

肉末榄菜四季豆

材料：四季豆300克，橄榄菜50克，猪肉馅100克。

调料：料酒10克，盐3克，鸡精2克。

做法：

1. 四季豆择洗净切成小段，越小越好（长度最好在0.5厘米左右）。

2. 坐锅热油，下猪肉馅炒香，烹入料酒，炒熟后盛出。

3. 原锅留少许底油，烧热后倒入四季豆翻炒8分钟，再加入橄榄菜、肉末翻炒片刻，最后加盐、鸡精调味即可。

巧变化：为了让菜色更美，也可以加胡萝卜丁同炒，或者加青椒丁，会使整道菜更加清香可口。

肉末豆腐

材料：豆腐300克，猪肉馅150克，水发木耳、水发黄花各35克。

调料：香油、盐各5克，酱油、水淀粉各10克，味精3克，葱15克。

做法：

1. 将豆腐切成小丁，用开水烫一下，捞出用凉水过凉待用；木耳和黄花择洗干净，切成小碎丁；葱切末。

2. 锅内倒半杯水，加入猪肉馅、黄花、木耳、豆腐丁、酱油、盐、味精，煮沸至豆腐中间起蜂窝、浮于汤面时，淋水淀粉勾芡，放入香油，撒入葱花即成。

咸菜炒肉末

材料：猪肉馅100克、大头菜（咸菜）100克，红椒1个。

调料：香油10克，料酒、酱油各5克，鸡精3克，葱花5克。

做法：

1. 大头菜用水冲洗干净后攥干，切成碎粒；红椒去子和蒂，切成碎末。

2. 坐锅热油，放入猪肉馅，用锅铲压散，煸炒5分钟，至肉中水分完全煸干，肉末呈金黄色时，加入酱油和料酒炒香，再加入红椒、葱花和大头菜，大火翻炒5分钟，调入鸡精和香油，炒拌均匀即可。

小提示：这道菜也叫"黑三剁"，炒肉末前也可先以葱、姜末炝锅，这样肉末会更香。

酿菇盒

材料：五花肉馅150克，香菇10朵，鸡蛋1个，香菜叶少许。

调料：盐、香油各5克，鸡精2克，白糖、料酒、酱油、水淀粉各10克，清汤100克，干淀粉适量，姜末少许。

做法：

1. 香菇泡发，去蒂，洗净；在肉馅中加入姜末、鸡蛋、鸡精、白糖、酱油、料酒、干淀粉及大部分盐，按同一方向搅拌均匀，制成肉馅待用。

2. 摊开香菇，稍加按压，将肉馅镶在香菇伞褶内，抹平表面后贴上一小片香菜叶，制成香菇盒，整齐平放在盘子里，上笼蒸约15分钟后取出。

3. 将清汤、其余的盐倒入锅内煮开，用水淀粉勾薄芡，淋入香油做成汁，均匀地浇在蒸好的香菇盒上即成。

小提示：在香菇的伞褶内撒些干淀粉，再酿肉馅，两者不易分开。

蚂蚁上树

材料：猪肉馅100克，粉丝50克。

调料：豆瓣酱、料酒各15克，酱油10克，味精、姜、大蒜各3克，小葱5克。

做法：

1. 用旺火把油烧至六七成热，下入粉丝，炸至发泡时捞出。

2. 葱、姜、蒜均切末。

3. 坐锅热油，倒入肉末翻炒，放入豆瓣酱、姜、蒜，随即倒入料酒、酱油和少许清水，再下入粉丝翻炒，待收干汁，加味精，出锅后撒上小葱即可。

小提示：粉丝较难炸好，不如干脆将粉丝泡好，待肉末炒至六成熟时放入锅中，加水和调料炒匀，水收干时菜也好了。

熘肝片

材料：猪肝150克，水发木耳、笋片各50克，菜心3个。

调料：水淀粉15克，料酒10克，酱油、盐、味精各3克，葱、姜、蒜末各5克。

做法：

1. 猪肝洗净，切3毫米左右的薄片，用10克水淀粉、料酒、酱油和少量盐腌拌；笋片、木耳焯烫备用。

2. 锅烧热放油，油至七成热时放入葱、姜、蒜和肝片快速翻炒，至肝片稍硬挺后放入木耳、笋片和菜心，翻炒至菜心油绿，放盐和味精，用余下的水淀粉勾薄芡，炒匀即可。

巧变化：如果将这道菜的主料换成腰花，加辣椒同炒，就是"火爆腰花"。

九转大肠

材料：猪大肠500克。

调料：白糖60克、料酒、花椒油各10克，米醋30克，精盐、味精、胡椒粉、肉桂粉各适量，葱段、姜片、香葱末各25克。

做法：

1. 猪大肠洗净，入沸水锅中煮至五六成熟后捞出，重新换清水，加入葱段、姜片，小火煮至猪大肠酥软后捞出过凉，切段。

2. 锅置火上，放油烧热，加白糖炒成棕红色，放入大肠段翻炒，待大肠上色后放入料酒、米醋、精盐、味精、胡椒粉、肉桂粉拌匀，改用小火收汁，淋上花椒油。出锅装盘。撒上香葱末即可。

小提示："九转大肠"是著名鲁菜，创制于清光绪年间，"九转"是仿道家炼丹"九转仙丹"之名。

火爆腰花

材料：猪腰400克，干木耳10克，冬笋25克，胡萝卜10克。

调料：泡椒15克，盐、白糖、酱油各10克，高汤50克，料酒、鸡精、水淀粉各适量，姜汁、葱段、蒜片少许。

做法：

1. 猪腰平片成两块，去净腰臊，向外光滑的一面用刀斜划十字花纹，再切成小块，用少许盐、水淀粉码味上浆；干木耳用温水泡软发开，择除根部，撕成小块；冬笋、胡萝卜切片，用开水焯烫后，捞出沥干水分待用。

2. 用盐、白糖、鸡精、酱油、料酒、水淀粉、姜汁、高汤调成味汁。

3. 锅置火上，油烧至八成热，放入腰花，用锅铲尽快拨散，腰花变色后随即捞出沥油，动作要迅速。

4. 锅里留余油，下入葱段、蒜片、泡椒炒出香味，放入腰花、木耳、冬笋片、胡萝卜片，倒入调味汁急炒，收干汤汁即可起锅。

红烧牛肉

材料：牛肉1000克。

调料：辣豆瓣酱30克，料酒、酱油、胡椒粉、白糖、大料、葱段、姜片各适量。

做法：

1. 牛肉切成3厘米见方的块，用热水氽烫一下捞出，冲去血沫。

2. 在油锅中将葱、姜爆香，加入辣豆瓣酱，放入牛肉块翻炒并加入酱油、白糖、胡椒粉、料酒及大料，待牛肉上色均匀后，加清水没过牛肉面约5厘米，大火煮沸。

3. 改用小火慢慢炖煮，大约2.5小时后汤汁稠厚、肉酥味香，拣去大料即可出锅。

小提示：现代都市人多爱食辣，因此介绍了这种广受欢迎的、用豆瓣辣酱做的"红烧牛肉"。传统做法的"红烧牛肉"则在第二步时加入花椒、大料、桂皮、陈皮、肉豆蔻、姜片、蒜片、山楂干、甘草、白芷、砂仁等增香、去腥的调味料。

红油牛肉

材料：牛肉500克，红枣适量。

调料：辣椒油20克，盐、白糖、酱油、花椒粒、大料、桂皮、胡椒粉、葱段、姜片各适量。

做法：

1. 将牛肉切成约2厘米见方的块，用热水氽烫一下捞出，冲去血沫；把大料、桂皮、花椒粒、葱段、姜片放入一个小纱布袋中扎紧。

2. 锅内放牛肉块、红枣，加水没过肉面，把装满调料的纱布袋也放入锅内，开大火烧沸，转小火焖3小时。

3. 牛肉熟烂后，拣去纱布袋，加酱油、白糖烧开，撒上胡椒粉，淋上辣椒油，大火收汁即可。

土豆烧牛肉

材料：酱牛肉300克，土豆300克，番茄100克，洋葱粒少许。

调料：大料1个，干辣椒3～4个，盐、白糖、酱油、鸡精各适量。

做法：

1. 把土豆去皮切成厚片；酱牛肉切片；番茄切片；干辣椒切段。

2. 热锅里放油（稍多一点），用中火先把土豆煎成金黄色盛出。

3. 锅内留少许油，放大料、干辣椒段、洋葱粒炒香，接着放入番茄，翻炒一会儿加土豆和牛肉，再放酱油、白糖、盐，加清水没过锅内食物，大火煮开后转中火，等汤汁收得差不多时拣去大料，加鸡精即可出锅。

小提示：煎土豆时一定要有耐心，要等它变色煎熟。如果嫌煎土豆费事，也可将牛肉和土豆块一起炖，味道也很好。

黄焖牛肉

材料： 牛肉500克，水发黑木耳、笋片各适量。

调料： 黄酒、酱油、冰糖、盐、大料、香油、葱、姜、蒜各适量。

做法：

1. 牛肉切成3厘米见方的块，在沸水中汆烫去血水，然后捞出沥干。
2. 炒锅内放少量油烧热，放葱、姜、蒜炝锅，放入牛肉翻炒几下，加黄酒、冰糖、酱油，等肉上色后加清水没过肉面，烧开后加入适量盐、大料转小火慢炖。
3. 小火炖约1.5小时，看肉已酥烂，放木耳和笋片，用大火收汤，最后起锅时淋少许香油即可。

小提示： 如果不放黄酒，就不能称为"黄焖"了。这道菜咸鲜可口，制作也很简便。

焖烧牛肉

材料： 熟牛肉250克。

调料： 酱油、白糖、醋、盐、高汤、水淀粉、葱段、姜末各适量。

做法：

1. 将熟牛肉切成小方丁，用水淀粉拌匀，过油炸成金黄色捞出。
2. 炒锅烧热，放少许油，先用葱段、姜末炝锅，然后放酱油、盐、醋、白糖略烧，放入高汤，将炸好的牛肉倒入锅内翻炒，焖烧收汁，拣去葱、姜即可出锅。

小提示： 这是牛肉的翻新做法，非常适合下班回家后用较短时间做好一道牛肉菜犒劳家人。熟牛肉可以在时间充裕的时候先慢慢炖熟，存放在冰箱里，随吃随取。

啤酒焖牛肉

材料： 牛肉700克，洋葱1个。

调料： 啤酒半瓶，辣酱油5克，盐、胡椒粉各适量。

做法：

1. 牛肉洗净，切成小方块，用刀拍松，撒上盐、胡椒粉略腌；洋葱洗净切丝。
2. 锅置火上，放油烧热，放入牛肉块两面煎黄，盛出。
3. 另起锅，放油烧热，放入洋葱丝炒香，倒入啤酒烧开，再放入煎好的牛肉块，改用小火焖至七成熟后加入辣酱油焖熟透即可。

巧变化： 用啤酒代水焖烧牛肉，熟得特别快，而且异香扑鼻，肉质鲜嫩，是此菜的最大特点，也可改用红酒来焖牛肉。

番茄煨牛肉

材料：牛肋条肉600克，番茄200克，青豆适量。

调料：料酒、盐、葱段、姜末各适量。

做法：

1. 将牛肉洗净，切成方块。

2. 坐锅点火放油，油烧至五六成热时，将牛肉炸过捞出；青豆入沸水中焯熟。

3. 锅中留底油，放入炸过的牛肉、姜末、葱段，再放入料酒、盐调味，加入清水没过肉面，大火烧沸，小火煮约1小时。

4. 将番茄放入开水中浸泡片刻捞出，剥去皮切成月牙块放入锅中，用小火烧至肉烂汁浓，放入青豆即可。

小提示： 番茄含有糖类以及铁、钙、磷等多种人体所必需的矿物质和多种维生素。

牛肉烧萝卜

材料：牛肉、白萝卜各250克。

调料：盐、酱油、料酒、葱、姜各适量。

做法：

1. 将牛肉切块；白萝卜去皮，切滚刀块，用开水焯烫。

2. 用少量油将牛肉块炒至变色，加葱、姜、盐、料酒、酱油炒匀，加水没过牛肉，用旺火煮开，改小火炖至肉熟时放入白萝卜块，一起烧至酥烂即可。

巧变化： 这道菜也可不放酱油，做成清炖的；也可加些胡萝卜点缀色彩。

酥牛肉

材料：牛腿肉600克，牛骨1根。

调料：香油30克，料酒25克，白糖35克，酱油25克，桂皮、山楂干、葱、姜、香菜各少许。

做法：

1. 把牛腿肉剔去板筋，先在热水锅内氽烫一下，取出，用冷水冲净，放入底层垫有牛骨的砂锅内。

2. 将料酒、白糖、酱油、桂皮、山楂干、葱、姜一并放入砂锅，加清水没过牛肉，用小火煨炖约6小时直到牛肉完全酥烂，淋上香油，撒上香菜即成。

番茄青笋烧牛肉

材料：牛肋条肉800克，莴笋250克。

调料：番茄酱、料酒、盐、白糖、香油、葱段、姜片各适量。

做法：

1. 牛肉切成3厘米见方的块，入沸水煮透捞出洗净血沫；莴笋去皮切成滚刀块，入沸水焯熟备用。

2. 坐锅热油，下入牛肉，加葱、姜、料酒略炒，再加盐、白糖、清水没过肉面，开后撇去浮沫，用小火将肉炖烂，挑出葱、姜，关火。

3. 另取锅，放油烧热，放入番茄酱炒透，再将牛肉连汤、莴笋一起倒入锅中，烧开后，用大火收汁，淋上香油即可盛盘。

小提示： 此菜肉香汁浓，稍带酸甜，肉色红亮，又有莴笋的绿色点缀，色味俱佳。

小碗红汤牛肉

材料：带筋牛肉500克，牛棒骨250克。

调料：盐、料酒、酱油、大葱、香葱、姜块、花椒、大料、黑胡椒、豆瓣、辣椒油各适量。

做法：

1. 牛肉切小块，入沸水中氽烫去血水后捞出，把水倒掉；锅内重新加清水，将牛棒骨垫底，放入牛肉，旺火烧沸，撇去浮沫，再用小火煮至肉烂，捞起备用，肉汤留用。

2. 将黑胡椒、花椒、大料装纱布包扎紧，姜块拍碎，大葱切段，豆瓣剁碎，香葱切末。

3. 起锅油烧至七成热，下豆瓣炸酥，撇去渣，与酱油、盐、料酒、葱段、姜块、纱布包一起放入牛肉汤锅内，小火慢慢熬至香味溢出。

4. 将牛肉放入汤锅，慢炖至烂，分装入几个小碗，用辣椒油调拌，面上撒些葱花即可。

扣烧牛肉

材料：熟白煮牛肉500克。

调料：料酒、盐、米醋、酱油、鸡精、香油、水淀粉、高汤、葱段、姜片、蒜末、香菜、大料各适量。

做法：

1. 在熟白煮牛肉表面抹匀酱油，用热油炸至金黄色，捞出晾凉，切成9厘米长、2厘米宽、0.5厘米厚的片，整齐地放入蒸碗内；香菜切成2厘米长的段。

2. 炒锅置火上，放香油烧热，投入大料、葱段、姜片煸出香味，加入料酒、高汤、酱油、盐、鸡精烧开，倒入蒸碗内，上锅蒸烂牛肉。

3. 将蒸好的牛肉扣入深盘内，原汤滗入锅中，上火，加盐、蒜末烧开，用水淀粉勾薄芡，放入米醋、香油，浇在牛肉上，再撒上香菜即可。

小提示： 此菜咸香可口，熟白煮牛肉可以在头一天煮好。

炖牛肉

材料：牛肉600克，洋葱丝200克。
调料：香叶2片，姜1块，盐、花椒、丁香各少许。
做法：
1. 牛肉切成小块，在开水中烫去血沫后捞出冲净；姜拍扁。
2. 把花椒、丁香、姜、香叶一并放纱布包里扎紧。
3. 牛肉块、纱布包一起放入锅内，加水没过肉块，大火烧沸，小火慢煮，炖至肉烂，最后放入洋葱煮熟并加盐调味即可。

小提示： 如果没有纱布做调料包，也可以到超市里购买带孔的不锈钢调料球。

清蒸牛肉

材料：熟牛肉400克。
调料：鸡汤200克，料酒、酱油、鸡精、盐、香油、葱段、葱丝、姜片、姜丝、红辣椒丝、大料各适量。
做法：
1. 熟牛肉切成0.5厘米厚的片，整齐地排在碗中。
2. 将料酒、酱油、鸡精、盐、香油、鸡汤调成味汁，均匀地浇在牛肉碗中，放上大料、葱段、姜片，上笼用旺火蒸至牛肉酥烂，取出后拣去大料、葱段、姜片，放上葱丝、姜丝、辣椒丝即可。

醪糟粉蒸牛肉

材料：牛肉500克，米粉100克。
调料：红糖10克，盐、酱油、花椒、葱、姜、清汤各适量，醪糟汁25克，郫县豆瓣酱30克。
做法：
1. 牛肉洗净、去筋、切片；葱、姜切末；花椒碾碎。
2. 将盐、酱油、豆瓣酱、葱、姜、花椒末、红糖、醪糟汁、食用油以及少许清汤调成调味汁。
3. 把牛肉片倒入调味汁中拌匀，撒入米粉与牛肉片拌匀后装碗，放入蒸笼中，用旺火将肉蒸熟，取出翻扣在盘内即可。

巧变化： 口味重的人，还可另加蒜泥、辣椒、香菜等，就又成为一种风味菜肴。按照此方法还可制作"醪糟粉蒸肥肠"等菜。

咖喱牛腩

材料： 牛腩600克，胡萝卜2根（约200克），柠檬半个（约30克），洋葱半个（约100克），牛奶200克。

调料： 葱末、姜末、蒜末、咖喱粉、辣椒粉、白糖、盐、胡椒粉、蒜瓣、姜片各适量。

做法：

1. 将牛腩切粗条，用水煮熟后捞出沥干，再用姜末、蒜末、葱末、咖喱粉、辣椒粉、白糖、盐、胡椒粉将牛腩块拌匀，腌至少4小时；胡萝卜切成与牛腩同粗细的条。

2. 坐锅热油，爆香蒜瓣、姜片，倒入腌好的牛腩，翻炒5分钟，加入1碗水，大火烧开，转小火焖约1.5小时。

3. 牛腩熟软后放入胡萝卜条，再煮约20分钟，至胡萝卜软烂，挤入柠檬汁，放入切好的洋葱丝，洋葱煮软后，加入牛奶，煮滚即可。

小提示： 建议头一天晚上腌好牛腩，放入冰箱里备用。

酱牛肉

材料： 牛腱子肉1000克。

调料： 五香粉、白糖、盐、酱油、料酒、姜片、大料、干辣椒、花椒适量。

做法：

1. 把牛肉切成三大块，洗干净，放入冷水锅中(水要没过牛肉)，用大火煮开3分钟左右，关火取出牛肉，洗净备用。

2. 锅内重新放入牛肉和清水(水要没过牛肉)，再放入所有调料，大火煮15分钟左右，再用小火炖3～4小时。

3. 将煮好的牛肉在汤中浸泡12小时以上，再捞出牛肉放置几个小时，使其表面干爽后切片盛盘。

小提示： 牛腱子最适合做酱肉，需逆着肉纹切片。

橙汁小牛排

材料： 牛排5片，橙子2个。

调料： 盐、白糖、料酒及酱油各适量。

做法：

1. 先将牛排每片切成三等分，用少量的盐、白糖、料酒及酱油腌拌一下。

2. 橙子洗净后，一个榨汁待用，另一个切成四等分后取下果肉切成片状，用四分之一的皮切成条状备用。

3. 炒锅放入适量油，先煎牛排3～5分钟，然后加入橙子汁及橙果肉，快速炒至牛排全熟并吸入橙汁液后盛盘。

4. 洗净炒锅，入油少许，待油沸时立即将橙子皮炸一下后立刻捞起，撒在牛排上即可。

小提示： 橙子皮味道较苦，应少放。

扒牛肉

材料：牛肋条肉500克。

调料：鸡汤450克，酱油、盐、白糖、料酒、鸡精、水淀粉、香油、葱花、大料、青蒜段各适量。

做法：

1. 将牛肉整块放入大汤锅内加水煮3小时左右，捞出晾凉，切成大片备用。

2. 坐锅热油，将葱花和大料投入锅内爆炒，随即加酱油、盐、白糖、料酒、鸡精和鸡汤，放入牛肉片，大火烧5分钟左右，汤汁浓稠后拣去大料，放入青蒜段稍炒几下，用水淀粉勾芡，最后淋入香油即可盛盘。

小提示： 牛肉熟烂，入口绵软，青蒜的香味可以缓和牛肉的厚重味道。

干煸牛肉丝

材料：嫩牛肉200克，嫩芹菜30克，红辣椒1个。

调料：豆瓣酱20克，辣椒粉、花椒粉各2克，盐、料酒、生抽、醋、白糖、姜丝各适量。

做法：

1. 嫩芹菜洗净后切成4厘米长的段；嫩牛肉洗净沥水，也切成4厘米长的粗丝；红辣椒洗净去蒂、切丝。

2. 锅置火上，放入适量油，烧至四成热，放入牛肉丝煸炒，直到牛肉丝水分炒干，锅底的油变清时，加入豆瓣酱和辣椒粉继续炒出豆瓣香味，下姜丝、料酒再翻炒片刻，放生抽、白糖、盐，并滴2滴醋。

3. 把芹菜、红辣椒丝放入锅中，继续翻炒几下，最后撒上花椒粉即可。

小提示： 煸炒牛肉丝的时候，油可以适当多一些，否则会黏锅，而且要慢火煸牛肉，一定要煸到锅底的油变清再放豆瓣酱炒。

牛肉炒粉丝

材料：牛肉100克，水发粉丝150克，青、红椒丝，胡萝卜丝各少许。

调料：酱油、白糖、盐、味精、水淀粉、香油、姜丝各适量。

做法：

1. 牛肉切丝，用酱油、水淀粉腌拌好。

2. 坐锅热油，先放入姜丝和牛肉丝炒散，再放入青、红椒丝和胡萝卜丝炒匀后放入粉丝、酱油、白糖、盐、味精和少许水，翻炒入味，最后淋入香油。

小提示： 凡放粉丝的菜都不耐久炒，味汁裹匀粉丝就该关火了。

泡椒牛肉

材料：牛里脊肉250克，泡椒100克。

调料：盐少许，生抽、鸡精各5克，料酒、水淀粉各15克，葱段20克，姜片5克。

做法：

1. 牛里脊肉切大片，加入生抽、水淀粉、少许食用油充分拌匀，并放置30分钟，泡椒切段备用。
2. 锅置火上，油烧至七成热，放入腌好的牛肉轻轻划散，炒至刚熟时捞出，沥干油分。
3. 锅内留少许底油，放入泡椒段、葱段、姜片炒香，加入牛肉、少许温水，加盐、鸡精、料酒调味，用中火加热1分钟，见汁不多时，即可起锅。

小提示：如果觉得泡椒的味道过于浓烈，可以改用红甜椒。

水煮牛肉

材料：牛里脊肉250克，青蒜150克，白菜心、芹菜各100克。

调料：肉汤500克，郫县豆瓣40克，酱油5克，干辣椒5个，味精、盐、花椒、胡椒面各少许，料酒、姜片、蒜片、淀粉各适量。

做法：

1. 牛里脊肉洗净切薄片，加酱油、料酒、淀粉拌匀；青蒜、芹菜洗净切小段；白菜心洗净切条。
2. 坐锅热油，放入干辣椒、花椒炸至棕红色，捞出切碎末。
3. 油烧热，放入豆瓣、姜片、蒜片炒香，加肉汤稍煮，捞去豆瓣渣，放入青蒜段、白菜心条、芹菜段烧熟入味，加盐、味精、胡椒面调味，装碗。
4. 肉片倒入微开的汤锅中拨散，刚熟就盛入装有配料的碗中，撒上干辣椒末、花椒末，再淋上热油即可。

小提示：汤一定要微开，汤不开，肉片表面的淀粉会脱落；汤大开，肉片就老了。

陈皮牛肉

材料：瘦牛肉500克。

调料：鸡汤500克，干红辣椒5个，陈皮1小块，花椒、酱油、白糖各5克，盐、味精、香油各少许，葱段、姜片、料酒各适量。

做法：

1. 干红辣椒去蒂、去子，洗净切成小段；陈皮洗净切丝。
2. 牛肉去筋膜，洗净切成小片，加葱段、姜片、部分盐、部分料酒腌约30分钟至入味，取出葱段、姜片不用。
3. 锅置火上，放油烧热，放入牛肉片炸熟，捞出，待油温升至八成热时，放入牛肉片再炸一次，待牛肉片呈棕红色时捞出。
4. 锅留底油烧热，下花椒炸出香味后取出，放入陈皮丝、干辣椒段炸香，放入牛肉片，倒入鸡汤（汤要没过牛肉片），加入味精、白糖、酱油、剩余料酒、盐调味，用小火煨至汁干，再加少许香油即可起锅，晾凉装盘。

豆豉牛柳

材料：牛里脊肉250克，鸡蛋清1个。

调料：清汤45克，料酒15克，豆豉、白糖、干淀粉、水淀粉各适量，盐5克，味精少许，葱3段，姜2片，蒜3瓣。

做法：

1. 牛里脊肉洗净切粗丝，加盐、干淀粉、鸡蛋清抓上劲；豆豉剁成末；大蒜对半切开。

2. 锅中倒油烧至五成热，下牛肉丝、姜片滑至变色，滗出多余的油，放入大蒜、豆豉末煸炒出香味，肉熟后加葱段略炒，加入其他调料，最后用水淀粉勾芡即可。

巧变化： 将牛肉换成猪肉、鸡肉均可。

酥豌豆炒牛肉

材料：牛肉300克，豌豆100克，胡萝卜半根。

调料：盐5克，酱油、白糖各15克，醋10克，水淀粉适量，葱花、姜末、蒜末各5克。

做法：

1. 牛肉洗净，切成1厘米见方的丁；胡萝卜洗净，去皮，切成同牛肉丁大小的丁。

2. 炒锅倒入油烧至七成热，放入豌豆，小火慢慢炸至酥脆，盛出、控油、晾凉。

3. 原锅留少许油再烧热，放入葱花、姜末、蒜末爆香，然后加入牛肉丁炒至变色，放入胡萝卜丁翻炒约3分钟，再调入白糖、醋、酱油、盐炒匀，用水淀粉勾芡，最后下入炸好的豌豆拌匀即可。

泡菜炒牛肉

材料：牛肉200克，韩国泡菜150克。

调料：蒜末、熟芝麻、嫩肉粉各5克，盐、香油各少许，泡菜汤适量。

做法：

1. 牛肉洗净、切片，加蒜末、熟芝麻、嫩肉粉、盐、香油腌约5分钟；泡菜切成小块。

2. 锅置火上，放油烧热，加入腌好的牛肉片炒至变色，再放入泡菜及适量泡菜汤炒熟即可。

小提示： 袋装泡菜不要洗，直接切，炒菜时连汤一起倒入，味道会更浓郁。

双花炒牛肉

材料：菜花、西兰花各半棵，牛肉150克，胡萝卜小半根。

调料：盐5克，酱油、料酒、水淀粉各15克，白糖10克，味精、姜末、蒜末各少许。

做法：

1. 菜花、西兰花用盐水泡洗干净，掰成小朵，用沸水焯熟后盛出，沥干水分待用；牛肉洗净，抹干水分，横纹切薄片，加少许盐、料酒、酱油腌制10分钟；胡萝卜洗净，切片。

2. 油烧至五成热，下牛肉滑炒，待牛肉变色后捞出沥油。

3. 锅内留少许底油，爆香姜末、蒜末，下入胡萝卜片翻炒，再将牛肉下锅，加料酒后略炒，最后加入菜花、西兰花，调味、勾芡即可出锅。

小提示： 先焯一下菜花、西兰花，可以节省炒制时间。焯完水的菜花、西兰花应马上用冷水浸凉，不仅颜色鲜艳，还可保持蔬菜的爽脆感。

苦瓜炒牛肉

材料：苦瓜1根，瘦牛肉250克，红辣椒1个。

调料：豉汁、料酒、蒜蓉各5克，盐、水淀粉各适量。

做法：

1. 苦瓜洗净，切成片，用盐均匀拌开，再用水洗净盐分，沥干水分；瘦牛肉切条，用料酒、水淀粉拌匀待用；红辣椒去蒂和子，洗净，切长条。

2. 锅置火上，倒油烧至七成热，把牛肉条放入锅中过一下油，迅速捞出沥油。

3. 原锅留适量油，烧热后爆香蒜蓉，加豉汁翻炒，再放牛肉条和苦瓜片、红辣椒条，炒熟即可。

巧变化： 将苦瓜换成芹菜，变成"芹菜炒牛肉"味道也不错。

韭黄炒牛肉片

材料：牛肉250克，韭黄50克。

调料：胡椒粉少许，老抽、盐、淀粉各5克。

做法：

1. 牛肉洗净，切成薄片，加少许老抽、盐、淀粉拌匀，稍腌一会儿；韭黄洗净，切成3厘米长的段。

2. 炒锅倒入油，烧至六成热，倒入牛肉，待牛肉变色时再放入韭黄、胡椒粉，改大火，翻炒至熟即可。

小提示： 韭黄比较嫩，炒时可以晚点放，而且要大火快炒。

蒜香牛柳

材料：牛里脊肉350克，大蒜90克。

调料：黑椒汁（或黑胡椒酱）10克、盐、蚝油、味精、香油各3克，水淀粉15克，苏打少许。

做法：

1. 牛里脊肉切片，用盐、味精、苏打、蚝油腌15分钟。

2. 大蒜去皮剁成蒜蓉，将水淀粉、盐调成芡汁。

3. 油烧热，以大火快速炒熟牛柳，加入黑椒汁及蒜蓉，再炒约1分钟，浇入芡汁，炒至芡透，淋上香油即可出锅。

小提示：黑椒汁是一种特制的酱汁，味道比普通的黑胡椒香得多，是这个菜味道的关键。

黑椒牛柳

材料：牛里脊肉200克，洋葱1个，青椒1个。

调料：黑胡椒粉、盐各4克，白糖、蚝油各3克，料酒5克，水淀粉10克，味精少许。

做法：

1. 牛里脊肉切厚片，用刀背拍松，加入料酒、水淀粉及少许食用油，拌匀后腌15分钟。

2. 洋葱剥净、切片；青椒洗净、去蒂及子，切片。

3. 油烧热，放入牛柳炒至七成熟，放入黑胡椒粉、蚝油、白糖、盐、味精调味，再放入洋葱和青椒，翻炒至牛肉熟即可。

小提示：牛肉切片的时候先切大片，拍松后再改刀成小片，效果会比较好；拍牛肉的时候用力要均匀。

青椒豆干炒牛肉丝

材料：牛肉200克，青椒2个，鸡蛋1个，豆腐干2片，红辣椒1个。

调料：盐4克，料酒3克，干淀粉5克，鸡精、酱油各3克，水淀粉10克，姜丝5克。

做法：

1. 鸡蛋打入碗中搅匀；牛肉洗净、切丝，放入碗中，加入盐、料酒、淀粉及1/3鸡蛋液腌15分钟；青椒、红辣椒分别去蒂、去子、洗净、切丝；豆腐干洗净、切丝。

2. 锅中多倒些油烧热，分别放入牛肉丝及豆腐干丝滑炒，捞出、沥油。

3. 锅中放入姜丝以及红辣椒丝炒香，加入青椒丝炒匀，再加入牛肉丝、豆腐干丝及鸡精、酱油，炒至水分快收干时，再加入水淀粉勾芡，炒匀即可。

小提示：先用较多的油将牛肉丝快炒至变色后盛出沥油，另起油锅炒香其他配料，再将半熟的牛肉丝放入拌炒几下，可保持牛肉的嫩度。

蜀乡嫩牛柳

材料：牛里脊肉200克，红、绿长辣椒各1个，笋、姜、蒜各适量。

调料：剁椒酱30克，鸡蛋清1个，盐、白糖、鸡精、料酒各适量。

做法：

1. 牛里脊肉与鸡蛋清、盐、鸡精、料酒拌匀；红、绿长辣椒和笋切段；姜、蒜切片。

2. 炒锅加热油，放入姜片、蒜片炒香，再放入牛肉、笋炒匀，最后放入红、绿椒翻炒片刻即可。

小提示：笋是调味的关键，可以买超市现成的袋装剑笋，做起来很方便。不过，做前要用清水泡一段时间。或者用鲜笋切薄片一起炒，味道也很不错。

洋葱爆牛柳

材料：牛里脊肉300克，洋葱1个，红辣椒2个。

调料：盐2克，生抽、白糖各15克，味精少许，干淀粉适量。

做法：

1. 洋葱撕去外皮，洗净，切条；将牛肉洗净，切条，放入碗中，加入盐、生抽、少许食用油及干淀粉拌匀，腌15分钟；红辣椒去蒂及子、洗净、切丝备用。

2. 将炒锅置火上，倒入油烧热，放入牛肉炒熟盛起；再倒入洋葱丝，待洋葱炒至微黄时，加入牛肉、辣椒丝及其余调料，快速翻炒均匀即可出锅。

小提示：牛肉洗净后可放入冰箱速冻1小时后取出，其硬度刚好适合改刀成需要的形状，切起来薄厚均匀，得心应手。

芫爆百叶

材料：牛百叶250克，香菜段80克。

调料：醋5克，高汤45克，熟鸡油30克，盐、胡椒粉、香油、葱末、姜末各少许。

做法：

1. 将牛百叶洗净，切小块焯熟，捞出待用。

2. 锅置火上，放入熟鸡油烧热，下入葱末、姜末煸出香味，迅速放入牛百叶爆炒约2分钟，加入高汤、醋、盐、胡椒粉和香菜段，颠翻几下，熟后淋上香油即可。

小提示：

香菜能够健胃消食，疏散风寒，促进人体血液循环，还有一定的降压作用。在服用补药和中药白术、丹皮的时候不宜食用香菜，以免降低补药的疗效。患有口臭、狐臭、严重龋齿、胃溃疡和长疥疮的人不宜吃香菜。

红烧羊肉

材料：羊肉500克。

调料：酱油30克，料酒、白糖、孜然、姜、蒜片各适量。

做法：

1. 将羊肉用冷水洗净，再用开水氽烫，捞出控净水，切成小块备用。

2. 坐锅热油，下入羊肉块，加料酒、孜然、姜略炒，再加少许水，烧至六成熟时，加入酱油、白糖，继续烧至肉酥烂，再加蒜片略微炒拌即可。

小提示：羊肋条肉较适合做这道菜，也可用那种肥少瘦多、带骨头的羊前腿肉。

红烩羊肉

材料：羊肉400克，胡萝卜200克，番茄80克，芹菜30克，洋葱50克。

调料：盐、白糖各适量。

做法：

1. 羊肉切成3厘米见方的块；番茄、胡萝卜切滚刀块；洋葱切成块；芹菜切成3厘米段。

2. 油烧热后下洋葱煸香，倒入羊肉略炒几下，再放入番茄同炒。

3. 锅中加水，以没过主料为准，将胡萝卜、芹菜、盐、白糖一起加入锅中，大火烧开后，转成小火焖烧，直到汤汁渐浓，羊肉酥烂即可。

小提示：用胡萝卜与羊肉同焖，可以去掉羊肉的膻气，在锅内加一点点橘子皮也能去膻。

红焖羊肉煲

材料：羊肉500克，萝卜200克。

调料：大蒜、海鲜酱、蚝酱各适量。

做法：

1. 把羊肉切成3厘米见方的块，并放在热水中煮25分钟左右。

2. 炒锅加少许油烧热，爆香大蒜后，再把羊肉加入一起炒香，然后加入海鲜酱、蚝酱炒匀。

3. 把萝卜放入砂锅，再把爆炒过的羊肉倒进砂锅内，加适量水，开锅后小火焖煮至羊肉酥烂即可。

巧变化：如果家中有现成的酒精炉或者电磁炉，就可以边加热边吃，吃完肉，还可在汤里涮蔬菜吃。

手抓羊肉

材料：羊前腿肉300克。

调料：盐、葱段、姜片、花椒、大料、酱油、蒜末、姜末、香菜、椒盐各适量。

做法：

1. 将羊肉切成两大块，用冷水浸泡30分钟，漂净血水后，放入清水锅内煮开，撇去浮沫，再用大火煮3分钟左右。

2. 放入盐、葱段、姜片、花椒、大料，用中火慢煮至肉熟透，捞出控水。

3. 每人准备一个小碟，调上酱油、蒜末、姜末、香菜、椒盐，趁热边撕羊肉，边蘸着调料吃。

小提示： 这种吃法颇有草原游牧民族的粗放风格，选购的羊肉一定要非常新鲜。

清炖羊肉

材料：新鲜羊肉500克，洋葱200克。

调料：盐适量，葱花适量。

做法：

1. 将新鲜羊肉切成大块，洗净控水；洋葱切大块。

2. 下锅白水清炖，水沸后撇去浮沫，加盐和洋葱块，用小火煮至肉熟烂后撒少许葱花即可。

小提示： "清炖羊肉"是新疆喀什的传统名食，是节日和待客的佳肴。特别是"清炖羊羔肉"，鲜嫩可口，是待客的上品。

扣羊肉

材料：羊肋条肉500克，油菜心200克。

调料：腐乳10克，老抽、盐、白糖、味精、胡椒粉、大料、桂皮、陈皮、料酒、葱段、姜块（拍扁）、蒜瓣各适量，清汤150克。

做法：

1. 羊肉整块放入沸水，加部分葱、姜煮至八成熟，捞出沥水；油菜心烫熟、控水、码盘；腐乳用少量水调开。

2. 锅置旺火上，放油烧至八成热，放入羊肉块炸至略呈金黄色，倒入笊篱沥油，再在清水中漂净油。

3. 旺火烧锅，加入剩余的葱段、姜块以及蒜瓣、大料、桂皮、陈皮、腐乳炒出香味，下羊肉，倒入料酒、清汤、老抽、盐、白糖、味精、胡椒粉，推拌均匀，加盖，慢火焖至羊肉入味，盛出肉，原汁留用。

4. 将熟羊肉改刀成长方块，整齐排列碗中，加入原汁，上笼蒸至熟透，取出蒸碗，滗出汤汁，翻扣在码好油菜心的盘中，汤汁用水淀粉勾芡，淋在羊肉上即可。

胡萝卜烧羊肉

材料：羊肉400克，胡萝卜200克。

调料：料酒、酱油、白糖、盐、姜片、干辣椒、丁香、孜然、橙皮各适量。

做法：

1. 羊肉洗净切块，放入开水锅中余烫，取出控水；胡萝卜切滚刀块。

2. 炒锅烧热，倒少量油，煸香干辣椒、姜片、丁香、孜然和橙皮，放入羊肉，倒入料酒、酱油、白糖、盐炒匀。

3. 羊肉上色后倒入清水没过羊肉，大火烧开后转小火炖煮。

4. 羊肉八成熟时倒入胡萝卜，继续炖煮至汤汁收稠、胡萝卜酥软即可。

小提示： 羊肉和胡萝卜是很好的搭配，因为胡萝卜性凉，可以消积滞、化痰热，是秋冬时节的补益佳肴。

大蒜煨羊肉

材料：羊肉500克，大蒜50克。

调料：酱油、盐各适量。

做法：

1. 羊肉洗净，切块。

2. 羊肉放入锅中，加适量水（没过肉面约3厘米），大火烧开，转小火慢慢将羊肉煮至九成熟。

3. 此时放入大蒜，再用中小火煨30分钟左右，加盐、酱油调味即成。

小提示： 羊肉益气补虚，温中暖肾，与大蒜相配，对肾虚阳痿，腰膝冷痛，遗尿等症患者有益。

口蘑焖羊腿

材料：去骨羊腿1个（约800克），牛肉汤700克，洋葱片100克，芹菜段100克，胡萝卜片100克，鲜口蘑片50克。

调料：酱油20克，料酒20克，盐、胡椒粉、猪油、香叶各适量。

做法：

1. 将羊腿分成两半，用盐、胡椒粉、酱油、料酒、香叶腌2小时，然后卷成两个长卷，用棉线捆紧，放入热油锅中将肉卷炸成黄色。

2. 炸好的肉卷放入锅内加牛肉汤，煮开后盖好锅盖，用小火焖1小时左右至肉熟，再放入洋葱片、芹菜段、胡萝卜片、鲜口蘑片，继续煮20分钟后捞出肉卷，拆掉棉线，汤汁保留。

3. 将焖熟的羊腿卷横切成0.3厘米厚的片，浇上锅中的汤汁和蔬菜即可。

葱爆羊肉

材料：羊肉250克，大葱125克。

调料：白糖10克，酱油、香油、料酒各5克，米醋2克，姜末、蒜末各少许。

做法：

1. 羊肉洗净切片；大葱洗净切斜长条。

2. 油烧热，爆香蒜末、姜末，烹醋，放入羊肉翻炒，肉片发白时加酱油、料酒、盐、白糖，然后倒入大葱翻炒，出锅前淋入香油即可。

巧变化： 在传统的基础上可以加入其他配料，比如木耳、香菇、冬笋等，营养更加丰富。

孜然羊肉

材料：羊肉250克，香菜5根，鸡蛋清1个，面粉50克。

调料：葱姜水、料酒各5克，嫩肉粉3克，盐4克，孜然粉、胡椒粉、花椒粉各少许，淀粉15克。

做法：

1. 羊肉洗净顺丝切条，放入碗中加入葱姜水、盐、嫩肉粉、料酒腌渍入味；香菜择洗干净，铺入盘中。

2. 将面粉、淀粉、鸡蛋清放入碗中和匀后再加入少许清水、5克色拉油搅匀成蛋糊，将腌过的羊肉放入抓匀。

3. 锅置火上，放油烧至六成热，将挂上蛋糊的羊肉逐条下入锅中炸至外脆里嫩、呈金黄色时捞出控油，放在香菜上，将孜然粉、胡椒粉、花椒粉拌匀，撒在羊肉上即可。

巧变化： 腌好的羊肉也可不挂蛋糊，直接放油锅中炸熟，捞出控油，另起锅放入孜然炒香后，放入羊肉，烹料酒，迅速翻炒均匀即可。

芙蓉羊肉

材料：羊里脊肉350克，鸡蛋清2个，玉米笋适量。

调料：鸡汤、料酒、盐、姜汁、水淀粉、味精各适量。

做法：

1. 羊肉洗净，剁成细蓉；鸡蛋清搅拌均匀。

2. 将蛋清液、盐倒入羊肉蓉中，用筷子搅匀。

3. 炒锅烧热，倒入油烧至五成热，放入羊肉蓉，滑炒成白色后将大部分油倒出，留少许底油，加入玉米笋、鸡汤、料酒、味精、姜汁煮开后，用水淀粉勾芡即可。

巧变化： 这是一道从"芙蓉鸡片"演变而来的菜，成菜的肉质嫩滑，特别适合老年人食用。此菜也可加入香菇一起炒制，或只用羊肉、鸡蛋清炒制。

油淋春鸡

材料：鸡腿2个，春笋半根，柿子椒1个，红辣椒1个。

调料：盐5克，酱油、料酒各15克，辣椒油、白糖、醋、淀粉、水淀粉、胡椒粉、葱末、姜末各适量。

做法：

1. 鸡腿洗净，去骨，切成约3厘米见方的块，放入碗中，加入盐、酱油、淀粉、料酒腌制10分钟；春笋去壳，洗净、焯熟、切片；柿子椒、红辣椒均洗净、去蒂及子、切块。

2. 炒锅中倒入油烧热，放入鸡块炸至焦黄色，捞出控油，盛入盘中。

3. 锅中留少许底油，放入葱末、姜末爆香，再放入柿子椒、红辣椒块翻炒，加入辣椒油、酱油、白糖、醋、盐、料酒、胡椒粉炒至入味，用水淀粉勾芡，淋在炸好的鸡块上即可。

小提示：炸鸡时火不要太大，否则非但不会皮脆肉嫩，还易煳。

三杯鸡

材料：鸡翅400克。

调料：麻油、料酒各45克，酱油30克，白糖、老姜、大蒜适量。

做法：

1. 鸡翅洗净；老姜、大蒜拍碎备用。

2. 热锅后加入麻油，爆香姜、蒜，加入鸡翅翻炒至熟。

3. 加入料酒、酱油小火焖至汁将干，再加入白糖翻炒片刻即可。

小提示："三杯鸡"是江西名菜，烹制时不放水，仅用料酒、麻油、酱油各1杯烹制。

软煎柠檬鸡

材料：肥嫩鸡腿2个，柠檬2个。

调料：清汤200克，料酒、香油、水淀粉、辣酱油、番茄酱、酱油、鸡精、白糖、盐、香菜叶各适量。

做法：

1. 将柠檬洗净，挤出汁待用，柠檬皮切成细丝；香菜叶摘洗干净，用凉开水冲洗一下，沥净水，切碎。

2. 肥嫩鸡腿清洗干净，剔出大骨，将腿肉摊平；酱油、料酒、白糖、盐、香油、柠檬皮丝一起放入碗中调匀，再放入鸡腿肉拌匀，腌渍30分钟。

3. 坐锅热油，下入腌好的鸡腿肉，煎至两面均呈金黄色时，倒掉锅中余油，加入清汤、辣酱油、番茄酱、白糖、盐、柠檬汁、鸡精，用大火烧3～4分钟，取出鸡腿肉，剁成5块摆放在盘中，用水淀粉将锅中汤汁勾芡，浇在盘中的鸡腿块上，再撒上香菜末即成。

金钱芝麻鸡

材料： 熟鸡脯肉300克，小圆面包6个，洋葱、芹菜各30克。

调料： 白糖10克，淀粉15克，沙拉酱20克，芝麻、盐、味精各适量。

做法：

1. 芹菜洗净切末；洋葱洗净切末，取芹菜末和一半洋葱末拌匀，拌人沙拉酱，放少许水调成蘸汁。

2. 坐锅热油，放人另一半洋葱末炒香；熟鸡脯肉洗净剁碎，加人白糖、盐、味精、淀粉及炒好的洋葱末拌匀。

3. 圆面包切去上部1/3，掏空，塞人鸡脯肉馅，顶上滚满芝麻。

4. 锅置火上，放油烧热，放人面包炸至呈金黄色，食用时抹蘸汁即可。

小提示： 若没有圆面包，可买方面包，再用圆形模具（如杯子）压出圆状。

重庆辣子鸡

材料： 净鸡1只。

调料： 干红辣椒20个，料酒、酱油、花椒、芝麻各5克，花生米15克，盐、味精各适量。

做法：

1. 坐锅热油，投入花生米炸熟捞出；再用少许油将芝麻炒熟；干红辣椒洗净切大段。

2. 鸡斩成小块，放人大碗中，加料酒、酱油、盐、味精腌约半小时，捞出沥干。

3. 锅置火上，放油烧热，放人干红辣椒段、花椒爆香，放人鸡块炒至成熟人味，撒上熟花生米及熟芝麻即可。

小提示： 鸡要斩成小块才易人味，也可换成鸡翅，但最好在腌制前略煮，口感才更细腻。

香蕉鸡

材料： 鸡脯肉400克，香蕉300克，饼干末200克，面粉50克，鸡蛋2个。

调料： 料酒、盐、鸡精适量。

做法：

1. 鸡脯肉洗净，剔去筋膜，片成长7厘米、宽4厘米的大薄片，共计12片，放人盘内，再加人料酒、盐、鸡精腌渍人味，然后整齐地排列在大盘内待用。

2. 鸡蛋磕人碗中，搅打均匀成鸡蛋液。

3. 香蕉剥去外皮，切成长度与鸡肉片宽度相同的粗条，然后分别横放在鸡肉片上，再将鸡肉片卷成筒。

4. 锅置火上，加油烧至四成热，将鸡肉卷裹匀面粉、蘸匀鸡蛋液、拍上饼干末下人油中，炸至呈金黄色熟透捞出沥油，装人盘中即成。

小提示： 炸制时，油温不宜太高，否则会使菜品色泽发黑，失去原有的风味。

粽叶粉蒸鸡

材料： 鸡腿肉400克，猪板油20克，蒸肉米粉1包，粽子叶10张。

调料： 姜片5克，葱花、香油各10克，白糖25克，料酒、酱油各10克，高汤100克，盐适量。

做法：

1. 将鸡腿肉、猪板油切块放入碗内，加姜片、葱花、盐、料酒、部分酱油腌约30分钟；粽子叶洗净，用开水烫一下，捞出沥干。

2. 将蒸肉米粉放入碗内，加适量高汤、白糖、香油、剩余酱油搅成糊状，将腌制好的鸡肉块、猪板油放入糊中拌匀，放入垫有粽子叶的盘内，上面再盖上粽叶，上笼蒸约30分钟至鸡肉酥烂时取出。

3. 把两张粽叶卷成圆锥状，将蒸好的鸡肉填在里面，包成粽子形，码在盘中，上笼再蒸5分钟左右即可。

板栗烧鸡

材料： 老母鸡1只，板栗150克，红椒2个。

调料： 姜片25克，大料2个，花椒5克，豆瓣酱25克，盐3克，酱油15克，白糖10克，料酒10克。

做法：

1. 鸡治净，剁块；板栗去壳去皮；红椒去蒂及子，洗净，切片。

2. 炒锅上火将油烧热，倒入鸡块爆炒，待鸡肉变硬时，加料酒及姜片、豆瓣酱、花椒，炒至水分渐干溢出香味时，加水，放酱油和白糖、大料，加盖焖烧至六七成熟时，再倒入板栗、红椒片，烹料酒同烧15分钟左右，放盐调味即可。

辣子竹笋鸡

材料： 仔鸡1只，小竹笋100克，干红椒4个。

调料： 姜片、蒜片、花椒各5克，葱花3克，盐、白糖各5克，料酒10克。

做法：

1. 仔鸡治净，剁块，放盐、料酒腌制10分钟后捞出晾干；竹笋洗净。

2. 锅中倒油烧热，放入鸡块炸至表皮金黄，捞起沥油。

3. 锅中留底油，倒入姜片、蒜片爆香，倒入干红椒、花椒，翻炒至出麻辣香味时，倒入炸好的鸡块、竹笋，炒熟后撒入白糖、葱花，炒匀出锅。

小提示： 腌鸡时盐一定要放足，炸过鸡后炒时再加盐，盐味是进不了鸡肉的，因为鸡肉的外壳已经被炸干，质地比较紧密，盐只能附着在鸡肉的表面，影响味道。

雪梨炒鸡肉卷

材料：雪梨1个，鸡肉、菜心各180克，火腿100克，菜叶2片。

调料：姜汁8克，盐5克，水淀粉、白糖、姜片、蒜蓉各适量。

做法：

1. 鸡肉切大片，用调味料腌15分钟，菜心与火腿切条，雪梨去皮后切丝。

2. 把鸡片卷上菜心、火腿各1根，包上菜叶，用水淀粉黏口，用油稍炸一下。

3. 炒锅放油烧热，爆香姜片、蒜蓉，放入鸡肉卷和雪梨丝翻炒几下，放盐、白糖调味，最后勾薄芡。

芦笋鸡块

材料：净仔鸡1只，鲜芦笋4根，胡萝卜、红甜椒各少许。

调料：盐5克，白糖20克，酱油15克，香油8克，大蒜2瓣。

做法：

1. 将芦笋洗净，削去头及根部，切长段，放入加盐的沸水中焯烫至断生，捞出；将仔鸡洗净，连骨斩断，入沸水锅中煮至色变，捞出沥干水分；胡萝卜洗净，切片；红甜椒去蒂及子，切长条。

2. 锅置火上，倒入油烧热，下入鸡块爆炒，炒至鸡块表面呈微焦黄色，调入白糖和酱油翻匀，待鸡块出香味后，加入余下的调料及胡萝卜、红甜椒，改小火至汤汁将干时，加入芦笋段，翻炒片刻即成。

小提示：芦笋除了有丰富的营养外，还具有防癌，提高人体免疫力，抗疲劳，延缓衰老等保健功能。

番茄鸡块

材料：鸡脯肉300克，番茄2个，土豆150克，青椒50克，红椒1个。

调料：料酒10克，盐、五香粉各少许。

做法：

1. 鸡脯肉切块，放入盐、五香粉、料酒腌约15分钟；番茄去皮切碎，用小火熬成酱；将土豆、青椒、红椒洗净切小块。

2. 锅置火上，放油烧热，放入鸡块炒至八成熟，盛出。

3. 将土豆块下锅煸至八成熟，放入少许水，加盖焖至土豆变沙变软，再倒入青椒块、红椒块翻炒片刻，放入鸡块和番茄酱炒熟即可。

小提示：番茄具有生津止渴，健胃消食，凉血平肝，清热解毒，降低血压的功效。

冬笋鸡片

材料：鸡脯肉200克，冬笋50克，胡萝卜50克。

调料：盐3克，葱丝、姜丝、淀粉、味精各少许。

做法：

1. 鸡脯肉洗净，切片，撒入淀粉、味精拌匀；冬笋洗净，切片；胡萝卜洗净，切成菱形片。
2. 锅置火上，放油烧热，下入鸡片，颜色变白后捞出，盛入盘中；笋片倒入锅中，过油后捞出控油。
3. 锅留底油，放入葱、姜丝、胡萝卜片、盐翻炒一下，再倒入过油后的鸡片、笋片，炒熟即可出锅。

芙蓉鸡片

材料：鸡脯肉200克，鸡蛋清1个，火腿25克，冬笋10克，油菜心25克。

调料：盐5克，胡椒粉、味精各1克，水淀粉10克。

做法：

1. 鸡脯肉去筋，捶剁成蓉入碗，加盐、鸡蛋清调匀成糊状。
2. 火腿、冬笋切成薄片；油菜心洗净。
3. 坐锅热油，将锅稍倾斜。用勺舀鸡糊（约30克）顺锅边倒入锅内，然后迅速将锅向反方向倾斜，使油没过鸡糊，待其成形后离锅，即成鸡片，依此法将全部鸡糊做成鸡片
4. 将锅内剩油倒出，下入火腿及冬笋片略炒，加适量清水，加盐、味精、胡椒粉烧沸，放入鸡片稍烩，下油菜心，用水淀粉勾芡，开锅即成。

巧变化：如果想省事，也可将鸡肉切片，用盐、味精、水淀粉、蛋清上浆，下锅翻炒，虽然鸡片的嫩度、口感稍差，但可节省不少时间。

木瓜鸡丁

材料：鸡脯肉200克，木瓜300克。

调料：盐5克，生抽、白糖、胡椒粉、麻油各适量，葱2段，蒜蓉3克。

做法：

1. 鸡脯肉洗净，切丁，加生抽、白糖、胡椒粉、麻油拌匀备用；木瓜去皮、子，切块。
2. 炒锅加15克橄榄油烧热，爆香蒜蓉，放入鸡丁炒熟后再加入木瓜、盐炒匀，最后放入葱段快速翻炒几下即可。

五彩鸡丝

材料：鸡脯肉200克，冬笋50克，青豆、青椒、红椒各10克，冬菇15克。

调料：水淀粉15克，料酒、盐、味精、姜、葱各5克。

做法：

1. 鸡脯肉、冬笋、冬菇、青椒、红椒、葱、姜分别切丝。

2. 鸡肉丝内加入一半的料酒和盐，并用水淀粉抓均上浆；用水、盐、味精、料酒和水淀粉调好芡汁。

3. 油烧至三四成热，放入鸡丝炒熟后盛出。

4. 锅留底油，放入葱、姜及所有材料煸炒片刻，加入芡汁翻炒，待芡汁熟透后，淋入明油即成。

巧变化：此菜中所选的五彩丝，可根据自己口味或家中现有的材料搭配。

柚皮炒鸡丝

材料：鸡脯肉250克，柚皮150克，鸡蛋清1个。

调料：料酒15克，米醋5克，淀粉25克，盐、鸡精、香油、葱末、姜末各少许。

做法：

1. 柚皮刮洗干净，切成丝，放进沸水锅内焯一下，捞出用凉开水过凉，控净水分；鸡脯肉切成丝，加上鸡蛋清、盐和淀粉拌匀备用。

2. 锅置火上，放油烧至四成热，放入鸡丝滑散，再倒入柚皮丝滑炒一下，一起捞出沥油。

3. 锅中留少许底油烧热，用葱、姜末炝锅，放入柚皮丝和鸡肉丝翻炒片刻，加盐、料酒、米醋和鸡精调味，淋上香油，出锅装盘即可。

小提示：炒制时用旺火热油爆炒，时间要短。

宝珠梨炒鸡丁

材料：鸡肉300克，宝珠梨200克，云腿50克，鸡蛋清1个。

调料：盐、鸡精各少许，高汤100克，葱50克，姜、淀粉、猪油各适量。

做法：

1. 将鸡肉洗净，先剞上十字花刀，然后切成1厘米见方的丁，放入碗中，加入盐、淀粉，抓拌均匀，腌制20分钟。

2. 云腿刮洗干净，切小丁；宝珠梨洗净去皮，去核，切丁，放入淡盐水中浸泡待用；葱择洗干净，切段；姜刮去外皮，洗净，切片。

3. 锅置旺火上烧热，加入猪油烧至三成热时，下入腌好的鸡丁和宝珠梨丁，随即用锅铲前后推动，防止粘连，待滑至鸡丁变白色后，盛出沥油。

4. 原油锅留少许底油，复置火上烧热，下入姜片、葱段炝锅，加入云腿丁炒透，再加滑过的鸡丁、宝珠梨丁、盐，翻炒几下，加入高汤烧沸，再将淀粉用清水调稀后勾芡，最后加入鸡精炒匀，即可出锅。

蜜汁鸡翅

材料：鸡翅中8只。

调料：红酒、蜂蜜各150克，老抽、白糖各15克，盐、味精、蒜末各适量。

做法：

1. 鸡翅中加老抽、白糖、盐、部分红酒腌约20分钟，取出用部分蜂蜜抹匀。

2. 锅置火上，放油烧热，放入蒜末炒香，倒入鸡翅中翻炒，再加入剩余蜂蜜、剩余红酒和适量热水，加盖煮约10分钟，掀盖将鸡翅中搅匀，加味精调味，再煮约10分钟至熟即可。

巧变化：焖鸡翅一定要用小火，如无红酒，也可用啤酒、黄酒代替，比例控制在600克鸡翅加100克酒为宜。

湘味鸡翅

材料：鸡翅中8个。

调料：干红辣椒5个，花椒20粒，大料3粒，葱2段，大蒜3瓣，料酒5克，盐、生抽各适量。

做法：

1. 鸡翅洗净，沥干水分，放入盐、生抽，略腌制几分钟。

2. 锅置火上，放入适量油，烧至五成热，放入腌制好的鸡翅，炸到五成熟捞出。

3. 原锅留适量油，烧热后放入葱段、大蒜炒香，放入炸好的鸡翅和剩余调料、适量清水，小火同煮，等到汤汁渐少时，改中火收汁，看着色泽鲜亮，闻着辣香扑鼻的时候即可出锅。

可乐鸡翅

材料：鸡翅250克，姜末、葱花、大料各适量。

调料：可乐半罐，酱油、白糖各少许。

做法：

1. 将鸡翅洗净，并用刀划两道口子。

2. 坐锅热油，加糖炒化，将鸡翅顺锅沿滑入滚烫的油中，炸一下，待外皮泛黄之后，倒入可乐及酱油炖一会儿即可。

小提示：不适合用低糖可乐等其他种类的可乐，因为其中含人工甜味素，遇热后会变苦。

宫保鸡丁

材料： 鸡脯肉250克，去红衣的油炸花生米50克，干红辣椒8个，鸡蛋清1个。

调料： 酱油15克，料酒、淀粉各15克，白糖、醋各5克，花椒15粒，葱末、姜末、蒜末各少许。

做法：
1. 鸡肉洗净拍松，剞十字花纹切1.5厘米见方的丁，加8克料酒、10克酱油、15克淀粉、鸡蛋清腌8分钟后过油；干辣椒去蒂及子。

2. 油烧热，炒香花椒粒后捞出，放入干辣椒、葱、姜、蒜末炒香，放入鸡丁，加剩下的调料炒匀，最后放入油炸花生米炒拌均匀即可。

巧变化： 如果以鸡腿肉代替鸡脯肉，口感会更好。

干豇豆炒鸡杂

材料： 鸡杂两副（约200克，包括心、肝、肫、肠），干豇豆50克。

调料： 泡椒30克，料酒15克，葱花、鸡精、盐、生抽、花椒粉各少许。

做法：
1. 鸡杂洗净后，鸡肫、鸡心、鸡肝均切成丁，鸡肠切段，用料酒、盐腌制片刻。
2. 干豇豆入清水中浸泡2小时，基本吸水后，清洗干净，再放入沸水锅中煮5分钟，捞出晾凉后，切成段。
3. 锅置火上，油烧至八成热，放入泡椒略炒香后，加入鸡杂爆炒再加入干豇豆，最后调入各种调料，撒上葱花即可。

巧变化： 鸡杂适合与各种配菜炒制，夏季可以和凉瓜一起炒，吃起来很清火。

银耳鸡胗

材料： 鸡胗250克，干银耳15克，榨菜80克，花生仁50克。

调料： 盐5克，酱油、料酒、蚝油各10克，淀粉适量，蒜末15克，葱花5克，朝天椒碎30克。

做法：
1. 鸡胗去除筋膜，清洗干净，切成小片，盛入碗中，加入淀粉、料酒、蚝油拌匀，腌制10分钟；银耳用温水泡发，去掉根部，撕成小朵；榨菜冲洗一下，切碎；花生仁拍碎。

2. 炒锅倒入油，烧至五成热，将花生碎放入，小火上色，捞出控油。
3. 锅中留底油烧热，放入朝天椒碎、蒜末、葱花爆香，然后放入鸡胗爆炒，再放入银耳、榨菜翻炒均匀，待鸡胗即将熟透时，加入盐、酱油、花生碎炒匀即可。

巧变化： 可将鸡胗换成鸭胗、鹅胗等，还可加腰果50克，与鸡胗同炒，就成了腰果鸡胗。

香辣鸡胗

材料：鸡胗200克。

调料：料酒、姜、红辣椒各10克，味精、盐各3克，葱20克，蒜5克。

做法：

1. 葱斜切片；红辣椒切丝；姜一半切块，一半切末；蒜切末。
2. 鸡胗洗净，切薄片；锅里放水，加少量料酒、姜块、盐，烧开后放入鸡胗煮3分钟左右捞出，过冷水放一边待用。
3. 炒锅里放少许油烧至八成热，放入葱、红辣椒爆炒后捞出，锅里继续放油，放入姜末、大蒜，加入鸡胗翻炒，加少许盐，淋上料酒，放入炒好的葱、红辣椒，加入味精，炒匀即可起锅。

巧变化：可以将鸡胗、鸡心等鸡杂同炒，方法相同，但如用鸡心，一定要将鸡心内的血洗净。

龙珠凤肝

材料：鸡肝150克，鸡肉蓉70克，鲜香菇、冬笋各50克，火腿15克，熟豌豆若干。

调料：鸡蛋清1个，料酒、酱油、花椒油各15克，淀粉30克，盐、白糖、葱花、姜末各适量。

做法：

1. 鸡肝洗净，焯水，切条；冬笋切片；香菇切两半，均用沸水焯烫；火腿切丁。
2. 鸡肉蓉放入碗内，加鸡蛋清、盐、料酒、淀粉及少许水，搅匀上劲，挤成丸子，汆熟。
3. 坐锅热油，放入葱、姜炸香，加入鸡肝、香菇、笋片、火腿、熟豌豆、酱油、料酒、白糖、盐及适量水翻炒5分钟，放入汆好的鸡蓉丸子，用水淀粉勾芡，最后淋少许花椒油即可。

小提示：经常食用鸡肝，对眼睛有非常好的保护作用，能防止眼睛干涩、夜盲等症，并能改善老花眼、迎风流泪、视物模糊等症状。

芦笋煎鸡蛋

材料：罐头芦笋8根，鸡蛋4个。

调料：盐3克，香油5克。

做法：

1. 芦笋从罐中取出，沥干汁液，待用；鸡蛋打入碗中，加盐搅打均匀。
2. 将煎锅置火上，倒入油烧热，倒入鸡蛋液，把芦笋整齐地摆放在蛋液中间，待底面蛋液凝固后，将蛋饼翻个身，继续煎一会儿，至蛋液完全凝固，淋入香油即成。

香椿炒鸡蛋

材料：香椿芽1把，鸡蛋2个。

调料：盐4克，味精少许，葱末5克，姜末3克。

做法：

1. 香椿芽择洗干净，挤干水分，切成末备用；鸡蛋打入碗中，加葱末、姜末、盐、味精搅打均匀备用。

2. 将香椿芽末放入鸡蛋液中拌匀。

3. 炒锅烧热，放入油烧至六成热，倒入鸡蛋液翻炒至熟即可。

小提示： 如果想摊成整齐好看的圆饼，翻炒时就小心些，用饼铛或煎锅来制作较好，这样做出的鸡蛋饼有一定的厚度。

牛奶蒸蛋

材料：鸡蛋1个，鲜牛奶100克，虾仁1个。

调料：盐2克、香油5克。

做法：

1. 鸡蛋打入碗中，加鲜牛奶搅匀，再放盐化开；虾仁洗净待用。

2. 入蒸锅大火2分钟，此时蛋羹已略成形，将虾仁摆放上面，改中火再蒸约5分钟即可淋香油出锅。

鱼香蒸蛋

材料：鸡蛋4个，肉馅50克，干木耳10克。

调料：辣豆瓣酱4克，盐3克，白糖、醋、香油、水淀粉各适量，葱花10克，姜末、蒜末各5克。

做法：

1. 鸡蛋打入碗中，加盐、少许水搅打均匀；木耳泡发，去杂质，切碎。

2. 将鸡蛋液放入蒸锅中，文火蒸至熟。坐锅热油，下入肉馅炒散，再放入蒜末、姜末、辣豆瓣酱炒香，然后加入盐、白糖、少量水煮开，放入木耳再次煮开，用水淀粉勾芡，淋入醋、香油、撒葱花制成鱼香汁，淋在蒸蛋上即可。

巧变化： 如果有清汤，在制作鱼香汁时代替水，味道会更好。鱼香汁中还可以加入一些荸荠粒，口感更好。

子姜爆鸭

材料：熟鸭肉200克，子姜（或姜芽）100克。

调料：郫县豆瓣30克，鸡精、料酒、白糖各5克，醋少许。

做法：

1. 将熟鸭肉和子姜分别切成丝。
2. 锅置火上，油烧至六成热，下郫县豆瓣炒香，放入姜丝略炒后再加入鸭丝炒热，加入其他调料即可起锅。

巧变化：子姜还可以和很多荤食搭配炒菜，例如："子姜肉丝"、"子姜腰花"、"子姜鸡丝"等。

冬菜蒸鸭

材料：净光鸭1只，冬菜50克，竹笋1小块。

调料：料酒10克，盐、白糖各5克，姜片、葱段、水淀粉各适量。

做法：

1. 竹笋洗净切厚片，入沸水中煮熟；冬菜洗净、沥干水。
2. 净光鸭放入大海碗中，加姜片、葱段，入锅蒸约1小时后取出，放凉后切块，排在碗里，再放入笋片、冬菜、料酒、盐、白糖，上锅再蒸约1小时至熟，将汁倒出备用，鸭翻扣在盘中。
3. 锅置火上，放少许油烧热，倒入蒸鸭汁煮开，加少许水淀粉勾芡后浇在冬菜蒸鸭上即可。

香酥鸭子

材料：光鸭1只。

调料：酱油、盐各45克，料酒30克，花椒5克，葱段、姜片各适量。

做法：

1. 将花椒和盐拌匀成椒盐；光鸭去内脏及头爪，洗净，用椒盐涂遍鸭身，鸭脯肉和鸭腿肉要多涂几次，取一个大盆，将鸭胸向下放入，将余下的花椒盐撒在鸭身上，腌约2小时。
2. 把腌好的鸭子放入盘内，加料酒、葱段、姜片，上笼用大火蒸熟烂，取出用酱油抹遍鸭身，切块备用。
3. 锅置火上，放油烧至八成热，将鸭块入锅炸至呈金黄色，捞出沥干油即可上桌（可撒少许芝麻点缀）。

小提示：蒸鸭子要用大火长时间蒸制直至熟透，才能让鸭子完全酥软而形不散。

炸核桃鸭子

材料：老鸭1只，核桃仁200克，荸荠150克，鸡蛋清适量。

调料：淀粉、料酒、盐、葱末、姜末各少许。

做法：

1. 将老鸭宰杀后，除去内脏洗净，入滚水永烫后捞出，装入盘内，放葱末、姜末、盐、部分料酒略腌，上笼蒸熟后取出。

2. 将老鸭对半切开；另用鸡蛋清、淀粉、剩余料酒调成糊状，再把核桃仁、荸荠剁碎加入糊中，拌匀后，铺在鸭腔内。

3. 将鸭子放入大油锅中用温火炸酥，呈金黄色后捞出，用刀切成条块，放入盘内即可。

青椒炒鸭片

材料：青椒150克，鸭脯肉200克。

调料：鸡蛋清1个，高汤60克，料酒15克，盐、淀粉、水淀粉各适量。

做法：

1. 将鸭脯肉切薄片，加入鸡蛋清、淀粉、少许盐，拌匀上浆；青椒洗净，去子及蒂、切片。

2. 锅置火上，放油烧热，将鸭肉片下锅滑散，炒熟后盛出沥油。

3. 锅留底油烧热，加入料酒、高汤烧开，倒入鸭肉片、青椒片翻炒，加入盐调味，最后用水淀粉勾芡即可。

巧变化：如喜爱吃辣，也可用尖椒代替青椒炒。

浑汤冒鹅肠

材料：鹅肠200克，黄豆芽80克。

调料：川味火锅底料半包（约250克），高汤500克，老抽、葱花各10克，老姜20克。

做法：

1. 鹅肠刮净背面油脂，洗净，切段；豆芽洗净，开水焯烫后，放入一个较大的容器中备用。

2. 锅置火上，将剁碎的火锅底料及拍碎的老姜炒香，加入高汤，老抽调味，开锅后，加入鹅肠微烫，待鹅肠卷起时，捞出盛入放豆芽的容器，撒上葱花即可。

小提示：用火锅底料调制浑汤是既省事又美味的做法，最好在超市中选购大品牌的火锅底料，口味更正宗。

水煮鱼

材料：草鱼1条（约1000克），黄豆芽300克。

调料：料酒、盐、鸡精各5克，白胡椒粉、干淀粉、香油各少许，鸡蛋清1个，蒜瓣、姜片、花椒、干红辣椒各适量。

做法：

1. 草鱼治净，鱼头剁下劈开备用；鱼身片成3~5毫米厚的片，调入鸡蛋清、少许盐、干淀粉、料酒抓匀；将鱼骨剁成几段备用；黄豆芽洗净，用沸水焯3分钟备用。

2. 锅置火上，放油（约150克）烧至六成热，放入花椒，小火炸2分钟后放入干红辣椒，辣椒变色后，捞出花椒、辣椒和一半油备用。

3. 火调大，放入蒜瓣和姜片炝锅，出香味后，将鱼头鱼骨入锅翻炒几下，调入料酒、盐，加沸水700克，汤沸腾出味后将鱼片下入锅中。

4. 鱼片熟后放入鸡精、白胡椒粉、香油，倒进豆芽垫底的容器中。烧热舀出的半碗花椒、辣椒油，淋上即可。

清蒸鲈鱼

材料：鲈鱼1条（约750克）。

调料：酱油、胡椒粉、盐、葱、姜、红椒各适量。

做法：

1. 鱼去鳞、内脏，在背部开一刀，洗净待用；葱、姜、红椒切丝待用。

2. 将鱼平放腰盘上，淋少许酱油、胡椒粉和食用油，放入沸水笼屉，同时蒸上小半碗酱油待用。

3. 蒸熟后撒上葱丝、姜丝、红椒丝，浇上蒸热的酱油。

小提示：在刮鱼鳞前可用食醋在鱼体上擦抹一下，省时又省力；也可用啤酒瓶盖或使用刀背，既快又安全。

糖醋鲤鱼

材料：活鲤鱼1条（约750克），金糕、青梅各5克。

调料：酱油10克，白糖50克，番茄酱、醋各20克，盐3克，料酒15克，面粉、水淀粉、干淀粉各50克。姜汁少许，葱、姜各10克。

做法：

1. 将鱼治净，鱼身两侧每隔2厘米切一刀至鱼骨，然后顺骨切1.5厘米，使鱼肉翻起；用面粉、淀粉和适量水调成面糊，将鱼裹匀备用。

2. 金糕、青梅切小丁用开水略烫；葱、姜切末。

3. 放油烧至七成热，挂好糊的鱼蘸干淀粉，投入炸熟，捞出控油。

4. 锅内留少许底油烧热，加入葱、姜末爆香，捞出，放入酱油、白糖、盐、番茄酱、料酒、醋、姜汁烧开，淋水淀粉制成糖醋汁，浇在炸好的鱼上，再撒些青梅、金糕丁即可。

小提示：青梅、金糕丁主要起装饰的作用，如果嫌麻烦可以不用。

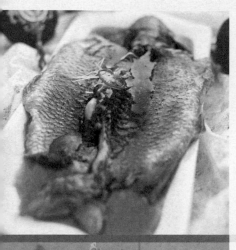

西湖醋鱼

材料：草鱼1条（约700克）。

调料：酱油35克，料酒10克，白糖15克，醋、水淀粉各50克，姜20克。

做法：

1. 草鱼治净，劈两片；姜切末。

2. 两片并排放入沸水，鱼头对齐，皮朝上，旺火烧煮约3分钟至熟，去部分汤水，加酱油、料酒和姜末调味后捞出装盘。

3. 余汤加白糖、醋、姜末和水淀粉调成汁，加热至滚沸起泡，徐徐浇在鱼身上即可。

小提示：这是一道杭州名菜，家常制作，只要放对白糖、酱油、醋的比例就可以了。

豆瓣鱼

材料：活鲤鱼1条（约750克）。

调料：豆瓣酱40克，盐5克，料酒、酱油、白糖各10克，水淀粉、醋各少许，葱花、姜末、蒜末各15克。

做法：

1. 鱼治净，两面各轻划5刀。

2. 炒锅置旺火上，放油烧至八成热，转小火将鱼煎至两面微黄，捞出沥油。

3. 锅中留少许底油，下豆瓣酱、姜末、蒜末炒香，加水、盐、料酒、酱油、白糖烧开，放入鱼，用中火烧10分钟，翻面，烧至鱼肉熟透、入味，盛入鱼盘。

4. 锅内的汤汁用水淀粉勾芡，加葱花，滴少许醋调匀后起锅，浇在鱼上即成。

小提示：豆瓣酱有多种口味，做这个菜尽量选择原汁原味的豆瓣酱，而不要选择添加了豆豉、花椒等调料的豆瓣酱。

酸菜鱼

材料：净草鱼500克、酸菜100克。

调料：泡辣椒50克，蒜30克，盐、胡椒粉、味精、料酒、香油、葱、姜各适量。

做法：

1. 把草鱼头取下，片出脊骨，鱼肉片成片，用葱、姜、料酒、盐腌制待用；将泡辣椒、蒜一起切成粒状；酸菜切成小片待用。

2. 锅置火上，放油烧热，将泡辣椒、蒜一起放入，再放酸菜炒出香味，加入清水，并放入鱼头、脊骨一起熬15分钟以上。

3. 在锅中加入盐、料酒、胡椒粉、味精调味，下入鱼片烧煮3～5分钟至鱼肉刚熟，淋入香油即可。

小提示：片鱼片时尽量薄厚均匀；汆鱼片时要火旺、汤沸，断生即成。

芪烧活鱼

材料： 鲤鱼1条（约700克），水发香菇、冬笋各20克。

调料： 黄芪5克，党参3克，盐3克，酱油15克，白糖、料酒、水淀粉各10克，姜汁、香油各少许。

做法：

1. 将鱼治净，在鱼身上划几下十字花刀；水发香菇斜切大片；冬笋、黄芪、党参切片。
2. 坐锅热油，将鱼稍煎一下，盛出沥油。
3. 再将炒锅上火，放少量油，将白糖炒成暗红色，黄芪、党参同时下锅，加清水、盐、酱油、料酒，放入炸好的鱼，烧开后用文火煨成浓汤，捞出鱼装盘。
4. 锅中留汤汁放入笋片、香菇，烧开后淋入香油、姜汁，加水淀粉勾芡，浇在鱼上即成。

小提示： 这是一道有滋补功效的鱼肴，黄芪、党参同为补气药材。

葱 油 鱼

材料： 草鱼1条（约750克）。

调料： 盐6克，酱油、料酒各15克，味精3克，胡椒粉2克，姜、葱、香油各20克。

做法：

1. 草鱼治净，两面各剞数刀。
2. 葱一半切段，一半切丝，姜一半切块，一半切丝。
3. 锅中放适量水，加入葱段、姜块煮沸，放入草鱼煮约15分钟，捞出、装盘。
4. 鱼身上撒盐、味精、胡椒粉，铺上葱、姜丝，淋上料酒、酱油；烧热香油，浇在鱼身上即可。

啤 酒 鱼

材料： 草鱼1条（约750克）。

调料： 豆瓣酱、白糖、老抽各10克，啤酒1听，大料、花椒、香叶各少许，蒜片5克，葱段、姜片各10克。

做法：

1. 草鱼治净、切块，用老抽、部分葱、姜上色腌味，然后用高温油炸至外焦里嫩。
2. 锅中留少许底油烧至七成热，炒香姜、蒜片，加入豆瓣酱炒香，再下花椒，然后倒入啤酒，加清水、香叶、大料、葱段和炸好的草鱼块，加入白糖，大火烧开后用小火焖15分钟左右即可。

小提示： 啤酒的量不必太多，一听就足够了，如果鱼不大的话，可以不再加水。

红烧鱼块

材料：鲤鱼1条（约700克）。

调料：盐、淀粉各5克，酱油、白糖各20克，葱10克，姜5克，蒜1瓣。

做法：

1. 鲤鱼治净、切块，放盐、淀粉抓匀，腌30分钟。

2. 葱切段，姜切丝，蒜切末。

3. 锅内放油烧至七成热，放入姜丝、蒜末，把鱼块放进去，等鱼两面煎黄，加入酱油、盐、白糖，小半碗清水，盖上锅盖中火焖3～5分钟，放入葱段稍煮即可出锅。

巧变化：也可选用鲫鱼、武昌鱼来做，鱼不大时应整条来做，成菜品相更好，切块的目的是为了更入味。

熘鱼片

材料：净鱼肉300克，水发木耳10克，鸡蛋清25克。

调料：水淀粉20克，盐2克，料酒、香油各10克，泡椒、葱、蒜各5克。

做法：

1. 鱼肉切片，用料酒、盐、鸡蛋清、一半的水淀粉抓匀；葱切段、蒜切片。

2. 油烧至五成热，将鱼片下锅轻轻滑熟，捞出控油。

3. 坐锅热油，用葱、蒜、泡椒爆锅，放入料酒，再加少许清水、木耳、盐烧开，撇去浮沫，将鱼片倒入煮开，用水淀粉勾芡，淋上香油即可装盘。

小提示：这个菜的关键是片鱼，先洗净鱼皮上的黏液，这样下刀时鱼才不会滑；然后剁去鱼头鱼尾，将刀横过来，沿着脊柱切过去，横向片入鱼腹，得到完整的鱼肉；最后逆着鱼肉纹路，斜斜地片成片。

豉油鲤鱼段

材料：鲤鱼1条（约700克），鸡蛋1个。

调料：盐3克，蒸鱼豉油、料酒、生抽各15克，白糖30克，姜片10克，大料2粒，香葱1根。

做法：

1. 鲤鱼治净，剁去头尾，鱼身盛入碗中，打入鸡蛋拌匀；香葱洗净，切段。

2. 炒锅烧热，倒入油烧至六成热，放入鲤鱼段用中火炸至金黄色，捞出控油。

3. 锅中留少许油烧热，爆香姜片、大料，放入鲤鱼段，调入盐、料酒、蒸鱼豉油、生抽、白糖和少许水大火烧沸，盖上锅盖转小火慢炖约20分钟，出锅前撒上香葱段即可。

原汁白鲢

材料：白鲢1条（约500克）。

调料：蒸鱼豉油100克，葱白适量。

做法：

1. 白鲢治净，鱼身两面剞十字花刀，放入盘中；葱白切丝。

2. 蒸锅上火，水开后放入白鲢，中火蒸约8分钟，把鱼盘中汤倒净，在鱼身上淋蒸鱼豉油，再蒸3分钟出锅，撒上葱丝。

3. 炒锅上火，放油烧热后浇在鱼身上即可。

肉粽酿草鱼

材料：草鱼1条（约750克），肉粽1个。

调料：淀粉、盐、香油、葱丝、姜丝各适量。

做法：

1. 草鱼剖洗净，在鱼腹里抹少量淀粉。

2. 把肉粽用小勺慢慢填入草鱼腹中，压紧，塞满即可，宁少勿多。

3. 包粽子的粽叶除去米粒，将草鱼放在粽叶上，将葱丝、姜丝撒在鱼身上，再撒上盐，入蒸笼蒸熟，取出淋上香油即可。

小提示：此菜中采用的肉粽必须是事先蒸熟的；如果是冷冻粽子，可除去外包装，用微波炉高火加热约2分钟再使用。

菊花鱼

材料：草鱼1条（约750克）。

调料：盐2克，白糖50克，番茄酱100克，醋30克，干淀粉、葱花、姜末各10克，水淀粉40克，料酒适量。

做法：

1. 鱼治净后剁去头、尾，一剖两片，去骨。

2. 将鱼肉皮朝下放在案板上，斜切至鱼皮，每切4刀至5刀切断，共切成10块。逐块再用直刀交叉切至鱼皮，每刀间距为0.7厘米，不可切破皮。

3. 鱼块加入料酒、盐、葱花、姜末腌约5分钟，蘸匀干淀粉，再抖去散粉；用白糖、醋、盐、水淀粉调成味汁。

4. 锅里放油烧至六成热，下入鱼块，炸至浅黄色捞出，放在盘中呈菊花状。

5. 另起锅，放清水加番茄酱烧开，用调好的味汁勾芡，淋明油，浇在菊花鱼上即成。

油浸鲈鱼

材料： 鲈鱼1条。

调料： 酱油10克，葱丝、姜丝、高汤、盐、味精、白糖、胡椒粉各适量。

做法：

1. 鲈鱼剖洗净，在鱼面上划花刀，放入蒸锅，大火蒸熟，取出换入干净的盘中，在鱼身上放上部分葱、姜丝。

2. 锅置火上，放油烧热，放入剩余葱、姜丝稍煸后，注入高汤，加盐、味精、酱油、白糖、胡椒粉调味，熬煮成调味汁。

3. 锅置火上，放油烧热，将热油浇在鱼身上，再淋上调味汁即可。

小提示： 油温的掌握是此菜成功与否的关键，油在烧至快冒烟时要迅速离火，趁热浇在鱼身上，用油的热度将鱼烫至外皮香脆，而鱼肉仍保持鲜嫩口感。

松子鱼

材料： 草鱼1条（约750克），鸡蛋1个，熟松子仁30克。

调料： 盐8克，酱油、白糖、番茄汁、淀粉各15克，醋7克，水淀粉、葱花、姜末、蒜末各10克。

做法：

1. 鱼治净，去头，片成两半（尾部连着），去掉骨刺，在鱼肉一面打入字花刀，放盐、酱油腌渍；鸡蛋打散；鱼肉抹上蛋液，再蘸上干淀粉。

2. 油烧到四成热，放鱼炸呈浅黄色捞出，待油温升至六成热，复炸至表皮起酥时捞出装盘。

3. 鱼头蘸干淀粉，下锅炸熟捞出，摆在盘子的一边。

4. 锅内底油烧热，下葱、姜、蒜末爆香，加入白糖、醋、番茄汁、少量清水，烧开后用水淀粉勾芡，浇在鱼上，最后撒上松子仁即成。

小提示： 松子可以在超市卖干果的地方买到，要选择原味松子。

酥鱼

材料： 鲫鱼1条（约250克）。

调料： 酱油、料酒各10克，五香粉、甘草粉各5克，味精3克，豆豉、白糖、醋、姜汁各10克。

做法：

1. 将鲫鱼治净，抹干水分。

2. 油入锅内，烧五成热，放入鱼，用中火慢炸10分钟，再改用小火炸10分钟，炸至鱼骨酥脆后捞出。

3. 将所有调料放在锅内，加适量清水，煮开后，将炸好的鱼放进锅内，盖上盖用小火焖1小时即成。

小提示： 这道菜在炸制过程中，要掌握好火候，要慢慢炸，不要急，油量可以大些，但火不要大，这样才能做到外酥里嫩。

干烧鲫鱼

材料：鲫鱼1条（约350克），海参、笋片、虾仁各25克，冬菇20克，鸡蛋1个，豌豆10克。

调料：豆瓣酱、白糖各10克，盐4克，料酒10克，胡椒粉2克，酱油15克，淀粉适量，葱25克，姜20克。

做法：

1. 鲫鱼治净；笋片、冬菇、海参切成小丁；葱切段；姜切片；鸡蛋打散；豆瓣酱剁细。
2. 先用盐、料酒把鲫鱼腌一下，用布蘸干，在鱼腹内撒上淀粉，然后把笋片、冬菇、海参丁、虾仁、豌豆、鸡蛋、盐、料酒拌成馅，填在鱼腹内，用淀粉将鱼腹口封好，在鱼身两面剖上花刀。
3. 把锅放在旺火上，倒入油烧热，将鱼煎至五成熟左右盛出。
4. 再用少许油把豆瓣酱、葱、姜炒香，加入酱油、料酒、白糖、盐等调好味，放入鲫鱼，加入清水用文火煨至鱼熟汁干，拣去葱姜即成。

家常焖鲫鱼

材料：鲫鱼1条（约250克）。

调料：香菜、白糖、酱油各5克，料酒4克，醋少许，葱、姜各10克，蒜4克。

做法：

1. 将鱼治净；葱切段，姜、蒜切片；香菜切末。
2. 坐锅热油，放入鲫鱼炸至两面金黄，倒出多余的油。
3. 加入葱、姜、蒜、料酒、酱油、醋，再加适量清水（没过鱼的一半），大火烧开，加入白糖，转为小火，收干汤汁，装盘，撒上香菜即可。

干炸小鲫鱼

材料：鲫鱼1条（约250克）。

调料：盐、花椒粒、面粉适量。

做法：

1. 鲫鱼去鳃，洗净鱼腹，撒上少许盐、花椒抹匀，腌5分钟，然后拣除花椒，蘸匀面粉待用。
2. 坐锅热油，待油至八成热时放入鱼，勤翻动以防糊锅，见鱼皮变黄时即可出锅。

巧变化：做干炸鲫鱼买小一点的也行，要清洗干净，并一定要将鱼皮表面的黏液刮净再用花椒和盐腌制，否则会有腥味。另外还可以用这种方法来做干炸小黄鱼。

清蒸武昌鱼

材料：武昌鱼1条（约重500克），熟火腿25克，水发香菇、冬笋各50克。

调料：猪油、料酒各20克，盐5克，胡椒粉4克，葱段、姜片各适量。

做法：

1. 将鱼治净，在鱼身两面剞花刀，撒上盐，盛入盘中。

2. 香菇和熟火腿切成薄片，和笋片间隔摆在鱼身周围，鱼身上覆盖葱、姜、猪油淋上料酒。

3. 蒸锅水烧沸，将整条鱼连盘上笼，蒸至鱼眼突出（约8分钟）即可出笼，拣去葱姜，撒上胡椒粉即成。

小提示：家常蒸鱼也可不必添加香菇和火腿，但最好选活鱼来做，才能品尝到武昌鱼的鲜味。

松鼠鳜鱼

材料：鳜鱼1条（约750克），虾仁20克，熟笋、水发香菇各15克。

调料：熟猪油（炸油）500克，香油、白糖、醋各10克，盐5克，干淀粉30克，料酒、水淀粉各15克，番茄酱50克，蒜末2克，香菜段6克。

做法：

1. 鳜鱼治净、沥干，切去鱼头、脊骨，取下鱼肉（称鱼叶子）尾部相连，片去胸刺，斜切成鱼皮相连的菱形小块。

2. 用料酒、盐抹在鱼叶子和鱼头上，蘸匀干淀粉；番茄酱、清水、白糖、醋、料酒、盐和水淀粉调汁待用。

3. 猪油烧至八成热，将鱼叶子慢慢放入油锅，并不断舀热油浇淋，使鱼肉均匀受热，炸至淡黄色时捞出；再将鱼头也炸至金黄色、捞出装盘。

4. 另起锅烧热适量猪油，下虾仁熘熟后盛出；原炒锅留少许油，放香菜段略爆后捞出，再下蒜末、笋、香菇炒熟，烹入调好的味汁，加香油、虾仁，炒熟后出锅，浇在鱼上即成。

豆瓣乌江鱼

材料：鲜活乌江鱼1条（约1000克），豆腐200克。

调料：豆瓣酱20克，盐4克、五香粉4克，胡椒粉6克，辣椒5克，葱、姜、蒜各10克。

做法：

1. 将鱼治净，两面打上花刀，入六成热的油中炸至表皮紧绷。

2. 豆腐切成小方块，入沸水中焯过后滤干水分待用；辣椒洗净切丝，姜、蒜切片、葱切成3厘米长的段；豆瓣酱捣碎。

3. 起锅，油烧至六成热时，将辣椒、豆瓣酱下锅炒香后加入姜、蒜、清水、五香粉、胡椒粉、盐，煮滚后下入鱼和豆腐，汤汁收浓放入葱段即成。

巧变化：在北方难买到乌江鱼，可用鲤鱼或草鱼替代。

剁椒鱼头

材料：花鲢（胖头鱼）鱼头1个（约1000克）。

调料：豆豉30克，盐5克，剁椒50克，料酒、葱段各20克，姜片15克。

做法：

1. 鱼头洗净对半剖开，用料酒、盐涂抹均匀，与葱段、姜片一起腌制约30分钟，将腌鱼头出的水及姜片、葱段倒掉，沥干备用；豆豉用水洗净。

2. 油烧至七成热，下鱼头，煎一下，鱼皮发白后取出放入蒸盘，将豆豉及剁椒均匀覆盖在鱼头上。

3. 蒸锅中放少量水，水沸后将鱼盘放入，盖上锅盖，大火蒸约20分钟即可。

干烧黄辣丁

材料：黄辣丁2条（约700克）。

调料：郫县豆瓣酱30克，姜末20克，葱花、蒜末各30克，料酒15克，生抽5克，醋少许，白糖5克，鸡精、水淀粉各10克，鲜汤250克。

做法：

1. 黄辣丁清理干净后，在每条鱼的两面斜划柳叶花刀，但要保持鱼的完整。

2. 锅置火上，油烧至五成热，下鱼炸约2分钟后铲出；锅内放入豆瓣酱炒香，再加入葱、姜、蒜，倒入鲜汤，烧沸后放入鱼，加料酒、生抽、白糖调味，改用中小火加热20分钟后将鱼盛盘。

3. 将葱花、鸡精、醋等放入汤汁中，移至旺火上烧滚，用水淀粉勾芡，淋在鱼身上即可。

小提示：片鱼时，不要划得太深；刀距之间的距离不要太密。

大蒜烧鲶鱼

材料：鲶鱼块750克，大蒜80克。

调料：郫县豆瓣酱5克，料酒15克，鸡精少许，鲜汤300克，醋、盐、生抽各5克，葱段50克，姜片10克。

做法：

1. 锅置火上，油烧至五成热，放入郫县豆瓣酱炒香，加入葱、姜、鲜汤，再依次加入酱油、盐、料酒、鲶鱼块和大蒜，烧沸后转小火慢烧10分钟，铲起盛盘。

2. 再次调大火烧热锅中剩余的汤汁，加入鸡精和醋，待汁浓稠，盛起浇在鱼块上。

小提示：鲶鱼宰杀后用温水加醋洗净表皮的黏液。

糖醋带鱼

材料：带鱼1条(约750克)，鸡蛋2个。

调料：葱段、料酒各30克，姜3片，蒜片10克，大料2个，干淀粉20克，白糖25克，醋20克，盐5克，生抽15克。

做法：

1. 将带鱼治净后剁去头、尾，剪去鳍，切成长约8厘米的段，用盐、料酒腌约30分钟，然后放入用鸡蛋、干淀粉调成的蛋糊中上浆。

2. 炒锅置火上，倒入油烧至八成热，将上浆的带鱼下锅油炸，待炸至两面呈金黄色时，捞出控油。

3. 锅内留少许底油，放入大料、葱段、姜片、蒜片爆出香味后，烹入醋，加白糖、料酒、生抽及适量清水煮开，将炸好的带鱼放进锅里，煮至汤汁剩下三分之一时，翻拌均匀，拣出大料等调料出锅盛盘。

干炸带鱼

材料：带鱼1条（约500克）。

调料：葱花、姜末各10克，胡椒粉1克，盐3克，酱油25克，料酒20克，花椒盐适量。

做法：

1. 带鱼治净后取出沥水，切成6厘米长的段，盛放碗中，放入葱花、姜末、胡椒粉、盐、料酒和酱油，抓匀腌入味。

2. 炒锅旺火加热，倒半锅油烧至七成热时下鱼段炸1分钟，鱼段浮起并呈黄色时，捞起沥油；待油温再升至八成热时，鱼段再回锅重炸一下，使外表香脆即捞起沥油盛盘，附花椒盐一起上桌。

巧变化：与上述制作方法大致相同，若在鱼段表面挂上用鸡蛋黄、淀粉、料酒和盐调制的厚糊，并腌渍入味，油炸后即成"软炸带鱼"。

萝卜干炖带鱼

材料：带鱼500克，腌萝卜干150克，鸡蛋2个。

调料：花椒5粒，大料2粒，干辣椒2个，葱段、姜片、蒜片各少许，酱油、醋、料酒各15克，白糖10克，盐3克，干淀粉适量，味精少许。

做法：

1. 带鱼处理干净后切成长约6厘米的段，放入由鸡蛋和干淀粉调成的蛋糊中挂浆；萝卜干切成小段。

2. 炒锅置于火上，倒入油烧热，将带鱼段放入两面稍煎一下，盛出。

3. 锅中留底油，先下入花椒、大料、干辣椒爆香，然后下葱段、姜片、蒜片、萝卜干翻炒片刻，加入酱油、白糖、料酒、盐、醋及少量清水，烧开后放入带鱼，焖至汤汁将干时放味精，翻拌均匀即可装盘。

红烧平鱼

材料：平鱼（银鲳）2条（约400克），香菇3朵，水发冬笋适量。

调料：姜片5克，葱段10克，大蒜4瓣，酱油30克，大料3个，盐2克，白糖40克，醋5克，料酒15克。

做法：

1. 平鱼治净，在鱼体两侧各剖两道刀花；香菇泡软洗净，去蒂，对切两半；水发冬笋洗净切片。

2. 锅置火上，放油烧至五六成热，将平鱼放入炸至金黄色，捞出控油备用。

3. 锅中留底油，放入蒜瓣、葱段、姜片、大料炝锅，出香味后加入盐、酱油、料酒、白糖、醋，大火烧开，下入炸过的平鱼、香菇、笋片，小火焖熟即可。

干烧平鱼

材料：平鱼2条（约400克）。

调料：豆瓣酱20克，料酒15克，酱油8克，白糖10克，盐2克，胡椒粉、醋各3克，葱、姜、蒜少许。

做法：

1. 平鱼治净，放入热油中煎一下取出；葱切段，姜、蒜切片。

2. 炒锅中放油烧热，加入豆瓣酱、姜片、蒜片炒出香味，烹入料酒、酱油，加适量开水，把平鱼、白糖、盐、胡椒粉放入锅中，烧开后转小火慢烧，待鱼烧熟，将鱼取出放盘中，大火收浓汤汁，放入葱段，淋入醋即可。

雪笋平鱼

材料：平鱼2条（约400克），腌雪里蕻、鲜笋各100克，红辣椒1个。

调料：葱段若干，姜5片，料酒30克，盐、白糖各5克，酱油15克，胡椒粉少许。

做法：

1. 平鱼治净，在鱼体两侧各剖两道刀口，用盐和料酒将鱼周身抹匀，腌渍约5分钟，沥干水分；雪里蕻冲洗干净，挤干水分后切碎；笋取嫩茎，切丝；辣椒去蒂及子，洗净，切丝。

2. 将炒锅置于火上，倒入油烧热，下笋丝煸炒片刻，再下雪里蕻末炒匀，加入酱油、白糖、胡椒粉及少量水，大火炒熟后盛出。

3. 蒸盘上抹上少许油，铺上葱段，放上鱼，鱼身上放姜片，待蒸锅中水烧开后，放入蒸盘，蒸7分钟左右，打开锅盖，将炒熟的雪里蕻末、笋丝倒在鱼身上，继续蒸约5分钟，取出蒸盘，表面撒上辣椒丝即可。

鳕鱼排

材料：鳕鱼肉200克，薯条50克，青豆30克，柠檬1个，面包屑40克。
调料：盐、胡椒粉各5克。
做法：

1. 将鳕鱼肉切大片；柠檬洗净，不去皮，切薄片。
2. 青豆煮熟，捞出沥水；薯条炸熟。
3. 鱼片裹面包屑，下油锅炸至金黄色，用餐巾纸吸去多余的油，配薯条、煮好的青豆、柠檬片一同装盘；吃前撒胡椒粉、盐，挤入柠檬汁即可。

小提示：鳕鱼肉不要切太薄，否则炸时失水，鱼肉不好吃。

蒜香银鳕鱼

材料：鳕鱼2块（约450克）。
调料：蒜蓉、葱花各少许，盐5克，生抽、料酒各30克，辣豆瓣酱15克，干淀粉、味精、胡椒粉各少许。
做法：

1. 将鳕鱼洗净，抹干，用部分盐、生抽及料酒配成的腌料将鱼身涂匀，腌渍约10分钟。
2. 将腌好的鳕鱼扑上少许干淀粉，用适量的油以半煎半炸的方式将鱼煎熟至两面金黄，盛出并将余油吸干。
3. 锅内另放少许油，下入蒜蓉及辣豆瓣酱爆香，添加盐、生抽、料酒及适量清水，大火烧开后放入煎香的鳕鱼，转为中火煨至汤汁剩下三分之一，先将鳕鱼盛入盘中；剩下的汤汁中放入葱花、味精及胡椒粉拌匀，淋在鱼肉上，趁热食用。

小提示：用不粘锅煎鱼，既省油又不易煳锅。

腐皮煎鳕鱼

材料：鳕鱼块200克，油豆腐皮、鲜玉米粒、芦笋、罗勒各适量。
调料：盐3克，白兰地、胡椒粉、百里香、李锦记香煎银鳕鱼汁各少许。
做法：

1. 将鳕鱼块用盐、白兰地、胡椒粉、百里香腌入味；再用油豆腐皮包裹，入油锅煎熟。
2. 鲜玉米粒、芦笋汆熟，与罗勒一起装饰搭配鳕鱼，淋入李锦记香煎银鳕鱼汁即可。

家常烧黄鱼

材料：大黄鱼1条（约500克），猪肉75克，冬笋50克，香菇5~6朵。

调料：葱段、姜片、蒜片、料酒各5克，盐3克，酱油15克。

做法：

1. 黄鱼治净，在鱼身两面划斜刀，刀距约2厘米，刀深至骨，将酱油刷在鱼身两面，使其入味；猪肉、冬笋洗净切片；香菇泡发后去蒂。

2. 炒锅上火将油烧热，拎着鱼尾巴将黄鱼放入锅中，煎至两面金黄色，捞出沥油。

3. 另起锅将少许油烧热，放入葱段、姜片、蒜片煸炒出香味，再放入肉片、笋片、香菇煸炒，然后放入黄鱼，加料酒、酱油、盐烧开后转文火烧煮15分钟，再改旺火收汁即可。

小提示： 煎鱼时火小一点，或者用平底锅，盖上盖，油溅得就不会太厉害。

侉炖黄鱼

材料：大黄鱼1条（约500克），鸡蛋2个。

调料：盐3克，味精2克，料酒15克，胡椒粉0.5克，醋7克，葱段、姜片、蒜瓣共50克，葱白丝、香油、淀粉各5克。

做法：

1. 黄鱼治净，切块，入大碗中加料酒、味精、盐、香油腌入味。

2. 鸡蛋打散，加淀粉调成蛋糊，腌好的鱼块放入蛋糊内拌匀。

3. 油烧至七成热，下入鱼块炸呈微黄色，捞出控油。

4. 锅内放水、料酒、盐、味精、胡椒粉烧开，放入鱼块及葱、姜、蒜再烧沸，改用小火炖10分钟，拣除葱、姜、蒜，淋入醋、香油，盛入大汤碗，撒上葱白丝即成。

小提示： 侉炖就是把经过处理的一种或几种原料加水和调料炖煮至熟。

焦熘黄鱼

材料：小黄花鱼400克，鸡蛋1个。

调料：盐5克，味精3克，料酒20克，面粉50克，白糖15克，醋4克，酱油、葱丝、姜丝各10克。

做法：

1. 黄花鱼治净，控干水，用盐、味精、料酒（15克）腌一下；鸡蛋打散成蛋液；酱油、盐、白糖、剩余料酒、醋、清水调成芡汁备用。

2. 将腌好的鱼蘸上面粉，再蘸上蛋液，下油锅煎成金黄色，取出控油。

3. 锅中留少许底油，下葱丝、姜丝炒香，下入煎好的鱼，倒入芡汁颠翻两下即可出锅。

小提示： 鱼控水是为了能够让鱼更容易上浆入味和蘸粉，可用厨房专用餐巾擦干水分。

葡萄鱼

材料：鲭鱼肉400克，青菜50克，鸡蛋1个，咸面包屑75克。

调料：盐、白糖各5克，料酒15克，味精3克，葡萄汁100克，水淀粉10克，白醋3克。

做法：

1. 鲭鱼肉剞交叉花刀至鱼皮，放盐、料酒、味精腌20分钟。

2. 鸡蛋打散；取青菜叶子，洗净焯水，铺在盘底。

3. 腌好的鱼肉，挂一层蛋液，再蘸一层面包屑，下七成热油锅中炸至金黄色、呈葡萄粒状时捞出，放在铺有菜叶的盘子中。

4. 锅烧热，放少量油，用白糖、白醋、葡萄汁、水淀粉勾芡，汁浓后淋在鱼上即成。

热窝鱼

材料：平鱼1条（约300克）。

调料：料酒、生抽各10克，老抽4克，醋、辣椒油各3克，香油、姜丝各5克，白糖8克，花椒粉、豆豉汁、蒜蓉各少许，葱丝40克。

做法：

1. 平鱼治净，控水，两面各剞浅浅的几刀，放入深盘用料酒涂抹鱼身，肚内塞姜丝、花椒粉少许，包好保鲜膜，入微波炉大火加热7分钟。

2. 取一只碗，加入生抽、老抽、醋、香油、辣椒油、白糖、花椒粉、豆豉汁、蒜蓉、葱丝，调好待用。

3. 取出鱼，趁热将调好的汁浇上。

4. 将油加热至冒烟时关火，将热油淋在鱼身上即可。

小提示：微波炉一边加热，一边可将味汁调好，还有1分钟停止加热时即可烧热油，微波炉停止加热浇上调味汁后就可以马上浇入热油，保证鱼热入味。

炝锅鱼

材料：鲤鱼1条（约500克）。

调料：郫县豆瓣15克，葱花50克，姜末25克，蒜末、干红辣椒各15克，盐3克，料酒、生抽各30克，鸡精少许，清汤250克。

做法：

1. 鱼宰杀洗净后用厨房纸吸净水分，用刀在鱼身两面斜剞7～8刀，将盐、20克料酒拌匀，抹于鱼身内外，郫县豆瓣剁成细蓉待用。

2. 锅置火上，油烧至八成热，将鱼入锅炸呈金黄色后捞起，沥油；锅中留底油，将干红辣椒放入炸呈棕红色捞起剁碎，下郫县豆瓣、姜末、蒜末炒香。

3. 将炸好的鱼下锅，同时加入鸡精、剩余料酒，烧至鱼两面入味，汁浓时加入剁碎的干辣椒，翻匀后起锅入盘，撒上葱花即可。

巧变化：炝锅鱼外酥里嫩，鱼肉鲜香，最特别的是，吃完鱼后，往锅里加入鲜汤，还可以涮火锅。

炒鳝丝

材料：鳝鱼300克，韭黄100克。

调料：葱5克，姜10克，蒜15克，白糖、水淀粉各10克，米酒、酱油各7克，香油、白胡椒粉各5克。

做法：

1. 鳝鱼治净、划丝并切成5厘米长；葱切末；大蒜去皮剁成蒜蓉；姜去皮切丝；韭黄洗净、切段。

2. 油烧热后，放入葱、姜、蒜爆香，加入鳝丝翻炒几下，加入白胡椒粉、白糖、米酒、酱油、韭黄炒匀，盛入盘中，烧热香油，浇在鳝丝上即可。

西芹爆鳝丝

材料：鳝鱼300克，鸡蛋清1个，西芹、洋葱各25克，新鲜百合10克。

调料：盐、味精、料酒、醋各5克，白糖、白胡椒粉、水淀粉、香菜段各少许。

做法：

1. 西芹、洋葱洗净切细丝；百合洗净。

2. 鳝鱼剖洗净，抹净黏液，剔骨划丝，加鸡蛋清、部分盐、味精、料酒拌匀上浆。

3. 在碗中放入醋、白糖、白胡椒粉、水淀粉、剩余料酒、味精、盐调成芡汁。

4. 锅置火上，放油烧热，放入鳝鱼丝煸炒至半熟时，放入西芹丝、洋葱丝、百合炒匀，倒入芡汁大火翻炒几下，熟后加香菜段炒匀即可。

粉蒸鳝鱼

材料：鳝鱼250克。

调料：豆瓣酱30克，花生油30克，香菜段20克，大米粉50克，盐少许，南乳汁、生抽、红油、蒜泥各5克，料酒15克，姜末3克，花椒粉、白糖、鸡精各少许，鲜汤70克。

做法：

1. 鳝鱼治净，斩去头尾，再切成6厘米长的段；豆瓣酱至四成热的油锅中炒香。

2. 将鳝段放入汤盘内，加入盐、豆瓣酱、南乳汁、生抽、料酒、姜末、白糖、鸡精拌匀，再加鲜汤、大米粉拌匀，装入蒸碗，入笼用旺火沸水蒸30分钟。

3. 将蒸好的鳝段翻扣于大圆盘中，放入蒜泥、花椒粉、淋上红油，放上香菜即可。

豆豉沙丁鱼

材料：沙丁鱼500克，豆豉50克。

调料：盐、白糖、红糖、料酒、香油各5克，姜片、葱段各20克，鸡精、胡椒粉、鲜汤各少许。

做法：

1. 沙丁鱼经冷水解冻后，沥干水分，用盐、料酒、姜片、葱段码味。

2. 锅置火上，油烧至七成热时，将沙丁鱼放入炸至外表金黄时，装入大汤盆。

3. 豆豉与所有调料拌匀，盖在沙丁鱼面上，入笼蒸1小时，出笼装盘，淋少许明油即可。

小提示：由于豆豉咸味较大，调味时可少用或不用盐，盐主要用于码味。

黄瓜鳝段

材料：鳝鱼300克，黄瓜150克。

调料：红辣椒酱10克，花椒10克，姜末2克，蒜末5克，盐、生抽各5克，鸡精、香油各2克，料酒20克，干辣椒30克，鲜汤500克。

做法：

1. 鳝鱼治净，切成7厘米长的段；黄瓜去皮切成5厘米长、0.5厘米见方的条；干辣椒切成2厘米的段。

2. 锅置火上，油烧至四成热，放入红辣椒酱炒香，再放入姜末、蒜末、干辣椒稍加煸炒，掺汤烧开后放入鳝段、料酒、生抽、盐，烧至鳝鱼软熟时，放入黄瓜条烧沸，最后放入鸡精、香油调味即可。

小提示：汤汁不能烧得太干，带汤带水才好吃。

豉汁蒸白鳝

材料：白鳝1条。

调料：豉汁、豆瓣、盐、老抽、蚝油、料酒各适量，葱花、姜丝、蒜蓉各少许。

做法：

1. 白鳝洗净，从腹部剪成寸段，但背部不能剪断，留点肉和皮相连着。

2. 锅置火上，放入适量油，烧至四成热，把豉汁、豆瓣放入锅中慢慢翻炒约2分钟，晾凉待用。

3. 把白鳝绕圈盘起来放在盘中，放入料酒、炒好的豉汁、豆瓣、盐、蚝油、老抽以及姜丝、蒜蓉，让白鳝均匀入味约3分钟，放入蒸锅中，大火蒸约15分钟，撒些葱花即可。

小提示：一般水产摊主都会帮忙收拾干净白鳝的内脏，但不要让他们帮忙去鳞，自己拿回家，把白鳝放入沸水中烫一下，立刻出锅，白鳝表层就会有一层白色的黏膜，轻轻一撕就掉，干净又省事。

油焖大虾

材料：大虾450克。

调料：料酒、白糖各15克，盐适量，味精3克，香油5克，葱段20克，姜片10克。

做法：

1. 将虾冲净，剪去虾须、虾腿，由头部枪处剪一小口，取出沙包，再将虾背剪开，抽出泥肠。

2. 油烧热，投入葱段、姜片煸炒，放入大虾煸炒出虾油，烹入料酒，加入盐、白糖、少量水烧开，盖上盖，用微火焖透，再转旺火，汤汁稍浓时放入味精，淋入香油即成。

小提示： 油热炒虾的时候，火不能太小，动作要快，让虾在最短的时间内全面接触热油，这样才能将虾油炒出。

生爆大虾

材料：大虾600克。

调料：高汤200克，白糖、料酒各5克，盐、味精、醋、葱段、姜片各适量。

做法：

1. 大虾剪去腿、须和头部前端，再切开虾背，挑出泥肠，用水冲净。

2. 锅置火上，放油烧热，加葱段、姜片炒出香味，放入大虾，用小火煎红。

3. 大虾颜色加深后，加入高汤、白糖、料酒、盐、味精、醋，用小火爆约10分钟至大虾成熟入味，拣出葱段、姜片，用大火收汁即可。

小提示： 购买虾时，要挑选虾体完整、头壳坚挺、虾肉紧实、身体有弹性的虾；而肉质疏松、颜色泛红、闻之有腥味的是不新鲜的虾。

米酒炒大虾

材料：对虾450克。

调料：米酒适量，盐、白糖各5克，酱油少许，姜3克。

做法：

1. 将对虾去泥肠洗净，放入米酒中浸泡15分钟后取出。姜切片。

2. 油烧至七成热，下入姜片、虾，大火炒熟，用盐、白糖、酱油调味即成。

小提示： 米酒在很多超市有售，最好选择度数高一点的，这样更容易入味。

番茄焖虾

材料：大虾450克，洋葱50克，芹菜、青椒、番茄各20克。

调料：盐适量，胡椒粉1克，清汤适量，蒜瓣15克。

做法：

1. 虾剥壳去泥肠，洗净后煮熟。

2. 洋葱、芹菜、青椒、番茄、蒜瓣洗净切末备用。

3. 油烧到六成热时，放入洋葱、蒜末炒至微黄，再放入芹菜、青椒、番茄，炒至五成熟时，放入胡椒粉炒匀，倒入适量清汤煮沸，加入盐调好味，放入虾文火焖几分钟即可。

小提示： 用番茄沙司替代番茄也行，但不要用罐装的番茄酱，两者味道不同。

花样蒜香虾

材料：虾300克，鸡蛋2个。

调料：盐3克，酱油少许，淀粉10克，蒜20克。

做法：

1. 将虾洗净，摘头剥壳、去泥肠；鸡蛋取鸡蛋清；蒜切末。

2. 虾肉用少许盐、酱油、鸡蛋清腌制待用。

3. 坐锅热油，放入蒜末炒香后，放入腌好的虾，炒熟即可。

龙井茶香虾

材料：虾300克，龙井茶叶2克。

调料：盐5克，面包屑30克，葱花10克。

做法：

1. 龙井茶用水泡开，10分钟后将茶与水分离，茶叶控水备用；虾洗净，剪去须脚，用料酒与茶水浸泡10分钟。

2. 锅内放少许油，将茶叶炒一下，盛出备用。

3. 锅里再放一点油，将葱花炒香，放入虾翻炒，加盐调味。

4. 放入面包屑，一起炒至面包屑呈金黄色，放刚才炒好的茶叶，炒匀即可。

巧变化： 龙井茶也可以换铁观音，味道不太一样，但都非常香。

干煎蒜子大虾

材料：虾300克。

调料：大蒜20克，椒盐15克。

做法：

1. 虾洗净，去泥肠，剪去头尾，沥干水；蒜剥皮、洗净、切厚片。

2. 油烧至七成热，放入虾、蒜同煎，虾熟起锅，撒上椒盐即可。

蝴蝶虾

材料：虾300克。

调料：蚝油10克，盐、酱油各4克，水淀粉8克，面包屑50克。

做法：

1. 虾剥去外壳（只剥身体部分，头尾保留），去泥肠，用刀从虾背将虾从中间片开（不切断），中间穿上牙签，防止油炸时虾肉卷曲。

2. 蚝油、盐、酱油、水淀粉调成汁。

3. 虾蘸裹上面包屑放入油锅炸至金黄，将调好的汁用少量油炒香，淋在炸好的虾上即可。

葱姜虾

材料：虾300克。

调料：盐3克，酱油、料酒各15克，白糖适量，香葱2根，姜1小块。

做法：

1. 将虾剪去须、脚，冲洗干净，沥干水分备用；葱洗净，切成葱花；姜洗净，切末。

2. 炒锅烧热，倒入油烧至八成热，放入虾快炒至虾变红后，加入姜末、料酒、酱油、盐、白糖再翻炒片刻，装盘后撒上葱花即可。

小提示：如炒制小虾时，可以连皮一起吃，还能补钙。虾忌与富含维生素C的食物同食。

炸河虾

材料：小河虾400克。

调料：淀粉15克，鸡蛋液30克，面包屑50克。

做法：

1. 把虾洗净，用竹签挑去泥肠，用纸巾擦干水分。

2. 把虾蘸上淀粉，放进搅拌好的鸡蛋液里蘸匀，再放进干面包屑中，裹一层面包屑。

3. 半锅油烧至八成热，将虾放油中炸熟，捞出控净油即可。

小提示：炸之前，把虾放进冰箱冷藏30分钟，这样炸的时候面包屑不易掉下。

侧耳根醉虾

材料：大虾350克，侧耳根100克。

调料：郫县豆瓣酱、料酒、白酒各45克，泡椒50克，鲜汤500克，盐少许，鸡精5克。

做法：

1. 大虾清理干净，加入白酒和料酒拌匀，并浸泡5分钟；侧耳根折成2厘米长的段。

2. 锅置火上，油烧至五成热，加入郫县豆瓣酱，泡椒炒香，加入鲜汤，大火烧沸后再加鸡精、盐调味，最后加入侧耳根和已醉制的大虾，加热2分钟即可。

巧变化：若不好买到侧耳根，也可用其他脆口的蔬菜替代，如莴笋、豆芽等。

椒盐皮皮虾

材料：皮皮虾1000克。

调料：料酒15克，花椒、盐、蚝油、生抽、白糖各5克，姜片、红辣椒末、蒜末各适量。

做法：

1. 皮皮虾洗净，加料酒、盐、姜片腌约15分钟。

2. 锅置火上，放油烧热，放入皮皮虾炸熟至呈金黄色，捞出。

3. 锅留底油烧热，放入花椒、红辣椒末、蒜末炒香，加入蚝油、生抽、白糖，小火熬成酱汁，再放入炸好的皮皮虾，翻炒均匀即可。

小提示：皮皮虾学名"虾蛄"，北京地区叫"皮皮虾"，东北大部分地区称之为"爬虾"，而山东、天津、大连地区则叫"虾爬子"，南方人发现它离水时，身上总有一股水会流出来，像婴儿撒尿，又给它起了个生动的名字——"濑尿虾"。

香辣基围虾

材料: 活基围虾300克,红辣椒20克。

调料: 蒜、姜、醋各5克,酱油15克,料酒25克,白糖8克,香辣酱8克。

做法:

1. 虾洗净;蒜切末,姜切片;辣椒洗净,去蒂及子,切丝。

2. 将酱油、料酒、醋混合成调料,将虾泡在其中,加盖闷30分钟后取出,沥干。

3. 油热后放入蒜末、姜片、红辣椒丝炒香,倒入虾翻炒至熟时,放入香辣酱、闷过虾的调料、白糖炒至汁浓后起锅。

巧变化: 不一定要用香辣酱,也可选剁椒酱,或者辣椒油。

白灼基围虾

材料: 活基围虾400克。

调料: 生抽王30克、味精2克、料酒10克,清汤适量,葱花、姜末、姜片各5克。

做法:

1. 基围虾洗净,锅中放适量水,加入料酒、姜片烧开,放入基围虾,煮至虾刚熟即捞出装盘。

2. 锅中倒少许油烧至八成热,放入葱花、姜末、生抽、味精、清汤稍煮,制成味汁以供蘸食。

小提示: 剥虾后手上腥味难以洗去,事先准备柠檬水或白菊花水洗手可以除去腥味。

蒜香皮皮虾

材料: 皮皮虾500克,红辣椒20克。

调料: 蒜30克,酱油10克,盐2克。

做法:

1. 虾洗净;红辣椒洗净、去蒂及子,与蒜同切成末。

2. 油烧热,把虾倒入炸至金黄,捞起。

3. 锅里留底油,烧热后倒入辣椒末和蒜末炒香,倒入炸好的虾,翻炒均匀,倒入酱油、盐炒匀后起锅装盘。

小提示: 皮皮虾洗净即可,不要去皮,吃的时候要从尾部一点一点地剥壳,这样才能剥出一个完整的虾肉。

水晶虾仁

材料：虾仁300克，鸡蛋清1个。

调料：盐5克，白糖、淀粉、水淀粉、香油、味精各少许。

做法：

1. 虾仁洗净去泥肠，沥水；部分盐、白糖、味精和鸡蛋清、淀粉调匀，放入虾仁拌匀上浆。

2. 油烧至五成热，下入虾仁滑熟，沥油。

3. 剩余的盐、白糖、味精、水淀粉调成汁。

4. 坐锅热油，下入虾仁，倒入芡汁，快速翻炒，淋入香油，即可出锅。

小提示： 如果选用急冻虾仁，一定要先在水中解冻，完全解冻后再沥净水，否则会影响上浆。

西兰花炒虾仁

材料：西兰花200克，虾仁200克，红辣椒1个。

调料：料酒10克，盐适量，蒜末5克。

做法：

1. 西兰花去粗茎，掰成小朵，在一锅沸水中添加少许盐，放进西兰花汆烫，再用冷水过一下，捞出沥水。

2. 红辣椒去蒂、去子，切成粗末备用；虾仁洗净去泥肠，沥干水分。

3. 烧热油，用小火爆香蒜末，放入红辣椒与虾仁，用中火拌炒，待虾仁变色，淋入料酒，放入西兰花，用大火迅速炒拌，加盐调味即可。

翡翠虾仁

材料：虾仁200克，鲜豌豆100克。

调料：鸡蛋清1个，胡椒粉、水淀粉、料酒、盐、清汤、葱花、姜末各适量。

做法：

1. 虾仁洗净去泥肠，用部分盐、胡椒粉、水淀粉及鸡蛋清上浆；豌豆洗净。

2. 锅置火上，放油烧至四成热，放入虾仁滑熟，捞出控油；用剩余的盐、胡椒粉、水淀粉及清汤调成汁。

3. 锅内留底油，下葱花、姜末、虾仁、豌豆稍炒，倒入芡汁翻炒至熟即成。

腰果虾仁

材料：虾仁250克、腰果75克。

调料：盐、香油各3克，酱油4克，料酒15克，葱花少许。

做法：

1. 腰果用油炸熟备用；虾仁洗净去泥肠，沥干水分。

2. 将虾仁、酱油、料酒、葱花混合拌匀，放置冰箱冷藏约1小时。

3. 将虾仁中多余的汁水沥掉，油烧至六成热，放入虾仁炒熟，再放入炸好的腰果，加盐、香油，拌匀后即可食用。

巧变化：也可以选购炒好的腰果，要用原味的，如果没有腰果用松子、夏威夷果也可以。

清炒虾仁

材料：虾仁300克，鸡蛋清1个，黄瓜、胡萝卜各半根。

调料：葱花少许，料酒15克，醋、香油各8克，盐、味精适量，淀粉少许。

做法：

1. 虾仁去泥肠、洗净，加鸡蛋清、淀粉挂糊；黄瓜、胡萝卜洗净切片。

2. 油五成热时，将虾仁放入翻炒，盛出。

3. 锅中留少许底油，炒香葱花，烹料酒，加调料，倒入虾、黄瓜片、胡萝卜片继续翻炒，淋入香油，出锅。

巧变化：黄瓜换成木瓜同炒也不错哦，还有丰胸的效果，美眉们可要赶紧动手试试呀！

火龙果炒虾仁

材料：鲜虾300克，火龙果半个，香芹100克，鸡蛋清1个。

调料：淀粉、盐、味精、葱花各适量。

做法：

1. 鲜虾去皮，控干水分，再用盐腌一会，用干布挤掉水分；香芹切段；火龙果切块备用。

2. 把虾放在鸡蛋清中加入干淀粉，顺同一个方向搅拌，最后用色拉油抓拌，静置5分钟。

3. 油锅不要烧得太热，把虾放进锅中用筷子顺时针打转，颜色一变就出锅。

4. 锅中放少许油，放入香芹、火龙果翻炒两下，再放入虾和葱花，翻炒几下即可出锅。

虾仁烩甜豆

材料: 虾仁200克, 甜豆100克, 鸡蛋清1个。

调料: 肉汤200克, 淀粉5克, 盐、鸡精各适量。

做法:

1. 甜豆洗净, 剪去两头的尖, 放入滚水中烫过捞出, 浸入冷水中泡凉。
2. 虾仁洗净去泥肠, 用鸡蛋清、淀粉、盐拌匀, 腌约10分钟。

3. 锅置火上, 放油烧热, 放入甜豆略炒, 注入肉汤, 放入虾仁、鸡精焖熟即可。

小提示: 将甜豆先焯烫过再炒, 可使其保持鲜绿色泽, 口感也更好。

虾胶酿兰花

材料: 西兰花400克, 虾肉200克, 鸡蛋清1个, 火腿50克, 肥膘肉50克。

调料: 蒜瓣10克, 盐5克, 白糖10克, 香油5克, 干淀粉适量, 水淀粉40克, 高汤100克, 蚝油25克, 鸡精、胡椒粉各少许。

做法:

1. 西兰花去粗茎、掰成小朵、洗净, 沸水中加少许盐, 将西兰花放入焯熟, 捞出过凉水、控干; 虾肉洗净晾干, 用刀拍烂剁碎, 火腿、肥膘肉剁成细蓉, 与鸡蛋清、盐、白糖、胡椒粉、淀粉等调料一起加入虾肉中, 搅成虾胶, 放入冰箱中冷冻1小时。
2. 每小朵西兰花顶部涂上少许淀粉, 将虾胶酿上, 排放于盘中, 隔水蒸约6分钟取出。
3. 锅置火上, 倒入蚝油烧热, 放入蒜瓣爆香后捞出不要, 倒入高汤煮滚, 加鸡精、香油, 用水淀粉勾薄芡, 淋在西兰花上即成。

麻婆豆腐虾

材料: 豆腐200克, 大虾200克。

调料: 郫县豆瓣45克, 花椒粉5克, 红辣椒粉5克, 料酒5克, 盐少许, 生抽5克, 鸡精5克, 水淀粉15克, 鲜汤100克。

做法:

1. 豆腐切成1.5厘米见方的丁, 放入开水中, 加入少许盐浸泡10分钟。
2. 大虾去头, 剪去虾足, 加少许盐、水淀粉拌匀, 放入八九成热的油锅中炸20秒, 捞出沥油。

3. 锅置火上, 留少许底油, 加入豆瓣炒香上色, 再加入红辣椒粉炒香, 加入鲜汤、豆腐、大虾, 加料酒、鸡精、生抽调味, 用中火烧1分半钟, 用水淀粉勾薄芡, 装入碗中, 表面撒上花椒粉即可。

巧变化: 做这道菜有一个偷懒的办法, 就是用现成的麻婆豆腐调料做, 更省事。

香辣炒蟹

材料：海蟹1只，干辣椒、蒜蓉各适量。

调料：郫县豆瓣45克，盐、白糖、鸡精、淀粉各适量。

做法：

1. 将海蟹洗净剁成块，裹上淀粉。
2. 坐锅点火倒油，待油热后放入蟹块、蒜蓉，炸至金黄色捞出蟹块，沥油。
3. 锅内留油，放入郫县豆瓣，干辣椒、蒜蓉、盐、白糖（盐、白糖的比例为1:5）、鸡精与蟹块一同翻炒均匀即可。

巧变化：新鲜活螃蟹，最简单的做法就是蒸。水烧至大滚时，将蟹肚朝天放入蒸笼中，上置洗净抹干的紫苏叶，蒸15～20分钟，用醋、酱油、白酒调成蘸料。

面拖蟹

材料：河蟹500克，毛豆50克。

调料：干面粉30克，酱油15克，白糖10克，盐、鸡精各3克，料酒30克，高汤100克，水淀粉、姜末、葱花各适量。

做法：

1. 河蟹洗净，从中间一斩两半；毛豆洗净，沥干。
2. 蟹身切口处拍上面粉，以免蟹黄流出。

3. 锅里放油，用手抓住蟹脚，有面粉的一面朝锅底，逐个排好，煎至金黄色时翻一面，倒入料酒，加姜末、酱油、盐、高汤、白糖、鸡精、毛豆，待稍滚后加盖，用小火焖5分钟左右改旺火，随即用水淀粉勾芡，淋入热油后盛出装盘，撒上葱花即可。

小提示：洗河蟹的时候，最好用牙刷刷，这样既可防止被蟹钳夹住，还可将细小处的泥沙洗净。死河蟹不可食用。

油焗蟹

材料：活蟹2只。

调料：料酒30克，陈醋、盐、姜丝、蒜蓉各适量。

做法：

1. 将活蟹杀死后洗净，用部分料酒、植物油、盐涂抹蟹全身，腌约10分钟。
2. 锅置火上，放油烧热，待油烧至八成热时，放入腌入味的蟹并加入料酒，立即盖上锅盖，熄火焗约15分钟。
3. 熟蟹上席，以姜丝、蒜蓉、陈醋蘸食。

小提示：杀蟹时可将竹签从蟹的肩膀部位插进，直达心脏地带，然后稍微摇动几下，蟹就会猝然死去，这样做是为了油焗时蟹钳不致脱落。

清蒸螃蟹

材料：螃蟹2只。

调料：香醋50克，白糖8克，味精2克，香油10克，姜片4片，姜末30克。

做法：

1. 螃蟹放进清水，淹至蟹身一半，让其吐一夜泡，再用旧牙刷将其关节刷洗干净。

2. 为了不使螃蟹在锅里挣扎而掉落蟹脚，用棉线将螃蟹绑好，放入盘中摆好，蟹身上放姜片，上锅蒸熟。

3. 炒勺洗净，倒入醋和姜末，上火煮沸，离火加白糖、味精、香油制成蘸料与蒸好的蟹一同上桌。

辣酱蒸肉蟹

材料：肉蟹2只。

调料：辣酱30克，白糖10克，淀粉适量，醋少许，葱丝、姜末各适量。

做法：

1. 肉蟹洗净，剁成块，摆入盘内，加入辣酱、白糖、淀粉拌匀，上笼蒸约8分钟，出笼，淋上醋。

2. 炒锅倒油烧热，放葱丝、姜末，炒香后，淋在蟹上即可。

巧变化：蟹可以换成虾、牛蛙、沙丁鱼等。

避风塘炒蟹

材料：海蟹2只，干辣椒数个。

调料：蒜蓉10克，盐、白糖、鸡精、淀粉各适量。

做法：

1. 将海蟹洗净剁成块，裹上淀粉。

2. 炒锅倒油烧热，放入海蟹、蒜蓉炸至金黄色一起捞出控油。

3. 锅内留底油，放入干辣椒、蒜蓉、盐、白糖（盐、白糖的比例为1∶5）、鸡精、蟹块翻炒熟即可。

巧变化：可以加入姜片、葱段10克同炒，变成"姜葱蟹"。

辣炒鱿鱼圈

材料：鱿鱼300克，葱花、干红辣椒各适量。

调料：醋、酱油、料酒各30克，鸡汤300克，香油、盐各5克，水淀粉适量。

做法：

1. 鱿鱼去膜洗净，切成丝，放入沸水中氽烫一下；干红辣椒洗净、去蒂及子，切细丝。

2. 炒锅放油大火烧热，烹入料酒，放盐和一半鸡汤，烧开后倒入鱿鱼丝，稍煮一下，捞出。

3. 炒锅再放油烧热，大火烧至五成热时，放入干红辣椒丝、酱油、盐、醋炒几下，倒入鸡汤、鱿鱼煮沸；勾芡，放入葱花，淋上香油即可。

洋葱炒小鱿鱼

材料：小鱿鱼6个，洋葱1个，红辣椒适量。

调料：郫县豆瓣酱15克，盐、鸡精、白糖、五香粉各适量。

做法：

1. 小鱿鱼收拾干净，切小块；洋葱洗净，切丝。

2. 坐锅热油，下入红辣椒、豆瓣酱炒香，接着放入小鱿鱼翻炒，再放洋葱丝一起炒熟，最后放入剩余的调料翻炒一下即可出锅。

巧变化：调料可换成豆瓣酱、老干妈辣酱各10克，姜、蒜、盐各适量，炒成家常味的。小鱿鱼也可换成墨鱼、章鱼等。

干煸鱿鱼丝

材料：干鱿鱼250克，猪肥瘦肉100克，绿豆芽50克。

调料：盐、鸡精各少许，生抽5克，料酒15克，香油、泡辣椒、姜末各适量。

做法：

1. 干鱿鱼用温水发开后切去头尾，横切细丝，用温水淘洗两次，挤干水分；绿豆芽去两头洗净后沥干；猪肥瘦肉切丝。

2. 锅置火上，油烧至六成热，下鱿鱼丝煸炒，再下肉丝煸炒，至水分煸干后，下姜末、泡辣椒爆香，调入生抽、盐、鸡精、料酒炒匀，加绿豆芽稍炒，淋上香油即可起锅。

小提示：干煸鱿鱼丝不同于其他干煸菜式，因为鱿鱼干含水分很少，所以煸炒要求火旺，油滚烫，翻动要快。

双鲜墨鱼仔

材料：墨鱼仔400克，竹笋200克，鲜香菇50克，葱花、姜丝、红辣椒丝各适量。

调料：酱油30克，高汤200克，醋、盐各5克，水淀粉30克，胡椒粉少许。

做法：

1. 墨鱼仔收拾干净，放入沸水中余烫一下；竹笋去皮，与香菇均切丁。

2. 锅中倒入半锅水煮滚，分别放入香菇丁及笋丁余烫，捞出沥干。

3. 炒锅倒油，烧至六成热，爆香葱花、姜丝和红辣椒丝，放入墨鱼仔、笋丁及香菇丁炒香，加入酱油、醋、盐和高汤，煮开后加入水淀粉勾芡，盛出，撒上胡椒粉即可。

巧变化：也可将墨鱼仔换成冰鲜鱿鱼，做法一样。

青椒墨鱼肉丝

材料：鲜墨鱼1条（约400克），猪里脊肉、青椒各50克。

调料：盐、淀粉各3克，味精、胡椒粉少许。

做法：

1. 墨鱼去皮治净、切丝，锅里烧开水，把墨鱼丝投入烫一下，捞出备用。

2. 猪里脊肉切细丝，加少许盐、淀粉、食用油拌匀。

3. 青椒洗净、去蒂及子、切丝。

4. 坐锅热油，放肉丝炒熟，再放入青椒丝炒拌至变色，倒入墨鱼丝和少许水，加盐、胡椒粉、味精炒匀即可。

小提示：墨鱼清理的时候一定要将外面的那层黑色的薄皮撕掉，而且要撕得非常干净，否则有腥味，而且不易嚼烂。

韭菜墨鱼仔

材料：墨鱼仔300克，韭菜150克。

调料：盐、料酒、姜各适量。

做法：

1. 墨鱼仔洗净；韭菜洗净、切段；姜切末待用。

2. 将墨鱼仔放入滚水中余烫一下，取出沥水待用。

3. 起油锅，油热后爆香姜末，倒入墨鱼仔，烹入料酒，加盐调味，加少许水，至墨鱼仔入味，倒入韭菜炒熟即成。

小提示：烫墨鱼仔的时间不要太长；可用鸡精代替盐来调味，味道更鲜。

辣炒香螺

材料：香螺500克。

调料：豆瓣辣酱15克，料酒30克，生抽5克，盐少许，姜末、葱花、蒜瓣各少许，香菜1根。

做法：

1. 在泡香螺的水中加少许盐，帮助它吐砂，吐净后冲洗备用；蒜瓣切片。

2. 锅置火上，放入适量油，放入豆瓣辣酱炒香后，放入姜末、蒜片炝锅；放入香螺，大火爆炒，加入料酒、生抽，最后放入葱花，起锅后点缀上香菜即可。

小提示：烹制螺肉要熟透再吃，避免螺内寄生虫（广州管圆线虫）感染致病。

巧变化：也可把调料中的"豆瓣辣酱"改为"甜面酱"，就做成甜甜的"酱爆香螺"啦！

生炒螺片

材料：响螺肉300克，冬笋50克，鲜香菇2朵。

调料：水淀粉、味精、高汤各5克，盐、香油、葱段各适量。

做法：

1. 响螺肉洗净切薄片；冬笋洗净切片，入沸水永烫熟；香菇洗净切片。

2. 碗内放入水淀粉、味精、高汤、盐、香油，拌匀成芡汁。

3. 锅置火上，放油烧热，将螺片放入略炸后捞出备用。

4. 锅留底油烧热，放入笋片、香菇片、葱段炒香，再投入螺片炒熟，淋入芡汁，略翻炒后即可出锅。

小提示：炸响螺肉时速度一定要快，微黄即捞出，否则肉质会老硬，影响口感。

泡椒蒸花螺

材料：花螺500克，泡椒50克。

调料：野山椒20克，盐、鸡精、胡椒粉各少许，料酒15克，姜末、葱花各5克。

做法：

1. 花螺洗净，放入沸水中焯2分钟，捞出，从壳中取出螺肉，再冲洗净外壳。

2. 泡椒去蒂及子，剁成细颗粒；野山椒去蒂后也切成小颗粒。

3. 将切好的泡红辣椒、野山椒及盐、鸡精、料酒、胡椒粉、姜末、食用油拌匀，再与螺肉拌匀，然后逐个塞入螺壳内，装盘入笼，用旺火沸水蒸约3分钟出笼，装盘后撒上葱花即可。

巧变化：贝类大多可蒸食，如扇贝、海螺等，做法一样，但蒸食时一定需用旺火，否则容易绵软。

蒜炒牡蛎

材料：鲜牡蛎肉300克，青蒜1根，红辣椒1个，大蒜2瓣。

调料：料酒15克，酱油30克，胡椒粉少许，白糖5克，淀粉8克。

做法：

1. 鲜牡蛎肉洗净，放入开水中快速汆5秒钟捞出，立刻浸入冷水。

2. 青蒜切丁；红辣椒横切小圆片；大蒜切碎；用30克油炒香蒜末后，放入牡蛎，再加青蒜、辣椒同炒，然后加入调味料，炒匀后盛出。

小提示：牡蛎有碎壳，要仔细择净，洗时先用少许盐轻轻搓，可去除黏液，这样洗得比较干净。牡蛎先汆再炒，可先吐掉水，掌握好煮的时间，煮好后不会缩得太小。

豉辣三文鱼

材料：三文鱼300克。

调料：盐3克，鸡蛋清1个，淀粉10克，胡椒粉适量，蒜蓉辣椒酱20克，蚝油、白糖各15克，水淀粉10克。

做法：

1. 将三文鱼与盐、鸡蛋清、淀粉10克、胡椒粉拌匀。

2. 将三文鱼放入热油中炸至金黄熟透，捞出沥油。

3. 锅中留少许底油炒香蒜蓉辣椒酱，轻轻放入三文鱼，加入蚝油、白糖、水淀粉炒匀即可。

台式炒蛤蜊

材料：蛤蜊400克，青、红辣椒各1个，洋葱半个。

调料：高汤、老抽各15克，蚝油、花雕酒各5克，辣油8克，白糖、水淀粉、姜片、蒜片各适量。

做法：

1. 先将蛤蜊泡于盐水中，待其吐沙后洗净备用；青、红辣椒、洋葱分别切片。

2. 锅中热油，爆香青、红椒、洋葱、姜片、蒜片，加入调料（除辣油、水淀粉），倒入蛤蜊拌炒。

3. 炒至蛤蜊开口，用水淀粉勾薄芡，淋入辣油即可。

柠檬姜汁炒牡蛎

材料：牡蛎6个，柠檬半个。

调料：白酒10克，柠檬汁、盐各5克，胡椒粉、葱花、姜末各适量。

做法：

1. 将洗净的鲜牡蛎打开，取出牡蛎肉，洗净后，用部分白酒腌制5分钟。

2. 平底锅中倒入15克橄榄油，放入葱花、姜末，小火炒香，放入腌好的牡蛎肉，烹入白酒，加柠檬汁、盐、胡椒粉炒匀即可。

小番茄炒鲜贝

材料：鲜贝200克，小番茄150克。

调料：葱2根，盐2克，味精5克，高汤15克，水淀粉少许。

做法：

1. 鲜贝、小番茄洗净一切为二；葱切段。

2. 坐锅热油，以中火烧至三成热后，放入鲜贝及小番茄滑熟，捞出沥油。

3. 锅中留少许底油，先爆香葱段，再入鲜贝、小番茄及盐、味精、高汤炒匀，最后用水淀粉勾芡即可。

蒜蓉粉丝蒸扇贝

材料：扇贝10个，粉丝50克。

调料：白糖、豉汁各5克，盐、葱花、姜末、蒜蓉各适量。

做法：

1. 粉丝剪断，用沸水泡软；用小刀把扇贝肉从贝壳上剔下，扇贝壳排入大盘中，扇贝肉留用。

2. 取一小碗，放入白糖、豉汁、蒜蓉、姜末、盐拌匀。

3. 把粉丝放在贝壳上，然后依次放入扇贝肉，淋入拌好的调料，上笼大火蒸约5分钟后取出，撒上葱花，再浇上少许熟油即可。

巧变化：若喜欢变换口味，还可将豉汁换成生抽。

鲜贝炒翠瓜

材料：鲜贝100克，西瓜皮200克。

调料：盐3克，料酒、味精、水淀粉、葱花、姜末、蒜末各适量。

做法：

1. 鲜贝洗净，用料酒、盐、水淀粉抓拌匀；西瓜皮削去硬皮，切丝。

2. 炒锅加油烧至六成热，放入姜末、蒜末炒香，先倒入鲜贝翻炒，再放入西瓜皮，炒至瓜皮变软，加入盐、味精调味，用水淀粉勾薄芡，撒上葱花即可。

巧变化：西瓜皮开胃又降压，如果买了不甜的厚皮西瓜，还可不削去外表绿皮，切块煲鸭汤。

豆豉蒸带子

材料：鲜带子500克，青椒、红椒、洋葱各30克，豆豉45克。

调料：盐、鸡精、白糖各少许，花生油、料酒各15克，红油10克，花椒油、香油各5克。

做法：

1. 鲜带子外壳洗净，入沸水永烫后，掰开去掉无肉一面，有带子一面取下带子肉，留放在壳中待用；青椒、红椒、洋葱洗净后切成小颗粒。

2. 将豆豉、青椒、红椒、洋葱、盐、鸡精、白糖、料酒、红油、花椒油、香油、花生油调成味汁。

3. 将调好的味汁分别放在每个带子肉上，装盘入笼，用旺火沸水蒸熟即成。

小提示：选购时，可试敲壳，声音越响越好，这是新鲜标记。

巧变化：带子肉味鲜美清甜，用生抽代替豆豉来蒸，味道也很棒，还可以满足不吃辣的朋友。

香芒肉带子

材料：芒果3个，鲜带子100克，胡萝卜片25克。

调料：姜汁、料酒、水淀粉各15克，姜片、香油、胡椒粉、白糖、盐、淀粉各适量。

做法：

1. 芒果洗净，对半剖开，去皮、去核、起肉，切丁，放入热水里浸片刻，捞出；芒果皮修整美观后待用。

2. 带子洗净，用姜汁、料酒、香油、胡椒粉、白糖、淀粉拌匀，腌约10分钟，然后永烫沥干。

3. 热油锅爆香姜片、胡萝卜片，再放入芒果、带子，加盐炒几下，用水淀粉勾芡，盛起放在芒果皮上即可。

小提示："香芒肉带子"是一款经典粤菜，鲜甜爽口，还有减肥的功效，爱美的女士一定要尝尝。

葱烧海参

材料：水发海参500克，大葱2根。

调料：料酒、酱油、水淀粉各5克，高汤240克、盐、味精、白糖、姜片各适量。

做法：

1. 海参洗净，切长条；大葱择去老叶，仅留葱白，切成段。

2. 锅置火上，放放水烧开，放入海参、部分盐和料酒煮熟盛出。

3. 坐锅热油，放入姜片、葱段爆出香味，待葱段呈黄色时，拣出姜片丢弃，拣出葱段备用，葱油留用。

4. 锅置火上，放入一半葱油烧热，注入高汤，放入海参条，加入酱油、味精、白糖、剩余料酒和盐，先用大火烧开，再用小火烧至海参入味，加水淀粉勾芡，再淋入剩下的葱油，盛盘，码上葱段即可。

小提示：制作葱油时，葱应炸成黄色再起锅。葱段一定要码在海参周围，不要和海参一起烧。

健康山海珍

材料：虾仁、牛肝菌、银针菇、水发鱼肚各适量，鲜罗勒1朵。

调料：鸡汤400克，熟南瓜泥100克，黄色油面20克，鸡油10克，盐、胡椒粉各适量。

做法：

1. 熟南瓜泥放入鸡汤中烧开，放入盐、胡椒粉、鸡油调好口味，慢慢加入用少许凉鸡汤澥开的黄色油面搅匀，煮沸备用。

2. 将虾仁、牛肝菌、银针菇、水发鱼肚洗净、余烫，再用鸡汤煨透。

3. 将煨好的材料加入做法1中烧开，即可出锅，最后点缀上罗勒。

生菜虾松

材料：虾仁200克，团生菜1个，荸荠2个，油条半根，鸡蛋清1个。

调料：料酒3克，淀粉10克，盐、味精各适量，葱花、姜末各5克。

做法：

1. 荸荠去皮洗净切碎；生菜洗净剥开；虾仁去泥肠，洗净切丁，放碗中，加鸡蛋清、淀粉、部分盐腌约20分钟。

2. 锅置火上，放油烧热，放入油条炸酥后捞出，沥干油，切碎。

3. 锅留底油烧热，加入葱花、姜末炒香，再放入荸荠碎、虾仁丁，加料酒、味精、剩余盐炒熟。

4. 生菜叶摊开，放上炒好的荸荠碎、虾仁丁和油条碎，包起来吃即可。

小提示：油条尽量选购较细但膨胀感较好的，炸完沥干油后再略放至温度降低后再切碎，以免烫手。

香辣炒牛蛙

材料： 牛蛙250克，干辣椒100克，郫县豆瓣15克。

调料： 盐、鸡精、干淀粉、香油各5克，料酒30克，花椒10克，姜末2克，蒜末5克。

做法：

1. 处理好的牛蛙洗净后，剁成块，加入鸡精、姜末、蒜末、料酒拌匀，腌制30分钟，然后放入干淀粉拌匀；干辣椒切成段。

2. 锅置火上，油烧至八成热，放入牛蛙，大火炸至表面呈浅金黄，质地变硬后，捞出沥油。

3. 锅内留底油，放入郫县豆瓣酱、干辣椒、花椒炒至色泽棕红时，加入牛蛙丁烩炒入味，最后加入盐、鸡精、香油炒匀后起锅。

巧变化： 用牛蛙作为主材的菜式很多，常见的有"泡椒牛蛙"、"干锅牛蛙"等。"泡椒牛蛙"的做法与上述菜式基本一致，只需把干辣椒换成泡椒便可。

清蒸鱼丸

材料： 鱼肉300克，芥蓝150克，红椒丝少许。

调料： 盐3克，鸡蛋清25克，干淀粉40克，高汤20克。

做法：

1. 芥蓝洗净切段，放入开水中焯至变色，捞出后放在冷水中过凉。

2. 鱼肉用刀背捶砸成蓉状，加入水、干淀粉、鸡蛋清、盐往一个方向搅拌均匀，边搅边加入清水，起黏性后，用手挤成直径为2厘米的鱼丸子，投入开水锅里煮熟。

3. 将焯好的芥蓝放入盘中围边，中间放鱼丸，加盐、味精、高汤放入蒸锅内蒸9分钟。

4. 锅内放少许油烧热，浇在蒸好的芥蓝和鱼丸上，点缀少许红椒丝即可。

海鲜西兰花

材料： 虾仁200克，水发海参50克，鱿鱼50克，西兰花200克。

调料： 盐3克，姜末、蒜末10克，干辣椒丝5克。

做法：

1. 虾仁洗净；水发海参洗净，切成大块；鱿鱼洗净，切成条；西兰花去粗茎，掰成小朵，洗净，放入沸水中焯一下，捞出备用。

2. 锅置火上，放油烧热，放入姜末、蒜末、干辣椒丝煸炒出香味，放入虾仁、海参翻炒，加入鱿鱼及少许清水，翻炒2分钟，再放入西兰花、盐，翻炒均匀即可。

巧变化： 如果用荷兰豆替代西兰花，做成一道"荷兰豆炒海鲜"，味道也很爽口。

白菜粉丝炖豆腐

材料: 豆腐400克,白菜300克,粉丝100克。

调料: 葱花、姜末各适量,盐5克,味精少许。

做法:

1. 将豆腐切成条,白菜切成片,粉丝泡发后切段。

2. 炒锅放油烧热,下葱花、姜末炝锅。

3. 加适量汤,放入豆腐,加料酒、盐、味精,再放入白菜、粉丝,炖至白菜熟软;出锅时淋明油即成。

小提示: 炒这个菜时可以在里面加点醋,豆腐酥香嫩滑,白菜也很脆,口感好。

煎豆腐

材料: 豆腐500克。

调料: 葱末、姜末各适量,盐5克,味精少许。

做法:

1. 将豆腐投入沸水中煮透,捞出冲凉,片成1.5厘米厚的片,装入大汤盘里;取1个小碗,添入鲜汤,加入盐、味精、葱末和姜末,待盐、味精溶化后,均匀地浇在豆腐上,浸渍10分钟。

2. 炒锅放置旺火上,放入油烧热,将豆腐摊铺在锅里煎(不要重叠),待豆腐两面都煎成黄色时,出锅即成。

小提示: 传统板豆腐很容易腐坏,买回家后,应立即浸泡于盐水中,并放入冰箱冷藏,烹调前再取出。盒装豆腐虽较易保存,但仍需放入冰箱冷藏。

芹菜烧豆腐

材料: 豆腐350克,芹菜100克。

调料: 葱花、蒜末各5克,盐5克,味精、五香粉、香油各少许,水淀粉15克。

做法:

1. 将豆腐洗干净,切成1厘米见方的小块,待用;将芹菜择洗干净,切成小段,盛入碗中备用。

2. 炒锅置火上,加油,中火烧至六成热,加葱花、蒜末煸炒出香味,放入豆腐块,边煎边散开,加清汤适量,煨煮5分钟。

3. 加芹菜段,改用小火继续煨煮15分钟,加盐、味精、五香粉拌匀,用水淀粉勾薄芡,淋入香油即可。

小提示: 芹菜含有较多膳食纤维,还有降血压、降血脂、降血糖的作用。

雪里蕻烧豆腐

材料： 豆腐400克，腌雪里蕻100克。

调料： 葱花、姜末各5克，酱油、花椒面、味精、水淀粉各适量。

做法：

1. 把豆腐切成小方块，用开水烫一下；雪里蕻用温水洗净，切成粗末。

2. 锅内放油，油热时，用葱花、姜末、花椒面炝锅，放入雪里蕻煸炒，加少量水，放入豆腐，加酱油，用小火煨5分钟左右。

3. 放入味精，用水淀粉勾芡，即可出锅。

小提示： 用开水烫过的豆腐块，里面有小孔，有利于入味；烫豆腐时，可放些盐，但不要多，因为腌雪里蕻本身已有咸味，掌握不好，会把菜炒得太咸。

韭菜炒干丝

材料： 香干丝150克，韭菜80克。

调料： 高汤250克，盐、白糖、酱油各5克，味精、香油少许。

做法：

1. 韭菜洗净切段；香干丝洗净切成段。

2. 锅置火上，放油烧热，放入高汤、香干丝和适量的盐、白糖、酱油、味精，用小火慢慢翻炒5分钟，使香干丝完全吸收汤的味道。

3. 放入韭菜，加少许味精，继续炒半分钟，淋入少许香油即可。

小提示： 香干丝是豆制品的一种。女性常吃豆制品就可以使体内的雌激素得到一定的补充，起到延缓衰老，润泽皮肤的功效。

番茄烧豆腐

材料： 北豆腐400克，番茄1个。

调料： 青葱段5克，盐5克，酱油20克，味精少许。

做法：

1. 番茄洗净，切片；豆腐洗净，切成长条。

2. 炒锅倒入油烧热，放入豆腐块，使豆腐全部着油，煎至两面略黄，倒出余油。

3. 将番茄片放入豆腐锅中，加入酱油、盐略微翻炒，盖上锅盖中火焖3～5分钟，出锅前加味精及青葱段，翻拌均匀即可。

巧变化： 可把番茄换成香菇，变成香菇烧豆腐。

家常豆腐

材料：豆腐500克，水发木耳30克，水发玉兰片30克。

调料：大蒜3瓣，豆瓣酱30克，酱油15克，料酒5克，白糖10克，盐少许，水淀粉适量。

做法：

1. 豆腐切成厚片；木耳洗净后，撕成小朵；豆瓣酱剁碎末；玉兰片洗净后放沸水里焯熟，捞出备用；大蒜去皮，一切两半。

2. 炒锅倒油烧热，放入豆腐片，煎至呈金黄色。

3. 锅中留少许底油，加豆瓣酱炒出红色，倒入酱油、料酒，再加入适量的水后放入豆腐、木耳、玉兰片、大蒜、盐、白糖炒匀。

4. 锅烧开后改小火，将豆腐炖透，用水淀粉勾芡，待汤收汁即可出锅。

小提示： 不喜欢吃辣的可以去掉豆瓣，多加5克酱油。

锅塌豆腐

材料：豆腐500克，鸡蛋2个，高汤200克。

调料：葱末、姜末、盐各5克，香油少许，淀粉适量。

做法：

1. 豆腐切大厚片；鸡蛋打入碗中，加少许盐搅匀。

2. 将豆腐片上撒上淀粉，抹匀鸡蛋液。

3. 平底锅置火上，放少许油烧热，下入豆腐，煎至两面呈金黄色，加入葱末、姜末、高汤、剩余的盐，焖至收汁，淋入香油即可出锅。

炒豆腐干五丁

材料：豆腐干250克，冬笋肉50克，水发冬菇25克，胡萝卜50克，黄瓜50克。

调料：葱花5克，姜末少许，料酒10克，盐5克，香油、味精各少许。

做法：

1. 将豆腐干、冬笋肉洗净；冬菇去蒂，洗净；胡萝卜去皮，洗净；黄瓜洗净。将上述原料均切丁，冬笋、胡萝卜分别放入沸水锅中焯烫后捞出，控干水分备用。

2. 炒锅放油烧热后用葱花、姜末炝锅，出香味后陆续加入豆腐干丁、冬菇丁、冬笋丁、胡萝卜丁、黄瓜丁煸炒，加入料酒、盐、味精调味，出锅前淋入香油即可。

巧变化： 可在炝锅时加入花椒、干红辣椒，变成椒香五丁。

红烧日本豆腐

材料： 日本豆腐1袋，冬笋50克，水发冬菇50克。

调料： 葱丝、姜丝各5克，盐、酱油、料酒、水淀粉、味精各适量。

做法：

1. 将日本豆腐切成厚片；冬菇洗净切片；冬笋去壳，洗净切片。
2. 锅置火上，放油烧热，倒入豆腐稍炸，捞出。
3. 锅内留底油，爆香葱丝、姜丝后放入冬菇、冬笋翻炒，加入料酒、酱油、盐、高汤、味精、豆腐煮至入味，出锅前淋入水淀粉即可。

小提示： 可在原来的基础上加少许芽菜。

香辣豆腐

材料： 豆腐200克，胡萝卜半根，青椒1个，水发木耳2朵。

调料： 葱末、蒜片、姜丝各适量，酱油、豆瓣酱、水淀粉各15克，料酒、白糖、泡辣椒各10克，醋5克，盐、味精各少许。

做法：

1. 豆腐洗净，切片；胡萝卜、青椒洗净切片；泡辣椒洗净切碎；木耳去根洗净撕成小朵。
2. 炒锅倒油烧至五成热，爆香葱末、蒜片、姜丝，加入豆瓣酱煸炒至出红油，放入豆腐片、泡辣椒末、青椒片、胡萝卜片、木耳同炒，加白糖、酱油、料酒、醋、盐、味精煸炒，待汤汁变稠时用水淀粉勾芡即可。

巧变化： 去掉豆瓣和泡椒、醋，炒出来的味道也不错。

豆腐酿青椒

材料： 豆腐300克，甜椒2个。

调料： 姜末、葱花各适量，盐5克，鸡精、胡椒粉各少许。

做法：

1. 豆腐洗净，擦干水分，放入碗中压碎，加姜末、盐、鸡精拌匀成馅。
2. 甜椒洗净，对半切开，去蒂及子，填入豆腐馅，抹平，撒上胡椒粉、葱花，上锅蒸熟即可。

巧变化： 可把甜椒换成粗一些的苦瓜。

素炒豆腐丝

材料：豆腐丝250克，甜椒1个，卷心菜叶子3大片，红辣椒1个。

调料：葱花、姜丝各少许，盐5克，料酒10克，味精少许，水淀粉3克。

做法：

1. 豆腐丝冲洗一下；甜椒去蒂及子，洗净切丝；卷心菜叶子洗净，切丝；红辣椒去蒂及子，洗净切丝。

2. 炒锅倒入油烧至六成热，爆香葱花、姜丝、红辣椒丝，倒入甜椒丝、卷心菜丝翻炒几下。

3. 再放入豆腐丝翻炒，加入盐、料酒、味精调味，出锅前用水淀粉勾芡即可。

巧变化：加入冬笋丝、香菇丝。

葱香豆腐

材料：北豆腐400克。

调料：香葱叶30克，盐、味精各适量。

做法：

1. 豆腐整块放进开水中焯一下。

2. 炒锅放油烧热，豆腐整块抓在手中，抓碎入锅，翻炒几次，加盐和味精炒匀。

3. 加入半杯清水，小火炖到汤汁浓（约5分钟），放入香葱，炒匀关火。

小提示：这道菜是小葱拌豆腐的热菜版本。豆腐在小火慢炖后充分吸收水分，口感很嫩，而且是豆腐的原味，清爽可口。

椒盐炸豆腐

材料：老豆腐250克，红尖椒3个。

调料：花椒盐30克，葱末、蒜末各适量，盐5克，鸡精、黑胡椒粉各适量。

做法：

1. 豆腐洗净后切成小方块；红尖椒去蒂和子，切成环状。

2. 锅置火上，油烧至八成热，将豆腐块一块一块入锅，并用漏勺轻轻搅动以免粘锅或相互黏连，炸至金黄色后捞出沥干油。

3. 油锅内留少许油，大火爆香葱末、蒜末，再放入红椒圈、盐、鸡精、黑胡椒粉、花椒盐搅匀盛出，将所有作料与炸豆腐拌匀即可。

小提示：将适量花椒粉、辣椒粉与盐拌匀。上桌时随带椒盐碟，可随意蘸着吃，增加口味，还可以蘸糖醋汁吃。

百合黄花烩豆腐

材料: 豆腐200克, 番茄50克, 鲜百合、青椒各30克, 黄花菜15克。

调料: 葱花5克, 高汤150克, 盐、味精、水淀粉、香油各适量。

做法:

1. 百合洗净; 青椒去蒂去子, 切块; 黄花菜用温水泡开, 去杂洗净, 切成寸段; 豆腐切成2.5厘米见方的块; 番茄用沸水烫过后剥去外皮, 切成块。

2. 锅置火上, 放油烧热, 放入葱花煸出香味, 依次放入黄花菜段、青椒块、豆腐块、百合, 翻炒几下。

3. 再放入番茄块, 加高汤、盐、味精, 烩煮至熟, 用水淀粉勾芡, 淋上香油即可。

小提示: 黄花菜要用温水发制。若用冷水发制, 香味不易激出; 若用沸水发制, 发出的黄花会发艮。

铁板豆腐

材料: 北豆腐300克, 金针菇100克, 鲜香菇2朵, 冬笋半支, 冬菜、黑木耳各10克。

调料: 青蒜1根, 蒜末、姜末各5克, 料酒、白糖、辣豆瓣酱、胡椒粉、干淀粉、香油各适量。

做法:

1. 鲜香菇、金针菇分别洗净及去蒂, 香菇切片, 金针菇切段; 黑木耳泡软, 去蒂撕成片; 冬笋去壳, 放入滚水中氽烫后切片; 冬菜洗净, 沥干水分; 青蒜洗净斜刀切成片; 姜、大蒜去皮, 分别切末备用。

2. 豆腐切厚片, 沾裹薄薄一层干淀粉, 放油锅煎至两面金黄, 捞出沥油。

3. 起油锅, 姜末、蒜末爆香, 放入金针菇、鲜香菇、冬笋、冬菜、黑木耳炒匀, 淋上料酒、白糖、辣豆瓣酱, 再加入豆腐及清汤2杯, 勾芡, 盛出。

4. 铁板烧热、刷油, 铺入青蒜尾段, 盛入料理好的豆腐, 撒上青蒜片和胡椒粉, 淋上香油即可。

雪菜炒豆腐干

材料: 豆腐干150克, 雪里蕻150克, 鲜红辣椒1个。

调料: 白糖5克, 香油10克。

做法:

1. 豆腐干洗净, 放沸水中焯烫, 捞出, 切丁; 雪里蕻洗净, 放沸水中焯烫, 捞出, 沥干, 切末; 红辣椒去蒂、子, 洗净, 切末。

2. 坐锅, 倒油烧热, 爆香辣椒末后, 放入雪里蕻、豆腐干, 加入白糖, 炒匀盛盘。

3. 晾凉后淋上香油, 拌匀即可。

小提示: 雪里蕻比较咸, 与豆腐干同炒时, 不必再放盐了。

海带烧豆腐

材料：豆腐300克，海带50克。

调料：高汤100克，红辣椒丁、葱花、姜末、盐各适量。

做法：

1. 豆腐洗净切片，下沸水锅中焯一下，捞出沥水；海带用温水泡软胀发后洗净，切成菱形块。
2. 炒锅中油烧热，下葱花、姜末煸香，随即倒入高汤，烧开后放入海带略煮一会儿。
3. 放入豆腐，盖上锅盖文火炖约30分钟，放红椒丁、盐，炒匀出锅。

小提示：常吃豆腐有导致缺碘的隐患。在烹制豆腐的时候适宜加入含碘丰富的食物，如海带、紫菜等。

雪菜炒黄豆

材料：泡发的黄豆200克，雪菜80克。

调料：干红辣椒4个，味精、白糖、料酒、香油各适量。

做法：

1. 泡发的黄豆漂洗干净；雪菜洗净攥干，切成1厘米长的段。
2. 炒锅放油烧热，放入干辣椒，炸出香味，放入雪菜，翻炒一下，放入黄豆、白糖、料酒，看锅里的干湿情况酌情加一点点水，加盖小火焖到黄豆熟。
3. 放入味精，淋入香油炒匀。

小提示：雪菜就是雪里蕻，炒时多放一点油，稍加水，多焖一会儿，让雪菜里的辣腥气煎炒出去才好吃。慎加盐。

炒三鲜

材料：蘑菇100克，豌豆100克，冬笋、番茄各50克。

调料：姜片、葱段、香油各5克，水淀粉15克，盐、味精、汤各适量。

做法：

1. 豌豆洗净，沥干水分；冬笋、蘑菇洗净切丁；番茄用开水烫去皮，切丁。
2. 锅置火上，放油烧至五成热，爆香葱段、姜片，加入汤烧开，放入豌豆、冬笋丁、蘑菇丁、番茄丁烧开。烧至熟，加盐、味精，用水淀粉勾芡，淋上香油即可。

小提示：番茄丁不要太早放入锅中，以免因受热时间长而变形并使酸味增加。

萝卜干炒青豆

材料：青豆200克，萝卜干150克，海米50克。

调料：盐适量，味精少许。

做法：

1. 萝卜干洗净，切成小丁；青豆、海米洗净。

2. 锅置火上，放油烧热，倒入青豆略炒，加入适量盐继续翻炒，然后倒入萝卜干丁、海米、味精和适量清水，翻炒至成熟入味即可。

小提示：这道小菜咸香可口，可用新鲜毛豆代替青豆。

糖醋蘑菇青豆

材料：蘑菇200克，胡萝卜1根，青豆30克，面粉少许。

调料：醋30克，白糖45克，酱油10克，香油5克，干淀粉适量。

做法：

1. 胡萝卜洗净，切丁，放入沸水中焯熟后捞出，入冷水过凉，捞出沥水后放入盆内，加面粉、淀粉及少量水拌匀挂浆；蘑菇去杂质，洗净，切成丁；青豆洗净，沥干；将醋、白糖、酱油倒入碗中对成糖醋汁。

2. 将炒锅置于火上，倒入油烧热后下胡萝卜丁，炸成金黄色，捞出控油。

3. 锅内留少许底油，油热后下入蘑菇、青豆煸炒几下，淋入糖醋汁，倒入胡萝卜丁，翻炒均匀，加入水淀粉勾芡，淋入香油即可出锅。

小提示：可以不加醋、白糖，加盐5克，味精少许，做成咸鲜味道。

玉米笋炒青豆

材料：青豆90克，罐装玉米笋70克。

调料：牛奶、黄油、盐各适量，胡椒粉少许。

做法：

1. 将玉米笋切长条；青豆放入开水中煮熟；把牛奶、胡椒粉、部分盐调匀，即成白汁。

2. 锅置火上，放入黄油熬化，放入玉米笋条、剩余盐和适量水，煮至熟软。

3. 在做法2中加入煮熟的青豆，加入白汁，一起煮约10分钟即可。

小提示：玉米具有低热量、高纤维素、无胆固醇的特点，能有效防治便秘、肠炎、肠癌等。

油焖鲜香菇

材料：鲜香菇250克。

调料：葱段、姜片各5克，盐少许，酱油、白糖各10克，鸡汤150克，香油少许。

做法：

1. 将鲜香菇去掉根蒂洗净，放入凉水锅中煮开，捞出挤干水分待用。

2. 炒锅倒油烧热后放入葱段、姜片爆出香味，下入香菇翻炒片刻，然后添加鸡汤、盐、酱油、白糖，开锅后改用小火焖，待汤汁收浓后淋入香油即成。

小提示：香菇也可切成粗丝，更入味。

烧二冬

材料：冬菇150克，冬笋200克，高汤100克。

调料：姜片10克，盐、酱油各5克，料酒、水淀粉各10克，香油、味精各适量。

做法：

1. 冬菇在温水中泡软，去蒂，洗净，切成两半；冬笋去壳，削去老根，切成滚刀块。

2. 炒锅倒油烧热，下冬笋块炸透，捞出控油。

3. 锅内留少许底油，下姜片爆香，加入冬菇翻炒，随即加冬笋、盐、酱油、料酒及高汤，小火炖至入味，待汤汁将干时，加味精，用水淀粉勾芡，淋入香油，翻炒均匀即可装盘。

巧变化：可以不放酱油，改成蚝油，味道也很好。

炸烹香菇

材料：水发香菇300克，鸡蛋2个，干细豆粉50克，面粉50克，青椒、红椒各1个。

调料：姜末、蒜末、葱花各适量，盐5克，鸡精少许。

做法：

1. 水发香菇去蒂，洗净，挤干水分后切成稍厚的坡刀片；鸡蛋磕入碗中，加入干细豆粉、面粉、少许盐、鸡精、清水调成较稠的糊；青椒、红椒去蒂及子，洗净切成小粒；另取少许鲜汤倒入小碗内，调入盐、鸡精制成味汁。

2. 炒锅倒油烧至五成热，香菇片蘸匀蛋糊，下油锅炸呈金黄色，捞出沥油。

3. 锅内留少许底油，下姜末、蒜末、青椒粒、红椒粒炝锅，随即倒入炸好的香菇片，烹入味汁，撒入葱花，迅速炒匀后出锅即成。

小提示：在做此菜的时候可以多放白糖15克，醋10克，提升酸甜味。

口蘑炒草菇

材料：口蘑100克，草菇150克，红甜椒1个，绿甜椒1个。

调料：盐、白糖各5克，味精少许。

做法：

1. 把口蘑及草菇用沸水烫过并沥干；红、绿甜椒洗净，切块。

2. 炒锅放油烧热，先炒甜椒，炒约2分钟后再放入草菇和口蘑。

3. 加入调料炒匀即可。

巧变化：可以去掉白糖，加美极鲜10克味道也不错。

猴头菇炒菜心

材料：干猴头菇2个，油菜心、胡萝卜各200克，红辣椒3个。

调料：葱末、姜末各适量，料酒、水淀粉各15克，盐5克，胡椒粉少许。

做法：

1. 猴头菇泡软，去蒂洗净，切厚片，放入开水中焯一下，捞出，加少许料酒、盐、鲜汤蒸入味，取出备用；油菜心洗净；胡萝卜洗净，切片；红辣椒去蒂及子，洗净，切片。

2. 炒锅放油烧热，用葱末、姜末炝锅，放入胡萝卜片翻炒，下猴头菇片、油菜心、红辣椒片炒匀。

3. 加料酒、胡椒粉，再用水淀粉勾芡即可。

小提示：想让菜心颜色碧绿，可稍焯烫后过凉再炒。

蒸三素

材料：鲜香菇150克，胡萝卜100克，大白菜100克。

调料：盐5克，味精少许。

做法：

1. 胡萝卜去皮，切丝煮熟；香菇去蒂后留一片，其余去蒂切丝；大白菜切丝，都用开水烫软。

2. 取一小碗，抹少许色拉油，碗底中间先放一片香菇，再依序排入胡萝卜丝、白菜丝、香菇丝均匀撒上盐，放入蒸锅中，蒸10分钟。

3. 蒸好后加味精调味，将蒸碗扣入盘中即成。

巧变化：在以上基础上加4瓣大蒜，就成了蒜蓉蒸三素，可帮助人体排毒。

西兰花烧双菇

材料：鲜草菇120克，水发香菇8朵，西兰花60克，胡萝卜50克。

调料：蚝油、白糖各15克，盐5克，鸡精少许，水淀粉10克。

做法：

1. 西兰花去茎，切成小朵，洗净；草菇洗净，切片；香菇洗净，去蒂，切片；胡萝卜洗净，切丁待用。
2. 将西兰花、草菇、胡萝卜依次放入沸水中烫一下，马上捞出，西兰花、胡萝卜过凉后沥干。
3. 炒锅倒少许蚝油，烧开后下入全部材料，翻炒片刻，倒入蚝油，小火煨5分钟，加盐、鸡精、白糖调味后用水淀粉勾薄芡，翻拌均匀即可出锅。

巧变化：没有西兰花时，可以换成菜花。做成菜花烧双菇。

白菜烧三菇

材料：白菜100克，金针菇50克，鲜香菇50克，鲜草菇50克。

调料：干红辣椒丝适量，料酒、盐各5克，味精少许。

做法：

1. 将白菜择洗干净，切成大块；金针菇洗净，切段；香菇去蒂，洗净，切片；草菇洗净，对切备用。
2. 锅置火上，放油烧热，放入干红辣椒丝炸出香味，放入金针菇、香菇、草菇翻炒，加白菜、盐、料酒及少许清水稍焖，待汤汁收干，加味精，翻炒均匀即可。

小提示：菇类还可以选择鸡腿菇、蟹味菇等。

苦瓜炒三菇

材料：香菇、草菇、蘑菇各4个，苦瓜1根。

调料：盐5克，蚝油、白糖、鸡精、香油、水淀粉各适量。

做法：

1. 材料均洗净，香菇、草菇、蘑菇切片；苦瓜去子，斜刀切薄片，用盐腌10分钟后拌入白糖、味精和香油。
2. 炒锅倒油烧热，下入苦瓜、菇片翻炒几下，淋入蚝油，加水和白糖，最后勾芡即可。

巧变化：将苦瓜换成黄瓜，做成黄瓜炒三菇味道也不错。

番茄炒草菇

材料： 草菇250克，番茄2个。

调料： 酱油、料酒、白糖、水淀粉各5克，味精、香油各少许。

做法：

1. 番茄洗净，入沸水略焯，去掉外皮，切去根部，切块；草菇去蒂洗净，入沸水略焯，沥干水分。

2. 锅置火上，放油烧热，放入草菇，倒入料酒、酱油、高汤，加入白糖、味精，煸炒片刻，放入番茄块，待番茄汁煮浓、材料成熟时，用水淀粉勾芡，淋上香油即可。

小提示： 可以再加入口蘑、滑子菇等，就成为番茄什锦蘑菇了。

笋尖炒香菇

材料： 笋尖100克，香菇200克。

调料： 酱油40克，白糖15克，芡汁少许。

做法：

1. 笋尖切除老硬，余烫，捞出；香菇去蒂、切条。

2. 锅中放3大匙油，炒香香菇；放入笋尖同炒后，加清汤烧开，并加入酱油和白糖调味。

3. 烧入味，并待汤汁稍收干时，勾芡即可盛出。

小提示： 笋尖多半已处理过，但水渍味很重，一定要余烫过再烧。同茭白一样，笋含有难溶性草酸钙，因而患有严重胃溃疡、胃出血、慢性肠胃炎以及泌尿系结石的孕妇慎食。

五香蚕豆

材料： 嫩蚕豆300克。

调料： 姜片适量，大蒜2瓣，花椒10克，八角1个，盐适量。

做法：

1. 蚕豆去皮洗净。

2. 锅置火上，倒入清水大火煮沸，放入蚕豆、姜片、大蒜、盐、花椒、八角，中火煮至蚕豆熟，捞出装盘即可。

小提示： 此菜做法简单，风味独特，既可作佐酒冷盘，也可当作饭后小吃。也可不用水煮，改成油炒。

竹荪素烩

材料：竹荪50克，鲜蘑菇2朵、四季豆25克，笋片25克，黑木耳及胡萝卜各适量。

调料：盐3克，水淀粉10克，鸡精少许。

做法：

1. 竹荪用水泡开后洗净，切段；蘑菇洗净，切片；四季豆择洗净；笋片、黑木耳洗净，胡萝卜洗净，切片。

2. 起油锅，放入全部材料翻炒至五成熟，倒入适量水煮熟胡萝卜和四季豆。

3. 加盐、鸡精略烧后用水淀粉勾薄芡即成。

小提示：此菜清香爽口、营养丰富，有降血压的功效。

双菇扒荠菜

材料：草菇、蘑菇各200克，嫩荠菜200克。

调料：盐5克，蚝油30克，白糖、水淀粉各10克。

做法：

1. 荠菜片去下半段，洗净；草菇、蘑菇洗净，用盐水焯一下，捞出。

2. 炒锅倒油烧热，下荠菜煸炒，加盐调味，炒熟后盛入盘中。

3. 原锅放油烧热，下草菇、蘑菇煸炒，加蚝油、白糖炒入味，用水淀粉勾芡，铺在荠菜上即可。

巧变化：荠菜换成油菜，做成双菇扒油菜也不错。

黄瓜炒素肉

材料：甜味豆腐干150克，黄瓜1根，姜丝适量。

调料：盐5克，香油、味精各适量。

做法：

1. 黄瓜洗净，纵向剖开，再纵剖成细条。

2. 炒锅放油烧热，放入姜丝、黄瓜和甜豆腐干炒热。

3. 放盐、味精，炒拌均匀后关火，放香油炒匀。

小提示：黄瓜和甜豆腐干都是可以直接吃的东西，在保证卫生的情况下两种材料稍加热即可。

鲜蘑炒腐竹

材料：腐竹200克，罐头鲜蘑100克。

调料：花椒适量，盐5克，味精少许。

做法：

1. 将腐竹用温开水发好，洗净，切3厘米长的段，放入沸水中焯透，捞出沥干，放入盘中；鲜蘑切片，放入沸水中焯一下，捞出沥干，放在腐竹上，备用。

2. 锅置火上，放油烧热，放入花椒炸出香味。

3. 将鲜蘑和腐竹放入锅中，加盐、味精，拌炒片刻即可。

小提示：可以用鲜草菇、鲜香菇来做。

菜花炒蘑菇

材料：平菇100克，金针菇40克，菜花100克。

调料：盐5克。

做法：

1. 菜花用盐水浸泡10分钟；平菇洗净撕片；金针菇去蒂，洗净切段。

2. 炒锅上火将油烧热，倒入菜花翻炒1分钟，加水盖上锅盖煮约2分钟。

3. 揭盖，放入平菇、金针菇翻炒熟，放盐炒匀出锅。

小提示：炒菜花时加少许牛奶，会使成品更加白嫩可口。

菜心炒双菇

材料：鲜蘑100克，干香菇50克，油菜心100克。

调料：酱油、白糖、盐、淀粉各5克，味精2克。

做法：

1. 油菜心择除老叶，洗净，用水焯一下，捞出过凉，再用少量油炒熟，加盐调味后盛出。

2. 干香菇泡软，去蒂，用少量油炒过，加酱油、白糖、味精烧3分钟。

3. 鲜蘑洗净，放入香菇中同烧，汤汁稍收干时，勾芡，盛出放油菜心中间即成。

小提示：干香菇的味道比鲜香菇浓重，但易吸收盐，烧时要少放盐。

双冬油面筋

材料：冬笋100克，香菇10朵，面筋4片。

调料：酱油、盐、白糖各5克。

做法：

1. 香菇泡软，去蒂；冬笋去皮，先煮熟再切条；面筋先用热油炸黄，捞出后再切成条。

2. 起油锅，放入香菇炒香，放入冬笋条同炒，加入盐、酱油、白糖调味，再倒入少许清水烧入味。

3. 做法2中加入面筋同烧，汤汁收干即可盛出。

小提示：没有冬笋的季节，可用水发玉兰片代替，但也要先煮熟再烧。

草菇烧面筋

材料：面筋250克，油菜心5个，罐头草菇50克。

调料：葱段5克，酱油、水淀粉各15克，盐、胡椒粉、香油、味精、高汤各适量。

做法：

1. 油菜心洗净，焯水至断生，围在盘边。

2. 锅置火上，放油烧至六七成热，爆香葱段，放入草菇煸炒，出香味后加面筋同炒。

3. 放入酱油、盐、胡椒粉、高汤煮开，撇去浮沫，加味精搅拌，用水淀粉勾芡，淋上香油盛入盘中即可。

巧变化：在原有的基础上加泡椒末10克，白糖、陈醋各5克，味道也不错。

三鲜鱼肚

材料：油面筋1包，油菜3棵、草菇、竹笋各50克，水发香菇6朵。

调料：生抽、料酒、白糖、水淀粉各5克，盐、鸡精各适量。

做法：

1. 油面筋切成小方块；油菜、草菇、竹笋、香菇洗净，均切成和面筋块差不多大小的片。

2. 坐锅热油，放入草菇、竹笋、香菇翻炒，加入生抽、蘑菇精、适量清水煮开。

3. 放入油面筋、油菜，加料酒、白糖、盐小火煨约5分钟，至材料成熟、大部分汤汁收干，用水淀粉勾芡即可。

小提示：投料时油菜应在成菜前再放，否则会影响其清脆的口感。

素三丁

材料: 熏干2块,胡萝卜1根,藕1段。

调料: 生抽、白糖、醋、盐、味精各适量。

做法:

1. 熏干切1厘米见方的丁。胡萝卜和藕洗净,切成和熏干一样的丁。把1小勺生抽、适量的白糖、醋、盐、味精调匀成味汁。

2. 炒锅放油烧热,放入胡萝卜丁,煸炒至油呈暗黄色,加入熏干、藕。

3. 当藕发脆时,倒入准备好的味汁,炒匀即好。

小提示: 熏干有一种荤香,与熟菜配炒有肉菜的香味。

黄豆炖白菜

材料: 黄豆120克,大白菜100克。

调料: 盐3克。

做法:

1. 黄豆泡发后洗净;大白菜洗净切段。

2. 锅中倒入高汤,放进黄豆,再加清水至刚刚将黄豆淹没,盖上锅盖将黄豆煮熟。

3. 揭盖放进大白菜,煮熟放盐调味出锅。

小提示: 喜欢吃荤的话,可以加入肉汤一起炖。

家常干丝

材料: 卤豆腐干100克,芹黄50克。

调料: 红油、豆瓣酱各15克,盐、鸡精适量。

做法:

1. 卤豆腐干切成细丝。

2. 炒锅置火上,红油烧至五成热,下豆瓣酱炒香。

3. 放入干丝略炒,加鲜汤,下调料将干丝烩入味。

4. 下芹黄略烧,起锅入盘即可。

小提示: 烩时火不宜过大,不喜欢太素的话,也可以加些肉丝一起烩,味道也很棒。

米饭类

鸡蛋炒饭

材料：米饭250克，鸡蛋2个。

调料：盐、鸡精、葱花各适量。

做法：

1. 鸡蛋磕入碗内打散至泡沫丰富。

2. 炒锅烧热，倒入适量油烧热，倒入鸡蛋液炒散成凝固的鸡蛋块。

3. 将米饭倒入锅内，用铲子将米饭捣散翻炒，炒至米饭没有块结，有少许蒸汽冒出，放入葱花、盐、鸡精，充分翻炒拌匀即可。

小提示：如果想鸡蛋嫩一点，在打鸡蛋时加一点水。

扬州炒饭

材料：米饭250克，虾仁30克，鸡蛋2个，熟火腿、水发香菇、冬笋、青豆各25克。

调料：料酒、鸡精、葱末、盐、水淀粉各适量。

做法：

1. 将香菇和冬笋切成小丁，与青豆一起焯烫、控水；鸡蛋打散；虾仁洗净，用少量水淀粉拌匀；熟火腿切小丁。

2. 炒锅烧热，放适量油烧热，下入虾仁滑散，加入部分葱末炒香，然后将火腿、香菇、冬笋、青豆放入炒匀，加适量料酒和盐炒匀成什锦料。

3. 炒锅重置火上，放入油烧热后，倒进鸡蛋液快速翻炒，待蛋液凝固放入米饭，调入少许盐、鸡精、葱末和什锦料翻炒几下后起锅装盘。

巧变化：扬州炒饭的材料丰富，这里的配料是最基本的，还可以添加或改用熟鸡肉、猪瘦肉、海参、干贝等，味道会更加鲜美。

什锦炒饭

材料：米饭250克，虾仁、鸡腿肉、墨鱼肉各30克，香菇、豌豆、去骨鱼肉各10克，鸡蛋1个。

调料：酱油5克，盐、胡椒粉各适量。

做法：

1. 虾仁洗净；墨鱼肉、鸡腿肉、去骨鱼肉、香菇均洗净，切成丁；鸡蛋打散；豌豆用水焯熟。

2. 炒锅上火，倒入适量油烧热，倒入鸡蛋液炒散，然后放入虾仁、鸡腿肉、墨鱼肉、香菇、豌豆、鱼肉一起翻炒至熟，加入酱油、盐、胡椒粉拌炒几下，再将米饭倒入锅中打碎炒匀即可。

巧变化： 配菜可以变成牛肉丁、胡萝卜丁、圆白菜丁，可以加入番茄酱做成另一种口味。

素什锦炒饭

材料：米饭200克，口蘑、冬笋各25克，豌豆、胡萝卜各15克。

调料：盐、胡椒粉适量。

做法：

1. 口蘑、冬笋、熟笋都切成丁；胡萝卜切丁后焯熟捞出。

2. 炒锅内放油烧热，先倒入口蘑、豌豆、胡萝卜、冬笋，将这些菜用大火一起炒几下。

3. 倒入大米饭，改中火，用铲子不断将米饭压散与菜一起炒，然后加盐、胡椒粉，待入味后再稍微翻炒几下即可出锅。

小提示： 倒入米饭后用中火炒，是防止因火过大翻炒不及时导致煳锅。

鲜蚕豆炒饭

材料：米饭250克，鲜蚕豆200克，鸡脯肉30克。

调料：鸡汤40克，料酒、盐、味精各少许。

做法：

1. 鲜蚕豆剥去外壳，洗干净并沥干水；鸡肉脯洗净拍松，切成小丁。

2. 炒锅放油烧热，放鸡丁迅速翻炒开，加料酒和盐，炒到鸡肉断生盛出。

3. 锅内放油烧热，放蚕豆炒至半熟后出锅。

4. 把鸡汤倒入炒锅内烧开，将蚕豆放入煮一下，约5分钟后把米饭倒进锅内铺在蚕豆上面，盖上锅盖小火焖3分钟，然后放入鸡丁，加盐、味精，开中火翻炒均匀后装盘即可。

小提示： 鲜蚕豆也可以事先焯好，炒饭的时候就不用煮了，与米饭多炒一会儿也能使蚕豆的香味与米饭充分融合。

蒜味蛋炒饭

材料：米饭250克，鸡蛋3个，芹菜叶少许。

调料：蒜2瓣，料酒、盐、鸡精各适量。

做法：

1. 将芹菜叶洗净，放水中焯一下捞出切成末；蒜头去皮切末；鸡蛋磕入一小碗内，略加料酒和盐打散。

2. 炒锅放油烧热，放入鸡蛋液快速翻炒至刚刚凝固时盛出。

3. 炒锅内再放油，烧到六成热时放蒜末，炒出香味后倒入米饭快速翻炒均匀，然后倒入鸡蛋，加盐、鸡精，撒上芹菜末，炒匀后出锅。

小提示：芹菜叶最好用水芹的叶子，带点梗更好。芹菜叶子还可以煮粥，常喝芹菜叶粥对血压高者非常有益。

广州炒饭

材料：米饭250克，熟肉丁、虾仁各30克，鸡蛋2个，香菇2朵，香肠丁20克，豌豆20克。

调料：盐、鸡精、胡椒粉各少许。

做法：

1. 虾仁去泥肠洗净沥干；香菇洗净切成丁；鸡蛋打散备用。

2. 炒锅放少许油，烧热后改中小火，将蛋液顺锅沿慢慢倒入油锅中，将锅微微端离火，不断倾斜着转动锅体，使蛋液在锅中自然摊开成薄饼状，蛋饼熟后出锅，晾得稍微凉一些后将蛋饼切成丁。

3. 炒锅放油烧热，将香菇下锅爆香，加入肉丁、蛋饼丁、香肠丁、豌豆、虾仁，不断翻炒熟后，放米饭一起炒，待米饭与其他配料炒匀，放盐、鸡精、胡椒粉，再翻炒匀即可。

小提示：如果米饭本身很黏，可先用冷水将米饭冲散，控干水分后再炒。

玉米粒炒饭

材料：米饭250克，玉米粒30克，黄瓜半根（约50克），胡萝卜半根（约50克），鸡蛋1个。

调料：葱1根，盐、胡椒粉各适量。

做法：

1. 将黄瓜、胡萝卜均去皮洗净，切成丁；鸡蛋打散成蛋液；葱切末。

2. 锅中倒入油烧热，放葱末爆香，再倒入蛋液炒散，放入玉米粒、黄瓜及胡萝卜丁一起拌炒，炒至胡萝卜油亮再放米饭一起炒开，放盐、胡椒粉炒匀即可出锅。

小提示：新煮的米饭一般会比较软黏，炒起来不容易呈现出炒饭特有的颗粒分明的质感和口感，所以用隔夜饭做炒饭最适合。

青椒牛肉炒饭

材料：米饭300克，嫩牛肉80克，青椒2个。

调料：葱1根，料酒、酱油、淀粉、盐、胡椒粉各适量。

做法：

1. 牛肉切丝，拌入适量料酒、酱油、淀粉略腌一下；青椒去蒂和子切丝；葱切小段。
2. 热油锅中下入腌好的牛肉丝，快速翻炒几下断生即盛出。
3. 重新烧热油锅，放葱段、青椒丝翻炒几下，然后倒入米饭炒匀，再加牛肉、盐、胡椒粉，一起翻炒均匀即可盛出。

小提示：炒牛肉时火一定要旺，用铲子快速翻炒肉丝，断生就出锅，使牛肉保持鲜嫩。

雪里蕻炒饭

材料：米饭250克，雪里蕻150克，玉米粒30克，猪肉丁50克。

调料：糖、鸡精各适量。

做法：

1. 雪里蕻择洗干净，切成末。
2. 炒锅内放油烧热，先放雪里蕻炒出香味，再放肉丁略微炒几下，再加玉米粒一起炒匀。
3. 将米饭倒入炒锅，用铲子不断拍散米粒，并与锅内的菜充分炒匀，最后加适量糖、鸡精继续炒匀即可。如口味太淡则加盐调味。

小提示：雪里蕻也叫雪菜，雪里蕻的叶子极其容易藏沙子，所以一定要多洗几遍，冲干净。

菠萝火腿炒饭

材料：米饭250克，菠萝1个，熟火腿25克，葡萄干10克，豌豆20克。

调料：盐、胡椒粉各适量。

做法：

1. 菠萝洗净，竖剖成两半，将其中一半菠萝挖出果肉，切成小丁备用；另一半菠萝挖空中间果肉，当菠萝盅用。
2. 火腿切丁；葡萄干用水略泡一下，冲洗后沥干；豌豆用沸水略焯一下捞出沥干。
3. 炒锅内放少许油烧热，将葡萄干、火腿丁、豌豆一起放入锅内炒几下，然后将米饭放进锅内，拍散并放入菠萝丁炒匀，最后加盐、胡椒粉再度翻炒拌匀，将炒饭盛入菠萝盅内即可。

巧变化：喜欢椰奶味的话，还可以在炒饭过程中加2小勺椰奶，又会是新滋味，让菠萝火腿炒饭的香味大增。

泡菜炒饭

材料：米饭300克，韩国泡菜40克，腌萝卜3片。

调料：葱1根，红辣椒2个，芥末油少许。

做法：

1. 韩国泡菜沥干水分、切成丁；腌萝卜片切成丁；葱、红辣椒洗净，切末备用。

2. 锅中倒入适量油烧热，下葱、红辣椒爆香后，放腌萝卜丁、泡菜丁继续翻炒几下，然后放入米饭不断翻炒拌匀，最后撒入几滴芥末油炒匀，盛入盘中，即可。

小提示：韩国泡菜和腌萝卜都可以在超市购买到。

双菇炒饭

材料：米饭250克，水发香菇50克，平菇25克，青、红椒丝各20克。

调料：盐、胡椒粉各适量。

做法：

1. 香菇、平菇洗净，切成小片。

2. 炒锅放油烧热，将青、红椒丝、香菇、平菇片放入煸炒，快熟时放盐、胡椒粉调味，然后放米饭炒匀，使米饭充分吸收菜的滋味，炒熟即可。

小提示：如果米饭烧焦黏了锅底，别用粗硬的洗碗布使劲刷，以免刮伤锅面。可以泡水，将焦煳部分泡软，很容易就能洗干净。

虾仁炒饭

材料：米饭250克，洋葱50克，虾仁100克。

调料：盐、胡椒粉适量。

做法：

1. 虾仁洗净，大的改刀成2段；洋葱切丁。

2. 炒锅放油烧热，下洋葱爆炒至颜色微黄香气四溢，下虾仁一起再炒，待虾仁熟后放米饭与菜一起翻炒，等米饭炒透后放盐、胡椒粉，炒拌匀即可出锅。

小提示：虾仁还可以在炒前腌一下，腌的方法是用少许盐、米酒或料酒、淀粉、胡椒粉一起拌匀放置一会儿，然后再下锅烹调。

萝卜干炒饭

材料：米饭300克，萝卜干60克，芹菜20克，鸡蛋1个。

调料：盐适量，葱1根。

做法：

1. 萝卜干浸泡在温水中约20分钟，洗净，切丁；芹菜去掉叶子冲洗干净切成末；葱切末；鸡蛋打散。
2. 锅内放油烧热，下葱末爆香，然后放萝卜干一起炒，待出香味后，再倒入蛋液炒散，最后加米饭、盐，不断翻炒至米粒充分吸收作料和配菜的味道，再将芹菜末均匀地撒在炒好的饭上即可。

小提示：萝卜干咸甜适口，芹菜清香，炒到一起味道好颜色也漂亮。萝卜干一定要先煸炒出香味再炒鸡蛋才好吃。

豆豉肉末炒饭

材料：米饭300克，瘦猪肉末、豆豉、洋葱各20克，蒜苗、红椒丝各10克。

调料：盐、酱油、胡椒粉各适量。

做法：

1. 洋葱、蒜苗均洗净切末；豆豉泡水后洗净。
2. 锅中放油烧热，放蒜苗、肉末及豆豉一起爆炒出香味，放盐、胡椒粉、酱油翻炒，然后盛出备用。
3. 炒锅内放少许油烧热，下洋葱及米饭一起炒散炒匀，将炒好的配菜倒入不断翻炒，待各种滋味充分融合后，盛入盘中，撒上细细的红椒丝即可。

小提示：用陈米做米饭时，可以将陈米先浸泡两小时，捞出沥干，然后再放入锅中加适量开水和几滴食用油，焖的时候多焖一会儿，使陈米的气味随油气蒸发掉，焖出的米饭就好吃了。

香菇芥菜炒饭

材料：糙米饭300克，里脊肉丝80克，芥菜100克，香菇3朵。

调料：酱油、米酒、淀粉、盐各适量，海米5克。

做法：

1. 将里脊肉丝放入碗中，加少许酱油、米酒、淀粉拌匀，腌10分钟；香菇泡软洗净切丝；海米洗去杂质，泡软后切碎；芥菜洗净切成条。
2. 炒锅内放油烧热，放肉丝炒至肉变色，盛出备用；锅内再放海米、香菇爆出香味，加芥菜炒至变软，再将糙米饭倒入锅内不断翻炒，待米饭炒散后将肉丝再放入锅内一起翻炒拌匀，最后加适量盐炒匀即可。

小提示：没有米酒可以用料酒代替，只是味道上会略差一些。

咸菜蛋皮炒饭

材料：米饭300克，里脊肉丝80克，鸡蛋2个，咸菜2片，韭黄10克。

调料：酱油、米酒、淀粉、水淀粉、盐、胡椒粉各适量。

做法：

1. 里脊肉丝中加少许酱油、米酒、淀粉拌匀，腌10分钟；咸菜片洗净切丝；韭黄洗净切段。

2. 将鸡蛋加少许水淀粉调匀成蛋汁，在炒锅中抹一层油烧热，慢慢倒入蛋汁摊成蛋皮，凉后切丝。

3. 锅中再倒入适量油烧热，放肉丝炒至变色，盛起；锅内放咸菜丝炒出香味，再放米饭、肉丝、蛋皮丝、韭黄、盐、胡椒粉，不断翻炒，使各材料充分炒匀后即可出锅。

小提示：

◎这款炒饭最有特色的香味来源于咸菜丝，用油炒的咸菜会散发独特的香味。

◎蛋皮丝的制作过程要注意，油不可放太多，火也不要太旺。

咸鱼炒饭

材料：米饭300克，咸鱼30克，鸡肉30克，西芹20克。

调料：盐、淀粉、胡椒粉、香油、味精各适量，鸡蛋1个。

做法：

1. 将咸鱼去刺切成丁；西芹洗净切末；鸡蛋留取蛋清；鸡肉切成丁，用蛋清、盐、淀粉调匀，腌20分钟。

2. 炒锅放油烧热，将咸鱼丁下油锅炸到酥黄，盛出备用；再将腌好的鸡丁下油锅略微炸一下，盛出沥干备用。

3. 炒锅中放油，烧热，将米饭倒入炒散，加入咸鱼丁、鸡丁、西芹末翻炒均匀，再加一点点味精、香油、胡椒粉炒匀即可。

小提示：此为经典的广式炒饭，又咸又香，非常好吃。因咸鱼本身具有足够的咸度，在炒饭时就不用另放盐了。

茶叶炒饭

材料：米饭250克，肉丝20克，香菇3朵，茶叶少许。

调料：葱、盐、鸡精各适量。

做法：

1. 香菇洗净切丁；葱切末；茶叶泡开后捞出凉一下，切成末，茶水留用。

2. 锅内放少许油，烧热下肉丝和香菇炒出香味，盛出备用。

3. 油锅烧热下葱末爆香，然后放米饭炒散，放盐继续炒，中途略加一点点茶水，炒至水干，盛出备用。

4. 炒锅干烧，锅热后将茶叶末放入，不断翻炒至干透，倒入炒好所有材料，再撒点鸡精，快速翻炒匀即可出锅。

小提示：茶叶的选择可以根据个人口味，不同的茶叶制作出来的炒饭会有不同的香气，但注意茶叶用量宜少。

羊肉烫饭

材料：米饭250克，羊肉100克，芹菜少许。

调料：酱油、料酒、姜末、十三香、盐各适量。

做法：

1. 把羊肉切成小块，放入碗中用酱油、料酒、姜末、十三香调匀腌15分钟；芹菜洗净切末。

2. 炒锅内放油，待油热后将羊肉下锅煸炒，出香味并炒至七成熟后，加入水和米饭，水以没过米饭为准，用大火烧开，改中火煮一会儿。待肉熟，再略微放一点盐，撒芹菜末，即可出锅。

巧变化：可以根据个人口味，加入胡萝卜或其他青菜，变成荤素搭配的烫饭，营养更全面。

青菜烫饭

材料：米饭250克，油菜叶150克，火腿肉100克。

调料：虾皮、鸡精、盐各适量。

做法：

1. 油菜洗净切成小碎丁；火腿肉切丁。

2. 将米饭倒入锅中，加水（没过米饭），大火烧开，然后将油菜丁、火腿丁、虾皮放入锅中一起煮，撒上盐、鸡精拌匀。待水少于米饭表面时即可关火出锅。

巧变化：青菜的选择很多，除了油菜，还可以放小白菜、西红柿、西葫芦等蔬菜。在做烫饭时加一点点猪油会提升饭的香气。

四色烫饭

材料：米饭200克，番茄50克，鸡蛋2个，肉丝50克。

调料：盐、料酒、鸡精、淀粉、葱末各适量。

做法：

1. 将番茄洗净，用开水烫一下去皮，晾凉后切成块；鸡蛋分蛋清蛋黄分别磕入两个小碗内，不要打散；肉丝放一小碗内，加少许料酒、盐、蛋清、淀粉、葱末调匀，腌10分钟。

2. 炒锅放少许油烧热，下腌好的肉丝炒至变色，盛出。

3. 煮锅内放米饭、水，旺火煮开，将蛋黄和剩余的蛋清倒入锅内，用筷子略微挑开蛋黄（不要太散），然后放番茄、炒好的肉丝同煮，2分钟后加盐、鸡精调匀，再煮3分钟左右即可。

巧变化：可以充分发挥个人的想像力，比如四色，如果选定红、绿、黄、白四色，配菜就可以在这个范围内选择，竹笋、黑木耳、黄瓜、鱿鱼也一样好吃。

鸡汤烫饭

材料：米饭200克，带少许鸡肉的鸡汤适量，香菜少许。

调料：盐、胡椒粉各适量。

做法：

1. 香菜洗净切末。

2. 米饭放入煮锅中，倒入鸡汤（没过米饭），旺火烧开，加盐、胡椒粉调匀继续煮一小会儿，最后撒香菜末即可出锅。

小提示：只要头天晚上炖好鸡汤，这道烫饭制作起来就极其简便省事，有鸡汤的诱人浓香。

肉汤白菜烫饭

材料：米饭250克，大白菜叶150克，海带丝50克，骨头汤适量。

调料：盐、胡椒粉、鸡精各适量。

做法：

1. 大白菜叶子洗净，用手掰成大片；海带丝洗净切成4厘米长的段。

2. 煮锅中多放些骨头汤，大火烧开，放海带丝、大白菜叶一起熬，大约3分钟后将米饭倒入锅内，加适量盐，搅拌均匀，继续熬。待饭粒散开，加胡椒粉、鸡精，调拌匀后即可关火出锅。

小提示：冬天里最适合吃这个烫饭，用骨头汤炖白菜味道非常鲜美。

家常烫饭

材料：米饭200克，菠菜100克，金针菇50克，鸡蛋2个。

调料：盐、葱、姜、鸡精、香油各适量。

做法：

1. 将菠菜、金针菇洗净；姜切丝；葱切粒；菠菜烫好攥去水，切段。

2. 鸡蛋打进碗里，加入少许凉水打散，再加入适量的盐，打匀。

3. 炒锅放油烧热，将鸡蛋炒熟，往锅内加开水，放入姜丝，烧开后加入金针菇，搅开，再加入米饭，煮上两分钟，放盐和鸡精，起锅前加上菠菜和葱花，放上几滴香油即可。

小提示：家常就是原料极其普通，制作简单，家里有的材料随意搭配，木耳、笋、随便什么蔬菜都可以组合。

黑椒牛柳盖饭

材料：热米饭250克，牛肉200克，洋葱20克，青椒30克。

调料：淀粉、盐、黑胡椒酱各适量。

做法：

1. 将牛里脊肉切成条，放入小碗中，加淀粉调拌匀；洋葱、青椒洗净，切略粗的丝。

2. 炒锅放油烧热，下牛肉爆炒，待牛肉变色后，加洋葱、青椒，再放2杯水烧开，然后加盐、黑胡椒酱，翻炒均匀后出锅，倒在热米饭上即可。

巧变化： 在牛肉里略加一点普通的红葡萄酒，会为此饭锦上添花。

茄汁牛肉盖饭

材料：热米饭200克，牛肉200克，番茄50克，胡萝卜30克。

调料：水淀粉、料酒、酱油、盐、糖各适量。

做法：

1. 牛肉切丝，放碗中用少量淀粉拌匀；番茄洗净，切片；胡萝卜洗净切片。

2. 炒锅中倒入油烧热，放牛肉在油中滑炒一下立刻捞出，继续放番茄、胡萝卜炒匀，加入牛肉、料酒、酱油、盐、糖，并加适量水，将这些菜翻炒至熟，最后用水淀粉浇入锅内勾芡，盛起并倒在热饭上即可。

巧变化： 料酒也可以用啤酒代替，起嫩滑牛肉、提鲜的作用。

豉汁小排饭

材料：热米饭150克，小排骨300克。

调料：大蒜2瓣，豆豉10克，辣椒1个，料酒、酱油、淀粉各15克，糖5克。

做法：

1. 将小排骨洗净，剁成小块；大蒜去皮，切成末；辣椒切末；豆豉洗净切碎。

2. 将排骨、大蒜、豆豉放入一个蒸碗中，加入料酒、酱油、淀粉调匀，腌15分钟，然后上蒸锅大火蒸30分钟左右，待排骨熟烂，放辣椒末，关火。

3. 将蒸好的小排骨连同汤汁一起浇在热米饭上即可。

小提示： 米饭盛在盘中时，不要压实，否则汤汁无法快速渗透到饭里，影响口味。

广式盖浇饭

材料: 热米饭200克,虾仁、瘦猪肉、蘑菇各50克,笋片、小油菜各20克。

调料: 料酒、淀粉、水淀粉、盐、酱油、蚝油、冰糖、胡椒粉各适量。

做法:

1. 瘦猪肉切片,放碗中加少量酱油、淀粉调匀腌10分钟;虾仁洗净,放入碗中加少量盐、淀粉调匀腌10分钟。
2. 小油菜、蘑菇洗净,分别放沸水中烫一下,捞出晾凉;蘑菇对切成两半;笋片放沸水中煮熟捞出。
3. 炒锅内放油烧热,放瘦肉、虾仁略微炒几下,变色后,将笋片、小油菜、蘑菇依次放入锅内,加料酒、蚝油、冰糖、胡椒粉、水淀粉,再加半杯水一起煮至汤汁黏稠,关火,将菜均匀地浇在热米饭上即可。

小提示: 盖浇饭应在吃前浇汁,否则米饭口感很差。

咖喱鸡饭

材料: 热米饭200克,鸡胸肉150克,土豆80克,洋葱、胡萝卜各50克,西芹20克。

调料: 水淀粉、淀粉、盐各适量,咖喱块2块。

做法:

1. 鸡胸肉洗净切成小块,放碗中加淀粉拌匀;土豆、洋葱、胡萝卜去皮,切小块;西芹洗净切末。
2. 炒锅中倒入2杯水,放土豆、胡萝卜、洋葱煮软,然后加盐、咖喱块化开煮沸,再放鸡胸肉煮至熟透,再用水淀粉勾芡,关火。
3. 热米饭盛在盘子中央,将做好的咖喱鸡连汤汁浇入,最后将西芹末点缀在米饭上即可。

小提示: 咖喱块可以在超市买到,也可以使用咖喱粉。咖喱加热过程中不要加水,以免弱化咖喱的味道。

猪肉盖浇饭

材料: 热米饭250克,猪肉120克,番茄200克。

调料: 姜、料酒、淀粉、水淀粉、盐、鸡精各适量。

做法:

1. 猪肉洗净切片,加淀粉、料酒调匀腌10分钟;番茄用热水烫一下去皮,切片;姜切丝。
2. 炒锅放油烧热,姜丝爆香,放猪肉片翻炒,待变色后放番茄片翻炒,略加一点水烧开,放盐、鸡精调匀,用水淀粉勾芡,然后浇在热米饭上即可。

巧变化: 猪肉可以换成其他肉类,也可以加绿叶蔬菜,都会是一道美味盖浇饭。

滑蛋蟹棒盖饭

材料： 热米饭250克，蟹棒150克，芹菜30克，水发香菇2朵，鸡蛋3个。

调料： 盐、胡椒粉、鸡精、水淀粉各适量，高汤1小碗。

做法：

1. 蟹棒洗净，切成小块；芹菜去叶洗净，切丁；水发香菇去蒂洗净切丁；鸡蛋取蛋清打散。

2. 炒锅内放油烧热，依次下蟹棒、香菇、芹菜煸炒，加盐，倒入高汤煮开片刻，用水淀粉勾薄芡，再倒入蛋清液拌炒几下，放胡椒粉、鸡精出锅，浇在热米饭上即可。

小提示： 有空的日子里炖一大锅高汤，晾凉后用小食品袋将高汤分装成若干袋冰冻，做菜做汤时拿一块出来用，很方便。

肉丁豌豆盖浇饭

材料： 热米饭250克，里脊肉80克，水发香菇20克，胡萝卜20克，豌豆30克。

调料： 料酒、盐、鸡精、葱末、姜末、淀粉各适量。

做法：

1. 里脊肉洗净切丁，加盐、料酒、淀粉、姜末调匀腌10分钟；胡萝卜去皮切丁；香菇洗净去蒂切丁。

2. 炒锅放油烧热，下胡萝卜炒软，放豌豆同炒，放适量盐炒熟，盛出备用。

3. 锅内放油烧热，下葱末爆香，加香菇煸炒出香味，放肉丁炒散变色，稍微加一点盐、鸡精，再把炒好的胡萝卜和豌豆放入同炒至肉熟，盛出浇在米饭上即可。

巧变化： 猪肉可以换成牛肉、鸡肉，还可以加其他配料，都营养丰富，色泽鲜艳，口感鲜美。

蘑菇盖浇饭

材料： 热米饭250克，口蘑100克，青、红椒各25克，芹菜20克。

调料： 盐、蔬菜汤、料酒各适量。

做法：

1. 口蘑洗净，切小片；青、红椒洗净切丁；芹菜洗净切末。

2. 锅内放油烧热，下青、红椒、口蘑炒至八成熟，加料酒、蔬菜汤、芹菜烧开，放盐调匀，关火，浇在饭上即可。

巧变化： 口蘑可以用其他食用菌类代替，都很鲜美又有营养。

牛肉洋葱盖浇饭

材料: 热米饭250克,牛里脊肉100克,洋葱、胡萝卜各50克。

调料: 盐、水淀粉、胡椒粉、葱各适量。

做法:

1. 牛里脊肉洗净切片,用水淀粉抓一下备用;胡萝卜切丁;洋葱切丝;葱切段。

2. 油锅烧热,放牛肉片煸炒至发白,捞出备用。

3. 锅内留少量油,下葱段爆香,放洋葱、胡萝卜炒匀,加盐、胡椒粉调味,再放炒过的牛肉拌匀,用水淀粉勾薄芡,盛出浇在米饭上即可。

小提示: 为避免浇料过于油腻,油不要放太多,另外由于加了洋葱,葱段就可以少放一点。

鱼香茄子盖浇饭

材料: 热米饭250克,长条茄子200克,猪肉末60克。

调料: 盐、酱油、豆瓣酱、葱末、蒜末、姜末、糖各适量。

做法:

1. 茄子去蒂洗净,切成条备用。

2. 油锅烧热,放入茄子炸软,捞出沥油,备用。

3. 锅内留适量油,烧热后放肉末炒香,加葱末、姜末、蒜末、酱油、豆瓣酱、糖煸炒,再放入炸好的茄子条和适量水炒匀、炒透,最后放盐调味,盛出浇在米饭上即可。

巧变化: 这饭的特点是咸香适口,喜欢吃辣者,可以将豆瓣酱换成辣椒酱,也会别有一番风味。

草虾盖浇饭

材料: 热米饭250克,草虾5只,豆腐皮2张,鸡蛋1个,芹菜、番茄各50克。

调料: 盐、酱油各适量,青芥末5克。

做法:

1. 将鸡蛋打散,在锅中放少许油,摊成蛋皮,取出,切成细丝。

2. 草虾去壳和泥肠,洗净,入沸水焯熟,捞出;芹菜去叶洗净,切成丝;豆腐皮切丝,与芹菜丝同时入沸水中焯熟;番茄烫去皮,切片。

3. 少量青芥末加入酱油和少量的盐,调成芥末酱。

4. 将做熟的蛋丝、芹菜丝、番茄片、草虾、豆腐皮丝放在热米饭上,淋上芥末酱即可。

小提示: 芥末具有预防高血脂、高血压、心脏病,减小血液黏稠度等功效,但注意不要食用过量。

扁豆盖饭

材料: 热米饭250克,扁豆150克,猪肉末50克。

调料: 盐、胡椒粉、蒜、水淀粉各适量。

做法:

1. 扁豆去除两头及老筋,洗净,切段;蒜去皮,切末。
2. 油锅烧热,下蒜末爆香,加肉末煸炒。变色后放入扁豆炒一会儿,然后加水煮,待扁豆煮熟后放盐、胡椒粉调味,最后用水淀粉勾芡,盛出浇在米饭上即可。

小提示: 扁豆不焖熟易引起食物中毒,一定要炒熟扁豆。

辣鸡肉烩饭

材料: 热米饭250克,鸡腿1只,荸荠40克。

调料: 酱油、料酒、淀粉、糖、醋、豆瓣酱、香油、姜、蒜各适量。

做法:

1. 荸荠去皮,切丁;鸡腿去骨,切成小丁,放入碗中加少许酱油、料酒、淀粉腌15分钟;姜、蒜均切成末。
2. 油锅烧热,下腌好的鸡块炒至半熟,盛起备用。
3. 锅内留适量油,烧热后放豆瓣酱和姜、蒜末炒香,放荸荠、鸡肉,再加适量酱油、料酒、糖和适量水同炒,淋几滴醋和香油,待肉、菜都熟时加入米饭烩炒。

巧变化: 因鸡腿肉质结实,不易煮老,快炒时先用热油氽一下,即可快速炒熟并烹调入味。

咸鱼鸡粒烩饭

材料: 热米饭250克,咸鱼150克,鸡胸肉100克,青椒60克,蒜苗20克。

调料: 盐、胡椒粉、米酒各5克,糖10克。

做法:

1. 咸鱼、鸡胸肉、蒜苗均切末;青椒去蒂和子切块。
2. 油锅烧热,放咸鱼及鸡肉炒熟,再加入蒜苗、青椒同炒几下,放盐、胡椒粉、米酒、糖调匀与米饭烩炒。

小提示: 鸡肉应选择油脂少热量高的鸡胸肉,含丰富蛋白质,对人的骨骼和肌肉发育很有帮助。

罗汉素烩饭

材料：热米饭250克，香菇3朵，毛豆20克，豆腐皮2张，莲子数粒，魔芋半块，胡萝卜、西兰花、笋片各20克。

调料：盐适量，酱油10克，水淀粉15克，素高汤300克。

做法：

1. 香菇泡软，去蒂切丁；豆腐皮用热水泡软，切段；西兰花洗净，切成小朵；魔芋洗净切片；胡萝卜去皮切片；莲子煮熟。

2. 油锅烧热，放香菇爆炒，然后依次放毛豆、莲子、魔芋、西兰花、胡萝卜、豆腐皮、笋片，将这些材料炒几下后，放酱油、盐、素高汤煮开后继续煮约5分钟与米饭拌炒。

巧变化："罗汉"在素食中的意思为材料丰富。这种饭可以按自己喜好添加和更换材料，比如其他的食用菌、豆制品、蔬菜等。

素鲜菇烩饭

材料：糙米饭250克，鲜冬菇2朵，杏鲍菇10朵，金针菇20克，豌豆30克。

调料：素高汤200克，糖3克，素蚝油5克，味精、胡椒粉、香油各少许。

做法：

1. 将鲜冬菇、杏鲍菇、金针菇洗净切片；豌豆洗净。

2. 锅中放入素高汤、糖、水、素蚝油煮开，将各种鲜菇和豌豆放入锅内，小火煮熟。

3. 与米饭烩炒，或用水淀粉勾薄芡，再淋少许香油，关火将做好的菜连汁一起浇在米饭上。

小提示：烹饪鲜菇时一定要用小火才能将菇类的香、甜与素高汤的甘鲜充分调和。

腊味糯米饭

材料：糯米300克，腊肠、腊肉各30克，虾仁50克，香菇3朵。

调料：盐适量。

做法：

1. 糯米洗净，用清水浸泡2小时，捞出沥干水；腊肉、腊肠洗净，切成小丁；虾仁洗净；香菇去蒂洗净，切成小块。

2. 炒锅内放油烧至七成热，倒入糯米以文火不断翻炒与油拌匀，然后淋入少量开水，加盖焖3分钟，开盖再炒几下，再加少许水和油继续加盖焖，如此反复直到糯米涨发起来，放入其他材料同炒，然后盖上锅盖以小火焖至米熟即可。

小提示：炒糯米时一定要用文火，否则米炒不熟。

腊味香肚饭

材料： 大米250克，腊味香肚80克，豌豆30克。

调料： 盐、胡椒粉各适量。

做法：

1. 大米洗净，放入电饭锅内，加适量水（平日焖饭的量），泡30分钟。

2. 香肚切片，码放在米饭表层；豌豆洗净，均匀地撒在米饭表层。

3. 饭锅内撒上适量盐、胡椒粉，盖上盖，打开电锅开关。饭熟后继续焖15分钟即可。

小提示： 腊味香肚在超市可以买到，选那种小香肚，一般放半个到1个即可。

腊味煲仔饭

材料： 米200克，腊鸭腿、腊肠、腊肉各40克，净菜心80克。

调料： 蒜片、酱油、鸡精、蚝油、糖各适量。

做法：

1. 在砂煲底部抹层油，放入洗净的米，米和水的比例为1：1.5，然后大火烧约9分钟左右转小火慢慢煮。

2. 将腊鸭腿、腊肠、腊肉切成片，看饭半熟时，把腊味、菜心一齐平铺到饭的表层，继续小火煲。

3. 炒锅内放少许油，下蒜片、酱油、糖、鸡精、蚝油，再加一些水，炒匀制成"酱油浇头"，饭熟后关火，把"酱油浇头"淋入砂煲即可。

小提示： 煮煲仔饭应选细粒、修长、带韧性、黏性不大的米。

豌豆菜饭

材料： 大米250克，鲜豌豆、青菜各300克，广式香肠50克。

调料： 盐适量，味精少许。

做法：

1. 将大米淘洗干净后沥水；将广式香肠切丁；青菜择洗净，切成小段；豌豆洗净备用。

2. 炒锅内放油烧热，放香肠丁、豌豆一起煸炒几下后出锅备用。

3. 将大米、香肠丁、豌豆一起放入煮锅内，加适量水，开大火烧开5分钟左右，待米汤近干时改用小火焖。

4. 炒锅内放油烧热，放青菜炒至变色后，加盐、味精炒匀，然后将青菜加入米饭锅内再用小火焖5分钟左右即可关火。

小提示： 煮菜饭时的加水量与正常煮米饭时一样，基本上米与水的比例是1：1.2。

鸡蛋菜饭

材料：大米250克，鸡蛋2个，青豆50克，胡萝卜30克，猪肉末30克。

调料：盐、酱油各适量。

做法：

1. 鸡蛋加少许盐打散，下热油锅中炒熟划碎后盛出备用；胡萝卜洗净去皮，切成小丁；青豆洗净。

2. 炒锅内放少许油，烧热后放肉末炒几下，再放胡萝卜、青豆、酱油一起炒熟，加适量盐调味。

3. 米洗净放一大碗中，加适量水，将炒好的鸡蛋和所有蔬菜、肉末一起铺在米上，撒少许盐拌匀，上蒸锅旺火蒸熟即可。

小提示：菜饭也可以放入电饭锅内煮，建议等开关跳起后5分钟，再将开关按下焖片刻（2~3分钟），使锅内多余水分蒸发掉。

火腿菜饭

材料：冷米饭250克，火腿50克，油菜200克。

调料：盐适量。

做法：

1. 火腿切成丁，放热油锅内炒熟备用。

2. 油菜洗净，切成小段。

3. 炒锅中倒油烧热，放油菜、盐略炒至软，加火腿炒香，放米饭拌匀，将这些菜与饭一同放入锅内蒸10分钟即可。

小提示：油菜经长时间蒸煮叶子会变黄，但不影响味道。要想保持菜叶的色泽，可以先将米煮好，拌入炒得八分熟的青菜，放锅内盖上锅盖焖几分钟即可。

巧变化：火腿可以用其他肉类、腊肉类代替，味道会一样鲜美。

山药蒸肉饭

材料：大米250克，山药、五花肉各100克。

调料：盐、胡椒粉各适量。

做法：

1. 五花肉去皮、洗净，切成小丁；山药洗净，去皮切丁。

2. 热油锅内放山药丁炸至酥，捞出沥油备用；热油锅内放五花肉丁，炒至肉香酥，加山药、盐、胡椒粉炒香，盛出备用。

3. 大米洗净，放入蒸锅中，加适量水和其他材料，用大火蒸熟即可。

巧变化：可以用芋头、土豆等淀粉含量高的根茎类蔬菜代替山药。

牛肉焖饭

材料：大米250克，牛肉100克，笋丝50克。

调料：葱2根，姜1片，酱油10克，料酒少许，水淀粉、盐各适量。

做法：

1. 大米洗净；牛肉洗净切片，用水淀粉、酱油、料酒调匀腌一下；葱洗净，切丝；姜切丝。

2. 锅内倒入油烧热，爆香葱丝、姜丝，加牛肉、笋丝翻炒，放盐翻炒几下关火。

3. 将炒好的牛肉和大米一起倒入锅内，加适量水，搅拌一下，点火焖熟米饭即可。

巧变化：牛肉可以换成其他肉类。

蔬菜焖饭

材料：大米250克，大白菜300克。

调料：盐、鸡精各少许，蒜2瓣。

做法：

1. 大白菜洗净，切片；蒜去皮切片；大米洗净。

2. 油锅烧热，下蒜片爆香，放白菜炒几下，加盐、鸡精拌好，再放大米和适量水，盖上锅盖焖煮，到米饭熟即可。

小提示：大白菜可以依个人口味用油菜、菠菜等蔬菜代替。

鸡腿饭

材料：大米250克，鸡腿1个。

调料：米酒1杯，姜、盐、汤各适量。

做法：

1. 大米洗净，沥干；姜去皮洗净切末；鸡腿洗净剁成块。

2. 炒锅中倒油烧热，煸炒姜末，放鸡块爆炒，然后加米酒、盐、大米一起拌匀，加上汤。

3. 将炒锅中的米、肉连同汤一起倒进砂锅中（控制水量为焖饭的量），点火焖熟即可。

小提示：姜去皮可以去除姜本身的苦味。

蒜香蟹肉饭

材料：大米200克，香菜20克，蟹肉50克，蒜味花生100克。

调料：盐3克，料酒10克，糖6克，胡椒粉2克，香油10克。

做法：

1. 将香菜洗净浸泡在水中10分钟，捞起沥干水分，香菜叶摘下留用，香菜茎切末备用，花生剥壳。

2. 将米洗净沥干水分，加入1杯水浸泡15分钟，再加入盐、料酒、糖、胡椒粉拌匀，蟹肉与香菜茎末、花生铺在米上，放入电饭锅中煮熟，熟后再焖15分钟。

3. 打开锅盖后，再加入香菜叶，略拌匀后，即可盛起食用。

小提示：蒜味花生和蟹肉都可以在超市买到。

三色焖饭

材料：大米200克，黄豆芽150克，木耳15克，高汤适量。

调料：盐、料酒、胡椒粉、香油各少许。

做法：

1. 将米洗净沥干水分，加入适量高汤（约2大杯），浸泡15~20分钟，再加入少许食用油、盐、料酒、胡椒粉、香油，略拌匀备用。

2. 将黄豆芽洗净，黑木耳泡开后洗净切丝，然后将黄豆芽与木耳丝一起铺在米上，放入电饭锅中煮熟，煮好后需再焖15分钟，打开锅盖后，用饭勺由下往上轻轻拌匀即可。

小提示：用高汤煨出的米饭十分鲜美。

茄香菜饭

材料：大米250克，长条茄子120克，青椒50克。

调料：糖、盐、香油各适量。

做法：

1. 将茄子去蒂洗净，切成斜片，浸泡在水中，要煮时再捞起沥干水分备用（防止氧化变黑）；青椒去蒂和子洗净，切成丁。

2. 将米洗净，沥干水分，再加入1大杯水浸泡20分钟。

3. 将茄子片、青椒丁、糖、盐、香油放在一起，稍微拌一下，放入电饭锅中与大米一起煮熟。

4. 电饭锅开关跳起后，先不要打开锅盖，继续焖20分钟左右。

小提示：打开盖后，加入葱末、蒜末、辣椒末，再搅拌均匀更好吃。

面食类

家常抻面

材料：面粉1000克，盐5克，冷水400克左右。

做法：

1. 把面和好，醒30分钟。
2. 用大擀面杖把面擀成5毫米左右厚的面皮，用刀抵着擀面杖把面片中间切开成两头相连的一片面皮，两头不切断，撒上干面，把面皮两头卷起来两手左右慢慢抻开，把面条拉长。
3. 用刀切去连着的面皮两头，把面抖开，其他的面团揉好，再如此做成抻面。
4. 水煮开，把抻好的面条下入锅中，可同时加一些作料，做成自己喜欢的汤面。

小提示：抻面和面时要加入比和手擀面团多的水，和成稍软的面团，醒好后再抻，注意两手加力要缓，别把面抻断了。

家常手擀面

材料：面粉500克，冷水175克。

做法：

1. 把面和好，揉成面团，用湿布盖上，醒30分钟。
2. 案板上撒上些干面粉，把醒好的面取出来，充分揉透，压扁，用大擀面杖把面擀到2~3毫米厚。
3. 把擀好的面皮像折扇一样折叠起来，左手按住面皮，右手持刀切成均匀的细条。然后撒上干面粉，把面条抖开。
4. 锅中加2/3锅的清水，水开后，将面条煮熟即可。

小提示：

◎在擀面的过程中，面粉中的面筋也会被擀出来，所以手擀面比机器轧的面条筋道得多。
◎卤料可以做成西红柿鸡蛋、雪菜肉丝、排骨汤等。

家常刀削面

材料：面粉500克，冷水150克。

做法：

1. 把面粉和成较硬的面团，醒30分钟备用。
2. 面团揉成前端较小，后端较大的长圆柱形。站在沸水锅前，左上臂微向前倾，左下臂平伸与手成一直线，托住面团，右手持刀（或刀片），顺着面团的平面一刀一刀上下削切，削的时候，后一刀的刀口要落在前一刀削过的棱线上。削出的面条呈三棱形条。也可把面揉成长方形厚饼状，将面卷在擀面杖中间偏下靠近锅的一侧，用刀削切。
3. 刀削面入锅，待水沸后点一次凉水，再沸后捞出。

小提示：

◎削面面团要和得稍微硬些，多揉一会儿，充分醒好，以保持面团的柔韧性。
◎刀削面可配肉丁炸酱、小炒肉、炖肉或三鲜卤吃。

家常拨鱼

材料：土豆500克，面粉1100克，冷水适量。

做法：

1. 土豆洗净，上锅蒸熟去皮，捣成泥状。
2. 将土豆泥与面粉混合，加水400克揉成软面团，放盆内，盖上湿布醒30分钟。
3. 锅内放入2/3锅清水，烧开后，取部分面团放在一个盘里，左手持盘向锅边倾斜，使盘中面团流向盘边，右手持竹筷，将流向盘边的面沿盘边剪切着往锅里拨成中间大、两头小的面鱼，待面鱼漂起来后，捞入碗内即可。

小提示：

◎拨面时，筷子要经常用水蘸一下，以免粘筷子。

◎可根据自己的口味做各种浇头。

家常揪面片

材料：面粉500克，冷水175克。

配料：里脊肉100克，番茄200克，白萝卜、土豆各150克。

调料：葱、姜、蒜少许，盐、醋、生抽、料酒、番茄酱各适量。

做法：

1. 葱、姜、蒜切片；里脊肉切丝；其他材料全部切小丁，用料酒和生抽腌15分钟。
2. 面和好，擀成一张面片，然后划成2到3指宽的条，再揪成约2至3厘米长大小的不规则面片。
3. 锅中放油烧热，放葱、姜、蒜爆香，放肉丝翻炒，肉丝变色后，放番茄丁和番茄酱，一起翻炒均匀，再放入白萝卜丁、土豆丁翻炒，加适量清水，把材料煮烂，再加盐和醋调味做成浇头。
4. 将面片投入开水锅中煮熟，加入浇头拌食。

小提示： 如果觉得揪面片麻烦，可把面片擀得薄一点，切成菱形小片。

家常打卤面

材料：手擀面250克，五花肉100克，鸡蛋2个，黄花、木耳、香菇（或口蘑）各适量。

调料：葱、姜、蒜泥、花椒、水淀粉、鸡精、盐、老抽各适量。

做法：

1. 黄花、木耳、香菇分别用热水泡发，洗净备用；泡发蘑菇的水滤出备用；五花肉切薄片备用。
2. 取汤锅加水，放入五花肉、葱、姜煮熟，加入黄花、木耳、香菇和泡发蘑菇的水炖20分钟，加入盐、鸡精、老抽调味，然后用水淀粉勾芡，芡熟再加入打散的鸡蛋形成蛋花，关火。
3. 炒锅烧热放油，放几粒花椒炸黑后浇在做好的卤上。
4. 面条煮熟，将卤浇在煮好的面上，加入蒜泥拌匀即可。

巧变化： 也可改以羊肉煸锅，放口蘑、木耳、黄花、勾芡，打上蛋花，浇花椒油即可。

家常炸酱面

材料：手擀面250克，猪肥瘦肉丁150克，黄酱200克。

配料：黄瓜、葱丝各适量。

调料：葱末、料酒、香油、猪油、白糖、味精各适量。

做法：

1. 炒锅放猪油，烧至六成热，放葱末，炸出香味，再放入猪肉丁煸炒片刻，加黄酱、水、料酒不停翻炒，炒至猪肉熟，待酱和油炒和时，加白糖再翻炒片刻，加味精，淋上香油即成。

2. 黄瓜洗净切丝。

3. 开水锅下面条，面条熟后盛入大汤碗内，加配料，再加炸酱拌匀即可。

小提示：炸酱面的面码（配菜）很讲究。初春一般用掐头去尾的豆芽菜、只有两片叶子的小水萝卜缨和腊八醋；春深用青蒜、香椿芽、豆芽菜、青豆嘴（新鲜青豆）、小水萝卜缨和萝卜丝（条）；初夏则以新蒜、焯过的鲜豌豆、黄瓜丝、焯熟的扁豆丝、韭菜段等为面码。

家常炒面

材料：面粉350克，猪瘦肉150克，蒜苗150克。

调料：葱末、酱油、盐、味精、料酒各适量。

做法：

1. 把猪肉洗净，切丝；蒜苗去掉两头，洗净，切小段备用。

2. 面粉和好，揉透揉匀，做成面条，煮熟过凉水，控净水，在面上洒一些植物油拌匀备用。

3. 炒锅放油烧热，用葱末炝锅，加入肉丝炒变色，放蒜苗翻炒，然后加料酒、盐、酱油、味精，略炒，再加熟面条，把菜和面翻炒均匀，加少许水，盖上锅盖，略焖一会儿，把面和菜拌匀即可出锅装盘。

小提示：面条煮熟即捞出过凉水，拌入少许植物油是为了让面条不粘连。

扁豆焖面

材料：手擀面300克，猪瘦肉150克，豆角300克。

调料：葱末、姜末、蒜末、酱油、盐、味精、料酒各适量。

做法：

1. 把猪肉洗净，切成丝；豆角择去头、筋，洗净，掰成小段；面条切成15厘米左右长短的段。

2. 炒锅放油，烧热后放姜末、葱末炝锅，加入肉丝炒散，肉丝变色后，把豆角段放进去翻炒，豆角成深绿色时加入盐、酱油、味精、料酒略炒，加适量水（水量为沸腾时与豆角面齐）。

3. 菜的汤汁滚沸后把生面条均匀地放在豆角上面，盖上锅盖，稍小火焖15分钟，见面条已熟、汤汁快收干关火，放入蒜末拌匀即可出锅。

小提示：加水以估计刚好材料熟、收干汤汁的量为准，不宜太多。

家常烩面

材料：面粉200克，新鲜羊肉150克，水发海带丝各少许，豆腐皮2张，青菜少许。

调料：葱末、姜末、蒜末、酱油、味精、盐、料酒、水淀粉、五香粉各适量。

做法：

1. 面粉和好做成宽面条备用。
2. 把羊肉洗净，切薄片，加酱油、盐、水淀粉、五香粉、料酒，抓匀腌制10分钟；海带丝切成6厘米长的段；豆腐皮切成细丝；青菜择洗干净，切成段。
3. 炒锅放油烧热后放蒜末、姜末、葱末爆香，加入羊肉炒散，加适量清水，放入海带丝、豆腐丝烧开，然后把面条下进去，煮熟后，加入盐、味精、青菜略煮，即可出锅。

小提示：烩面多以羊肉、牛肉为原料，其中羊肉烩面最为正宗。

家常凉面

材料：细切面500克，新鲜黄瓜2条。

调料：麻酱、辣椒油、酱油、糖、盐、味精、醋、香油、葱花、蒜末各适量。

做法：

1. 锅内放适量清水烧开，把面条放进去，用筷子拨散，煮熟后捞出，用凉水过一下，拌上少许香油，放入冰箱冷藏30分钟。
2. 把黄瓜洗净，切成丝；把麻酱放在碗里，用适量清水调稀，加其他调料拌匀，调成味汁。
3. 取出凉面条，浇入调好的调味汁，把黄瓜丝整齐地摆在上面，吃的时候拌匀即可。

小提示：切面要买那种细面条，如果能买到略带黄色的加碱细面条更好。

茴香鸡蛋包子

材料：面粉500克，茴香500克，鸡蛋3个，鲜酵母1块。

调料：熟油、葱末、姜末、盐、味精、香油各适量。

做法：

1. 面粉放入盆中，加入酵母和清水调制成软硬适当的面团，放置发酵待用。
2. 把茴香洗净，切成碎末，放在盆内；鸡蛋打到碗中，搅成蛋液。
3. 炒锅烧热，放少许油，烧热后加入蛋液炒熟，越碎越好，出锅放凉，倒入茴香里，加葱末、姜末、盐、味精、香油、熟油，搅拌均匀，备用。
4. 把面团下成25克1个的剂子，擀制成圆形面皮，包入适量馅心捏制成型，上笼屉中旺火蒸熟即可。

小提示：各种时令蔬菜都可以入馅，可以依据自己的爱好，任意选择自己喜欢的蔬菜来做馅料。

豆沙包

材料: 面粉500克，红小豆300克，白糖100克，熟猪油50克，鲜酵母1块。

做法:

1. 先将红小豆洗净，在热水中浸泡5个小时，充分涨发后入冷水锅中煮开，用小火焖煮3个小时至熟烂，取出晾温，包在豆包布里揉搓，压出水分，制成豆沙。

2. 炒锅内放猪油和白糖，烧热，放入豆泥，用木铲不断翻炒，炒至水分蒸发，豆沙呈凝固状时，即可出锅。

3. 面粉加水和酵母和面、发制，下成25克1个的剂子，加馅，做成豆包生坯，上笼屉蒸熟即可。

小提示: 煮小豆时要加上多量的水，500克小豆约加1000克水，先用大火烧开，再转为小火焖煮。炒豆泥时要先用中火炒，待水分快干时，改用小火，要勤翻动。

水煎包

材料: 面粉500克，猪肉馅500克，鲜酵母1块。

调料: 酱油、葱花、姜末、盐、味精、香油、花椒面各适量。

做法:

1. 面粉加入酵母和清水调制成软硬适当的面团，放置发酵待用。

2. 猪肉馅加酱油、葱花、姜末、盐、味精、花椒面和少许清水搅拌均匀，再滴入少许香油，拌成馅。

3. 把面团下成25克1个的剂子，擀皮，包好。

4. 将平底锅烧热，在锅底抹一层植物油，将包子生坯摆入平底锅，加适量凉水，盖上锅盖，待水快烧干时，再加一遍水，水中调入少量淀粉，盖上锅盖，见包子底部出现一层薄锅巴，颜色变得略黄时淋少许香油，铲出即可。

小提示: 第一遍加水时可稍撒一些面粉，水量一般以包子高度的1/4为宜。

小笼包

材料: 面粉500克，猪肉馅500克，鲜酵母1块。

调料: 鸡蛋1个，葱末、姜末、白酱油、白糖、味精、盐、料酒、高汤各适量。

做法:

1. 面粉加入酵母和清水调制成软硬适当的面团，放置发酵待用。

2. 猪肉馅中加入鸡蛋，搅拌均匀，再加入盐、糖、料酒、白酱油（少量）、色拉油(4～5小勺)、葱、姜末、味精拌匀，把高汤分次加入肉馅中，边加边不停搅拌，高汤与肉馅的量大概是1∶1。把搅拌好的肉馅放到冰箱中冷藏30分钟，让汤汁适当凝固。

3. 把面团下成15克1个的剂子，擀制成圆形面皮，包入适量馅心捏制成型，旺火蒸熟。

小提示: 如果用肉皮冻代替高汤，效果会更好。

水晶包

材料：面粉500克，猪板油150克，白糖150克，鲜酵母1块。

做法：

1. 面粉放入盆中，加入酵母和清水调制成软硬适当的面团，放置发酵待用。
2. 取少许面粉，在炒锅中炒熟，倒出备用；把猪板油去净筋膜，洗净后剁成小丁，加入白糖和炒好的面粉，搅拌均匀，制成馅。
3. 把面团下成20克1个的剂子，擀制成圆形面皮，包入少量馅心，提起三边，捏制成三角形，上笼屉中旺火蒸熟即可。

小提示：在包制水晶包时，馅料不要放得太多，因为馅料里的白糖溶化后容易溢出。

巧变化：糖三角也是这种做法和形状，只是馅料用红糖或麻酱中加入红糖。

叉烧包

材料：面粉1000克，猪肉500克，发酵粉适量。

调料：葱末、蒜末、姜末、酱油、盐、白糖、料酒、红曲各适量。

做法：

1. 把猪肉洗净，切成1厘米左右的粗条，放入大碗内，加酱油、料酒、盐、白糖、葱末、蒜末、姜末抓匀，腌渍2～3个小时捞出，控净汁水。
2. 炒锅内放油，烧热后，把肉条放进热油锅里炸，见肉条外表焦黄时即捞出，晾温后切成小丁备用。
3. 另起锅放油，烧热后，加入红曲，炒出红色，加入腌肉时的汤汁和少许白糖，继续炒至汤汁浓稠，加入切好的肉丁，翻炒均匀，制成叉烧肉馅料。
4. 面粉中加少量白糖，加温水、发酵粉和好，放置2小时发酵，揉透揉匀，下成20克1个的剂子，擀成中间厚、两边薄的皮，包入叉烧肉馅，上屉蒸15分钟即可。

小提示：包好立即上笼大火蒸至开花。

蒸饺

材料：面粉500克，猪肉300克。

调料：盐、味精、料酒、酱油、葱末、姜末各适量。

做法：

1. 面粉用开水和成烫面面团，揉透揉匀备用。
2. 猪肉洗净，剁成肉泥，加盐、酱油、味精、料酒、葱末、姜末和少许清水，搅拌均匀备用。
3. 将面团分块揉匀、搓条，做成小剂子，按扁，擀成厚薄均匀的圆形坯皮，包入馅心，捏成饺子，放入蒸笼中。
4. 蒸锅里放水烧开，把蒸笼放在蒸锅上，加盖盖严，旺火蒸10分钟即可。

巧变化：蒸饺的馅料也可以用牛肉、羊肉，做成牛肉蒸饺、羊肉蒸饺，做法同猪肉蒸饺一样；还可以加入菜料做成荤素馅蒸饺，比如韭菜馅、白菜馅、胡萝卜馅等。

煎饺

材料：面粉500克，鲜猪肉400克，大葱50克。

调料：酱油、盐、味精、姜末、料酒、香油各适量。

做法：

1. 面粉和成冷水面团，盖上湿布醒30分钟。

2. 将猪肉洗净，剁成肉末，放在一盆中；大葱洗净，切成葱末，放到肉馅上，加适量酱油、盐、味精、姜末、料酒，搅拌均匀后，加少许清水，顺着一个方向搅拌均匀，淋入香油，拌匀备用。

3. 面团揉匀，做成剂子，擀成皮，包入馅心，捏成饺子。

4. 平底锅烧热，在锅底抹一层油，将饺子摆入平底锅，加入适量凉水，盖上锅盖煎制，待水快烧干时，再放一次水，盖上锅盖，见饺子底部出现一层薄锅巴，颜色变得略黄时，淋少许油略煎即可。

巧变化：煎饺也可以是各种其他馅料，比如韭菜鸡蛋等。

锅贴

材料：面粉500克，猪肉馅300克。

调料：盐、味精、料酒、酱油、葱末、姜末各适量。

做法：

1. 猪肉馅加盐、酱油、味精、料酒、葱末、姜末和少许清水搅拌均匀成肉馅。

2. 把面粉和成烫面团，待凉后，揉透揉匀，下成小剂子，擀成圆形薄面皮；左手托住面皮，用小勺取适量馅放在面皮中间，把面皮扯起对折成半圆形，右手五指散开，夹住面皮轻轻捏拢，下部两边略留空隙不捏和。

3. 平底锅烧热，在锅底抹一层油，将锅贴摆入平底锅，盖上锅盖煎片刻，待面皮将熟时，加少许凉水，再盖上锅盖，均匀煎至底部焦黄即可。

小提示：锅贴皮要厚薄均匀，包馅时要把馅抹在皮子的中间以免漏馅。

馄饨

材料：面粉300克，猪肉馅300克，鸡蛋3个，虾皮适量。

调料：盐、酱油、味精、香油、胡椒粉、葱、姜、紫菜、香菜各适量。

做法：

1. 猪肉馅中放入酱油、盐、味精、香油搅拌均匀；葱、姜切成末，拌入肉馅中，调好肉馅；鸡蛋取蛋清。

2. 面粉里加蛋清、盐、适量水和成面团，揉透揉匀按扁，用长擀面杖擀成1毫米厚的大面皮，撒上一层干面粉，然后折叠成数层，每折一层即撒一层干面粉，然后切成梯形的馄饨皮；左手托住馄饨皮，右手用筷子把适量肉馅抹在面皮上，两手从上往下卷起面皮，卷到面皮的2/3处，将两头的面皮角合拢捏成元宝形，如此包好所有的馄饨。

3. 水烧开，下入馄饨，烧开后，见馄饨浮起再煮2分钟，连汤捞入碗中，再撒上紫菜、胡椒粉、虾皮、香菜，淋入少许香油即可。

小提示：馄饨皮也可以下成饺子1.5倍大的剂子，擀成薄片，切4份，分别包入肉馅。

鲜肉水饺

材料: 面粉500克, 鲜猪肉400克, 大葱50克。

调料: 酱油、盐、味精、姜末、料酒、香油各适量。

做法:

1. 面粉和成冷水面团, 放案板上, 盖拧干的湿布, 醒30分钟。

2. 将猪肉洗净, 剁成肉末, 放在一盆中, 大葱洗净, 切成葱末, 放到肉末上, 加适量酱油、盐、味精、姜末、料酒, 搅拌均匀后, 加少许清水, 顺着一个方向, 搅拌均匀, 淋入香油, 拌匀备用。

3. 将醒好的面团分块揉匀、搓条, 做成小剂子, 按扁擀成圆形坯皮, 包入馅心, 捏成饺子, 下入沸水锅中煮熟即可。

巧变化: 其他肉类均可入馅, 比如牛肉大葱馅、羊肉馅、虾仁馅等, 特别是虾仁馅, 由于味道鲜美、营养丰富, 更是深受人们的喜爱。

三鲜水饺

材料: 面粉500克, 猪肉馅400克, 虾肉100克, 水发木耳50克。

调料: 香油、酱油各50克, 料酒、盐适量, 味精、葱末、姜末各少许。

做法:

1. 面粉和成冷水面团盖上湿布, 醒30分钟; 虾和木耳洗净切碎。

2. 猪肉馅放入盆内, 加适量清水, 使劲搅打至黏稠, 再加洗净切碎的虾肉、木耳、料酒、酱油、盐、味精、葱末、姜末和香油, 拌匀成馅。

3. 将醒好的面团揉匀、搓条, 做成小剂子, 擀成圆形皮, 包入馅心, 捏成饺子。

4. 水烧开, 下生饺子, 边下边用勺慢慢推转, 煮约2分钟, 见饺子浮起后, 加盖焖煮4~5分钟, 中间开盖点水2~3次, 再敞煮3~4分钟即成。

小提示: 一般熟馅料饺子或素饺子开锅煮一会儿面熟即可, 生馅料则要点几次水。

南瓜饼

材料: 南瓜750克, 糯米粉500克, 蜂蜜30克, 面包粉适量。

做法:

1. 南瓜去皮, 切小片, 放锅内加水没过南瓜, 大火烧开, 小火焖煮25分钟, 用勺子把南瓜全部压成泥, 晾凉。

2. 把蜂蜜加到南瓜泥中, 边搅动南瓜泥边加入糯米粉 (不需要再加水) 揉匀。

3. 把南瓜面团下成20个剂子, 上笼屉蒸15分钟, 取出晾温; 把剂子揉成圆球后按压成小饼, 将小饼两面均匀沾上面包粉。

4. 锅中放适量油, 烧热, 南瓜饼下入油锅, 炸至表皮基本定型, 面包粉呈金黄色即可。

小提示: 因为南瓜饼已经蒸熟, 所以油炸时可用大火快速炸制成型。

家常饼

材料：面粉500克。

调料：盐少许。

做法：

1. 将面粉加300克温水、少许盐，和成水调面团，揉匀揉透后，略醒一会儿。

2. 取出面团，搓成长条，按扁后擀成长方形面皮，在上面抹一层植物油，由外向里卷成卷，根据需要切成大小均匀的段，每一段都用手拉成长条，然后扯起一端由外向内盘卷成螺丝形，按扁后再擀成小薄饼。

3. 把面饼生坯放在平底锅中用油烙的方法烙熟即可。

小提示：家常饼的面要用温水和，也可稍加一些开水，但不宜太多。面要揉透揉匀。

家常肉饼

材料：面粉500克，猪肉200克。

调料：盐、葱花、酱油、味精、料酒、香油各适量。

做法：

1. 把猪肉洗净，切成肉粒，用盐、酱油、料酒抓匀，在猪肉里加入葱花、味精、香油和少许清水，调成肉馅备用。

2. 面粉和成面团揉透揉匀，搓成长条，切成50克一个的面剂，逐个按扁后，擀成皮，包入肉馅，像包包子一样收口，从收口处按扁，擀成圆形的面饼。

3. 把面饼生坯在平底锅中烙熟即可。

巧变化：家常肉饼还有牛肉饼、鸡丝饼等，做法同上。

葱花肉饼

材料：面粉500克，猪五花肉（肥肉占七成）300克，葱白150克。

调料：盐、味精、香油、花椒粉各适量。

做法：

1. 将猪肉切成小丁，葱白洗净，切成葱花，猪肉丁、葱白加盐、味精、花椒粉、香油拌成馅。

2. 面粉加适量温水和成面团，揉透揉好，搓成长条，下10个面剂，把面剂按扁，擀成皮，包入馅，像包包子一样收口，按平。

3. 把面饼生坯在平底锅中烙熟即可。

小提示：面团一定要多揉几遍，直至光滑，再进行制作。

蒸千层饼

材料: 面粉500克,面肥100克,食用碱少许。

调料: 盐少许。

做法:

1. 把面粉倒在案板上,扒个坑,加面肥,用250克温水和成面团,醒2个小时左右。

2. 把醒好的面团加适量的碱揉匀,搓成长条,按扁,用擀面杖擀成长方形薄片,刷上一层植物油,撒上盐和少许干面粉,然后从上、下向中间对卷,卷到中间后,用刀顺条分开,再横过来分成25克重的面剂。

3. 面剂光面向下,从两头向里擀成长方形,对折三层,擀开,再折叠三层,横过来擀开,擀成长约10厘米、宽约7厘米的面坯,放到水已沸腾的蒸锅里,用旺火蒸20分钟即熟。

小提示: 如不习惯用面肥,就用鲜酵母与面粉加水揉和醒发。

萝卜丝酥饼

材料: 面粉500克,熟猪油175克,猪肉50克,白萝卜(胡萝卜)250克,猪板油50克,火腿丁50克。

调料: 盐、味精、葱花、姜末、香油、白糖、花椒面各适量。

做法:

1. 将萝卜洗净擦丝,加盐拌匀挤去水;猪板油切小丁,和火腿丁、葱花、姜末放入萝卜丝中,加盐、味精、白糖、花椒面、香油搅拌成萝卜丝馅。

2. 把250克面粉和125克熟猪油和成干油酥面团;把余下的面粉加入猪油50克和温水125克和成水油面团,把干油酥面团包入水油面团内,擀成长方形面片,由上向下卷起,揪成50克一个的面剂,擀成薄面皮,包入萝卜馅,收严剂口,剂口朝下。

3. 锅内放油烧热,放入饼约炸10分钟,酥饼浮上,外壳油亮即可。

小提示: 萝卜丝酥饼制作的关键在于酥皮,是利用油水不相溶的特点来和面。

白糖烧饼

材料: 面粉500克,面肥50克,食碱少许。

调料: 白糖200克,芝麻适量。

做法:

1. 取少许面粉,在炒锅中炒熟,晾凉后,拌入白糖,调成馅。

2. 将面粉和面肥加水和匀成面团,发酵后兑碱,揉匀,搓成长条,揪10个面剂,逐个将面剂用手捏成中间厚、边缘稍薄的圆形面皮,然后把糖馅包入,收严口,然后再擀成圆饼,在饼面刷少许植物油,撒上少许芝麻粒。

3. 待烤箱烧热后,将饼坯放入烤盘,烤至上色后,翻面再烤3、4分钟,见圆饼鼓起呈金黄色即可。

巧变化: 烧饼的馅料可以用芝麻、豆沙、椒盐等,做成咸、甜不同的烧饼,口味可依据自己的爱好自行调制。

老婆饼

材料：面粉500克，白糖300克，熟猪油150克，葡萄干50克，糯米粉、枸杞子、熟植物油各少许。

做法：

1. 将面粉250克、猪油100克放在案板上，用手反复揉搓成干油酥面团；将面粉250克放入盆中，加猪油50克、温水100克和成水油面团，揉透揉匀后，盖上湿布醒发10分钟。

2. 把干油酥面团包入水油面团，擀成长方形薄片，然后卷成长条，下成大小均匀的面剂，逐一把面剂按扁，擀成圆形薄面皮，包上馅料，收严剂口，按扁后再擀成圆形面饼，用刀在面饼生坯上划两道口子。

3. 将面饼坯放入180℃烤箱中烤熟即成。

小提示：烤的时候要用中温烤制，烤到面饼金黄、酥脆即可。

玉米面饼

材料：玉米面500克，白面粉少许，白糖少许。

做法：

1. 将玉米面放在面盆里，加少许白面粉和白糖掺和均匀，加150克温水，抄拌均匀，和成玉米面团，面稍微和软一些。

2. 把和好的面团依据要求分成大小均匀的等份，取出一份，在案板上用手揉成一团，然后按扁，稍微用擀面杖在上面擀几下，擀成圆形的坯子。

3. 平底锅烧热后，把生坯放在平底锅上，用小火烘烤，盖严锅盖，直至把向下的那一面烤成黄色、饼熟为止。

小提示：也可以采用蒸的熟制方法，做成玉米面糕，但要用发面。

炒饼

材料：烙饼250克，绿豆芽200克。

调料：葱花、姜丝、盐、味精各少许。

做法：

1. 把烙饼切成细丝；绿豆芽择洗干净，控净水备用。

2. 炒锅中放入适量植物油，烧热后先把饼丝放入煸炒，炒至部分变成黄色时盛出。

3. 炒锅中再放油烧热，放入葱花、姜丝炒出香味后，放入绿豆芽，加盐、味精略炒，把炒好的饼丝放进去，盖上锅盖，稍焖一会儿，把菜和饼丝搅拌均匀即可。

巧变化：也可以用肉和其他素菜来炒，家庭比较常吃的是猪肉卷心菜炒饼。

烩饼

材料： 烙饼250克，鲜羊肉100克，水发木耳少许，水发黄花菜少许，水发海带少许。

调料： 葱、姜、蒜各少许，酱油、盐、味精、料酒、五香粉、香油、水淀粉各适量。

做法：

1. 把烙饼切成三角块；羊肉洗净，切成薄片，加入少许酱油、盐、料酒、五香粉、水淀粉抓匀；木耳洗净后切成小片；黄花菜洗净挤干水分，海带洗净，切成块；葱、姜、蒜均切成末。

2. 炒锅里放油，烧热后加入葱、姜、蒜末爆香，再放入羊肉片炒散，加适量清水，放入木耳、黄花菜、海带烧开，放入切好的饼块略烧，加入盐、味精，淋上香油即可。

巧变化： 依据此法也可以做成牛肉烩饼等，里面的原料可依据自己的口味自行添加。

疙瘩汤

材料： 面粉100克，西红柿1个，鸡蛋2个。

调料： 葱花、盐、味精、香油各少许。

做法：

1. 西红柿洗净，切小块；鸡蛋打到碗里，放少许盐，搅拌成鸡蛋液待用。

2. 把炒锅烧热，放少许植物油，用葱花炝锅，加入西红柿块翻炒几下，加适量清水，烧开。

3. 面粉放在大碗里，水龙头的水开到最小，边加水边顺着一个方向搅拌，把面粉拌成小疙瘩，陆续拨入锅中，然后把鸡蛋液徐徐倒入锅中，搅拌均匀，烧开，加入盐、味精，见疙瘩已熟，调好口味，淋上香油即可出锅。

巧变化： 可以根据自己的口味，自行加各种原料，比如青菜、海米、肉丝等，做成各种口味的疙瘩汤。

朝鲜冷面

材料： 荞麦面粉、白面粉、食碱、熟牛肉、苹果片、朝鲜泡白菜等各适量，煮熟的鸡蛋半个。

调料： 朝鲜辣酱、香油、盐、糖、味精、白醋、酱油等各适量。

做法：

1. 将荞麦面粉、白面粉按6：4的比例混合，以开水烫成稍硬的面团，加适量碱后，揉匀，擀切成细面条，入开水锅里煮熟，过凉水待用。

2. 用少许白醋、酱油、糖、味精、盐加上清水调出适合自己口味的冷面汤，放入冰箱冰镇待用。

3. 面条上放泡白菜、煮鸡蛋、苹果片及四五片熟牛肉，浇上辣酱，最后浇上冰好的汤，淋上香油即成。

小提示： 冷面以荞麦面为主要原料，也可以用其他面代替，注意面不要煮得时间太长了，熟后即可盛出过冰水。

黄米面年糕

材料： 黄米面250克，温水100克。

配料： 枣泥或豆沙（或枣泥、豆沙混合馅）适量，白糖适量，香油少许。

做法：

1. 将黄米面加白糖搅拌均匀，用温水和好（大致成团即可），上笼屉用旺火蒸约25分钟左右取出。

2. 蒸好的面团取出稍晾，不烫手时把面团揉匀，放在抹有少许香油的案板上，擀压成薄片。

3. 在面皮上，抹上豆沙馅或枣泥馅，然后折叠起来，再抹上一层馅，上屉蒸熟。

4. 吃时用刀从边上切条放在盘中，撒上白糖即可。

小提示： 南方的年糕主要是用糯米做，北方的年糕主要用黄米面来做，同样都有甜、香、糯的特点。

春 饼

材料： 高筋面粉250克，开水160克。

配料： 酱牛肉丝适量，炒和菜，摊鸡蛋，甜面酱，葱白丝。

做法：

1. 面粉要一边加开水一边用筷子搅拌面粉成雪花片，晾凉，和成光滑的面团盖上湿布醒20分钟。

2. 将醒好的面团揉透，搓成长条，揪成20个小圆剂子，擀成饺子皮大小的面皮后，表面抹上油，5个叠在一起，再擀成20厘米大小的面片。

3. 平底锅抹上油，稍烧热，把饼放入锅中，用小火烙至表面有点鼓起，翻面再烙一会儿就可以了。

4. 把烙好的饼一层层揭开，把配菜卷入饼中食用。

小提示： 吃春饼最主要的是和菜，用肉丝炒绿豆芽、水发粉丝、菠菜和韭菜和炒。讲究的可加海参丝、肚丝、香菇丝、玉兰片丝或冬笋丝、火腿丝，这样就更好吃，也更营养。

烧 卖

材料： 高筋面粉500克，沸水200克，牛肉350克。

调料： 葱、姜末各10克，酱油、盐、味精、香油各适量。

做法：

1. 面粉边浇沸水边搅拌，和成稍硬一些的烫面团，摊开晾凉，揉好，盖上湿布醒20分钟。

2. 牛肉洗净，剁成末，加酱油、姜末、200克水、盐、味精搅拌成稀糊状，放入葱花、香油，搅拌均匀。

3. 将面团揉透，搓成长条，揪成10克一个的面剂，把剂擀成中间稍厚、边缘稍薄的面皮，左手托住面皮，右手放馅，把四周面皮向上拢起，在面皮略靠上的部分把收口捏紧，摆入水已烧开的蒸笼内，蒸15分钟即可。

小提示：

◎面团要稍微和得硬一些，揉透揉匀，以增加柔韧性。

◎牛肉馅里的水不要加太多，成稀糊状即可。面皮收口一定要严，防止漏馅。

韭菜盒子

材料：中筋面粉500克，韭菜300克，鸡蛋4个，虾皮100克。

调料：葱末、姜末各少许，盐、鸡精、香油各适量。

做法：

1. 将面粉加250克水，和成冷水面团，醒20分钟，然后揉透，揪成50克一个的剂子，擀平成圆形面皮待用；将鸡蛋炒熟成碎粒备用。

2. 韭菜洗净、切碎，然后加入炒碎的鸡蛋和虾皮、葱末、姜末、盐、鸡精和香油调味，做成馅。

3. 包成半月形的馅盒子，捏紧捏薄边缘，并捏出褶纹叠压的花边。

4. 平锅内放少量油，用小火将盒子煎至两面金黄即可。

巧变化：喜欢吃肉的，也可以在馅中加猪肉，还可以加泡发好的粉丝，豆腐干等等。

荞面猫耳朵

材料：荞麦面400克，白面100克。

配料：肉丁适量，四季豆、蘑菇、番茄各适量。

调料：酱油、盐、味精、香油各适量，葱末、姜末、蒜末少许。

做法：

1. 把荞麦面、白面混合，加沸水和成面团，盖湿布醒30分钟；四季豆、蘑菇、番茄均洗净，切成丁。

2. 醒好的面揉匀，揪成蚕豆大小的面丁，面丁放在左掌心，右手大拇指按住面丁，往手掌边缘方向自然搓动，面丁卷起成皮，形似猫耳朵。

3. 炒锅放油，烧热，放葱末、姜末、蒜末爆香，入肉丁略炒，见肉丁变色后，即加入四季豆、蘑菇、番茄稍翻炒，加入适量水，烧开后，把猫耳朵下入，煮熟后，加酱油、盐、味精调味，淋香油即可。

巧变化：用白面、莜面、玉米面、高粱面等都可以制作猫耳朵，做法相同。

玉米面发糕

材料：玉米面250克，面粉50克，净小枣10个，温水150克。

配料：白糖适量，干酵母少许，苏打粉半小勺。

做法：

1. 干酵母用温水化开待用。

2. 将玉米面、白面混合均匀，加入适量白糖、少许酵母、苏打粉，然后加水调成较稀软的面团，揉至"三光"（手光、面光、盆光），置于15℃以上的温度中发酵。

3. 面糊倒在蒸屉的屉布上，摊平，间隔放上小枣，蒸25分钟即可拿出食用。

小提示：玉米面要充分发起来，做出来的发糕才柔软甜香。

237

枣窝头

材料：玉米面500克，白糖25克。
配料：红枣适量。
做法：
1. 红枣洗净，去核，待用。
2. 玉米面中加白糖，加烫水（约70℃）250克搅拌成散团状，揉和成面团，盖湿布醒30分钟。
3. 醒好的面团放在案板上揉透后，揪成50克一个的剂子，把剂子团捏成圆锥形，右手拇指伸入圆锥底部，与其余四指配合捏出洞窝，并加以修整，使光滑圆整。
4. 在生坯顶端嵌入一个红枣，上屉蒸熟即可。

巧变化：高粱面、荞麦面也可以依据此法做成窝窝头，香味浓郁、风味独特。

莜面栲栳栳

材料：莜面粉500克。
配料：羊肉50克，葱末、姜末、蒜末各少许，香菜少许。
调料：酱油、盐、料酒、味精、香油各适量。
做法：
1. 羊肉洗净，切成薄片；炒锅放油，烧热，放葱、姜、蒜末炝锅，放入羊肉片，炒散后，加酱油、盐、料酒和少许清水，烧开，加入味精，淋上香油，做成羊肉卤，盛出备用。
2. 在莜面中逐次加开水（共350克）和揉成面团，揉至"三光"。
3. 从面团上揪出约1立方厘米的小剂子，大拇指向前用力把剂子推压成小长薄片儿，然后拇指、食指夹起面片一端，迅速掀起，使面片卷于食指上成圆筒状，竖直放入蒸笼中，码放满1笼大火蒸15分钟，食用时浇上羊肉卤，撒上点香菜末即可。

巧变化：卤汁肉的、素的、凉的、热的均可。

荞面沓馍馍

材料：荞麦面200克，葱花少许。
配料：盐、花椒面各适量。
做法：
1. 将荞麦面加水搅和成半稠的糊状，加入盐、花椒面、葱花等调料，搅拌均匀。
2. 炒锅加少许植物油，烧热，用勺子舀上面糊旋转着倒入锅中，接着转动锅，使其中面糊流动成较为均匀的圆饼，稍烤一会儿，待其上面凝固变色，下面烤成金黄色，即可出锅，食用时蘸醋、辣椒、咸菜等。

小提示：做好后一定要趁热吃才好吃。

大米粥

材料：粳米 250 克。

做法：

粳米淘洗净，与适量清水同放锅内，置大火上煮开，再转小火，火候以盖上锅盖粥微滚不溢出为好，慢煮30分钟左右至米粒伸长、开花即可。

小提示：米与水的比例为 250 克米加 3000 克水，煮约 30 分钟即为稠粥。可根据稀稠偏好调节水量。

小米粥

材料：小米 200 克。

做法：

小米淘洗净，与适量清水同放锅内，置大火上煮开，再转小火，不停搅拌，煮至小米开花即可。

小提示：熬煮过程中不停搅拌，是为了不使米粒粘锅。

二米粥

材料：小米 100 克，粳米 100 克。

做法：

将小米、粳米淘洗净，将粳米与适量清水同放锅内，置大火上煮开，加入小米，开锅后转小火，煮至米烂粥稠即可。

小提示：不同的米煮熟所需的时间不同，所以投放的次序也不同。小米与粳米熟得快慢区别不大，也可以图省事一同放人。

绿豆粥

材料：绿豆60克，粳米15克。

做法：

绿豆、粳米淘洗净，将绿豆与适量清水同放锅内，置大火上煮开，再转小火，煮至将熟时，放入粳米，烧开后继续以小火煮至绿豆开花、米烂粥稠即可。

小提示：绿豆不易熟烂，所以要先煮。

玉米面粥

材料：玉米面150克。

做法：

1. 将玉米面放入碗中，用温水调成糊。

2. 锅置火上，放水烧开，倒入玉米面糊，略滚后转小火，不停搅拌，熬约5分钟，至粥熟呈黏稠状即可。

小提示：玉米面下锅后要不停搅拌，以免煳锅。

五豆粥

材料：粳米100克，红小豆100克，豌豆、黑豆、黄豆、白芸豆各适量。

做法：

1. 将五种豆子淘洗净，加水浸泡约2小时，与适量清水同放锅内，置大火上煮开，再转小火，煮至豆熟备用。

2. 粳米淘洗净，与适量清水同放锅内，置大火上煮开，再转小火，煮约15分钟至将熟时放入五种豆子，稍煮至熟即可。

小提示：五种豆子不宜煮得太烂，否则影响口感。以豆子面而不烂为度。

玉米糁子粥

材料：玉米糁子150克。

做法：

玉米糁子淘洗净，放入高压锅中，加水适量，以大火煮沸，盖上盖，加上安全汽阀，以小火熬约15分钟，端离火位，静置一会儿，待蒸汽排完、温度降低后，开盖后见玉米糁子酥烂、粥稀稠适度即可。

小提示：高压锅熬粥一次不宜太多，不能超过锅容积的1/3，以免粥粒堵住安全汽阀小孔，发生意外。

皮蛋瘦肉粥

材料：粳米100克，猪瘦肉100克，皮蛋2个（约120克），芹菜适量。

调料：排骨汤500克，盐、胡椒粉、葱花、酱油、料酒、水淀粉各适量。

做法：

1. 猪瘦肉切片，用酱油、料酒、水淀粉抓匀；皮蛋去壳切丁；芹菜洗净切碎。

2. 粳米淘洗净，与适量清水同入锅中，以大火煮沸，再转小火熬煮，加入排骨汤煮滚，放入猪肉片、皮蛋丁、芹菜碎、盐、胡椒粉及葱花拌匀，熟后即可起锅。

小提示：皮蛋呈碱性，切忌用铁锅烹煮，否则粥容易变黑。

咸蛋香粥

材料：粳米100克，咸蛋2个（约120克），鲜香菇1朵（约20克）。

调料：高汤500克，葱末、味精、香油各适量。

做法：

1. 咸蛋去壳切小块；香菇洗净切小片。

2. 粳米淘洗干净，与适量清水一同放入锅中，以大火煮沸，转用中火煮约20分钟，倒入高汤，放入咸蛋、香菇片，用小火煮约10分钟至熟，加入葱末、味精、香油调味即可。

小提示：咸蛋白中的咸味已够，不用再加盐调味。

蛋花粥

材料：粳米100克，鸡蛋2个（约120克）。

调料：盐、葱花各适量。

做法：

1. 粳米淘洗净，与适量清水一同放入锅中，以大火煮滚，再改小火煮熟。

2. 鸡蛋磕在碗中打散，将鸡蛋液淋入粥中，搅开，加盐、葱花调味，熟后即可盛出。

巧变化：如以牛奶、白糖代替葱花和盐就变成一道甜味的粥。

口蘑香菇粥

材料：粳米100克，鲜香菇1朵（约20克），口蘑50克，鸡肉馅50克。

调料：高汤500克，葱花、盐、味精、酱油各适量。

做法：

1. 口蘑洗净切片；香菇洗净去蒂，切片。

2. 锅置火上，放油烧热，放入鸡肉馅炒熟。

3. 粳米淘洗净，与适量清水一同放入锅中，以大火煮滚，注入高汤，改小火熬煮，加入口蘑片、香菇片、盐、味精、酱油煮约15分钟，再加入炒好的鸡肉馅，搅拌均匀，撒上葱花，熟后盛出即可。

小提示：加入酱油几滴就好，否则影响味道和色泽。

腐竹白果粥

材料：粳米100克，腐竹50克，白果30克。

调料：盐适量。

做法：

1. 腐竹洗净泡软，切小段；白果洗净去壳皮。

2. 粳米淘洗净，与适量清水一同放入锅中，以大火煮滚，再改小火熬煮，放入白果、腐竹段，一同煮熟至米烂粥稠即可。

小提示：白果有微毒，一次食用量不要超过10颗。

糊涂粥

材料：玉米面100克，青菜叶适量。
调料：盐适量。
做法：
1. 青菜叶择洗净，切碎；玉米面放入碗中，用清水调成稀糊状。
2. 锅置火上，放水烧开，慢慢倒入玉米面糊，一边倒一边不停搅拌，煮滚后改小火，放入青菜叶滚熟，熬至粥成糨糊状，加盐调味即可。

小提示：调制玉米面糊时注意调匀，不要出疙瘩。

野菜粥

材料：粳米、山野菜各100克。
调料：盐适量。
做法：
1. 山野菜洗净切碎。
2. 粳米淘洗净，与适量清水一同放入锅中，以大火煮滚，再改小火熬煮，至米粒裂开，放入野菜碎滚熟，加盐调味即可。

小提示：野菜在粥煮熟后再放，否则过烂影响口感。

生滚排骨粥

材料：粳米200克，猪排骨350克，生菜、青豆各适量。
调料：盐、胡椒粉、味精、葱末、姜末各适量。
做法：
1. 排骨洗净，剁小段，入沸水余烫去血水，入沸水锅中煮至八成熟捞出，沥干备用；生菜洗净切丝；青豆洗净。
2. 粳米淘洗净，与适量清水一同放入锅中，以大火煮滚，再改小火熬煮约10分钟至米粒开花、粥汁沸腾，下入排骨，继续煮约30分钟，再加入葱末、姜末，放入青豆和生菜丝，搅拌均匀，熟后加盐、胡椒粉、味精拌匀即可。

小提示：做生滚粥是在粥煮熟后再放入配料煮熟，配料要事先烫熟。

243

羊腩苦瓜粥

材料: 粳米200克,羊腩150克,苦瓜100克,燕麦片少许。

调料: 盐、味精、胡椒粉、料酒、姜片各适量。

做法:

1. 羊腩洗净切块,入沸水氽烫去血水,捞出沥干;苦瓜洗净,去瓤切片,入沸水氽烫透,捞出沥干。
2. 粳米淘洗净,与适量清水一同放入锅中,以大火煮滚,再改小火熬煮,下入羊腩块、姜片、盐、胡椒粉和料酒,搅拌均匀,转小火熬煮约1小时,待米烂粥稠后,再下入苦瓜片、燕麦片,煮约10分钟至熟,加入味精调味即可。

小提示: 苦瓜入沸水氽烫是为了减轻苦味。

萝卜干大骨粥

材料: 粳米200克,猪大骨250克,萝卜干100克。

调料: 盐、味精、料酒各适量。

做法:

1. 猪大骨洗净斩块,放入加了料酒的沸水中氽烫去血水,捞出沥干;萝卜干洗净切片。
2. 粳米淘洗净,与适量清水一同放入锅中,以大火煮滚,放入猪大骨及萝卜干片,以小火熬煮约1小时,待米烂粥稠后,加入盐、味精调味即可。

小提示: 水要一次加足,最好不中途加水。

榨菜肉片粥

材料: 粳米200克,瘦肉100克,榨菜50克,芹菜适量。

调料: 高汤500克、姜末、葱末、盐、味精各适量,水淀粉少许。

做法:

1. 瘦肉洗净切片,用少量水淀粉抓匀,入沸水氽烫后捞出,沥干水分;榨菜洗净切片;芹菜洗净切碎。
2. 粳米淘洗净,与适量清水一同放入锅中,以大火煮滚,再改小火熬煮至熟。
3. 锅置火上,放油烧热,爆香姜末和榨菜片,加入高汤煮滚,放入瘦肉片、盐、味精、葱末、芹菜末,熟后倒入粥中,以中火煮沸,拌匀即可。

小提示: 榨菜要煸炒后才更香。

猪蹄黄豆粥

材料：粳米200克，猪蹄1只（约300克），黄豆150克。

调料：葱段、姜片各5克，八角、桂皮、料酒、盐、冰糖、香菜各适量。

做法：

1. 猪蹄洗净，入沸水氽烫后洗去浮沫；黄豆与粳米分别洗净，用清水浸泡约30分钟；香菜择去黄叶后洗净。

2. 把猪蹄与葱段、姜片、八角、桂皮、料酒、冰糖一同放入锅中，加水适量，大火烧开后转小火炖到猪蹄熟烂，捞出晾凉，去大骨后切成小块。

3. 锅置火上，放入清水、黄豆、粳米，大火煮开后转小火煮约30分钟，放入猪蹄块、盐再煮约10分钟至米烂粥稠，撒上香菜即可。

小提示：如果是陈黄豆，煮粥前要泡久一点，这样下锅后才易熟烂。

猪血粥

材料：粳米100克，猪血200克，腐竹80克。

调料：盐、胡椒粉、葱花、酱油各适量。

做法：

1. 猪血切条，入清水浸泡；腐竹洗净切段。

2. 粳米淘洗净，与适量清水一同放入锅中，以大火煮滚，放入腐竹段，以小火熬煮约30分钟，放入猪血条，待再煮开时加入盐、酱油调味，熟后撒入葱花及胡椒粉即可。

小提示：猪血一定要浸泡，否则影响粥的口味及色泽。

生滚猪肝粥

材料：粳米100克，猪肝200克。

调料：盐、味精、胡椒粉、酱油、料酒、淀粉、香菜各适量。

做法：

1. 猪肝洗净切片，放碗内，加入胡椒粉、酱油、料酒、淀粉、部分盐、部分味精抓匀。

2. 粳米淘洗净，与适量清水一同放入锅中，以大火煮滚，再改小火熬煮至米粒开花、粥汁沸腾，放入猪肝片，不停搅拌，待猪肝熟透，加剩余盐、剩余味精调味，放入香菜即可。

小提示：放入猪肝后一定要用筷子拨散，以免猪肝结成一团而不熟。

猪肚大米粥

材料：粳米100克，猪肚200克，猪瘦肉100克。

调料：盐、味精、胡椒粉、料酒、粗盐、水淀粉各适量。

做法：

1. 猪肚洗净，以粗盐、部分水淀粉反复抓揉，再以清水洗净，入沸水煮熟，捞出切片。

2. 猪瘦肉洗净切片，放碗内，加入料酒、部分盐、部分水淀粉抓匀，入沸水汆烫后捞出。

3. 粳米淘洗净，与适量清水一同放入锅中，以大火煮滚，放入猪肚片、瘦肉片，以小火熬煮至米粒开花、材料成熟，加入胡椒粉、味精、剩余盐调味即可。

小提示：猪肚用粗盐和淀粉用力抓揉，再用清水冲洗，反复几次可以去掉猪肚的异味。

百叶笋丝粥

材料：粳米100克，牛百叶200克，冬笋100克。

调料：盐、味精、姜丝各适量。

做法：

1. 百叶洗净切片；冬笋洗净切丝。

2. 粳米淘洗净，与适量清水一同放入锅中，以大火煮滚，放入笋丝，以小火熬煮至米粒开花、笋丝熟，放入百叶片烫熟，加入盐、味精、姜丝调味即可。

小提示：笋丝先放多煮，百叶后放一烫就好。

时蔬牛肉粥

材料：粳米150克，牛里脊100克，小油菜2棵（约100克），枸杞子10粒。

调料：姜丝2克，盐、淀粉、料酒各适量。

做法：

1. 牛里脊洗净切丝，用淀粉、料酒、部分盐拌匀后腌约10分钟，入沸水汆烫后捞出。

2. 小油菜择去黄叶洗净；枸杞子洗净；粳米淘洗净后用清水浸泡约20分钟。

3. 锅置火上，放入清水、粳米，大火煮开后放入牛里脊丝，再次煮开后撇去浮沫，转小火煮约30分钟，放入小油菜、枸杞子烫熟，加入剩余盐再煮约3分钟后，撒上姜丝即可。

小提示：牛里脊用刀背拍松后再切丝口感更好。

牛肉滑蛋粥

材料：粳米100克，牛肉100克，鸡蛋1个（约60克），枸杞子6粒。

调料：清汤1000克，盐、淀粉、料酒、香菜末各适量。

做法：

1. 牛肉洗净切丝，用淀粉、料酒抓匀，入沸水氽烫后捞出；枸杞子洗净；粳米淘洗净后用清水浸泡约15分钟。

2. 将粳米与清汤一同放入锅中，以大火煮滚，再转小火煮约30分钟至米粒开花、粥汁滚沸，放入牛肉丝、枸杞子烫熟，加盐调味，煮开后撇去浮沫，把鸡蛋打入粥中，不要搅散，待鸡蛋熟成荷包蛋样时，撒上香菜末即可。

小提示：可以用手勺把粥浇到鸡蛋上，让鸡蛋上下一起受热，保持很嫩的口感。

鸡丝香粥

材料：糯米100克，鸡肉50克，香菜3棵（约15克）。

调料：高汤1000克，葱末、姜末各2克，盐、料酒、淀粉各适量。

做法：

1. 鸡肉洗净切丝，用葱末、姜末、料酒、淀粉拌匀，腌约10分钟；香菜择去黄叶，洗净切段；糯米洗净后在水中浸泡约1小时，捞出用少许食用油拌匀备用。

2. 锅置火上，放入高汤、糯米，大火煮开后转小火煮约40分钟，再加入鸡丝继续煮约20分钟至熟，最后放入香菜段、盐，略煮后即可盛出。

小提示：如果香菜一次买多了，可以切一块胡萝卜，与香菜一起装进塑料袋放冰箱里保存。

菠菜虾皮粥

材料：粳米100克，菠菜200克，虾皮20克。

调料：熟猪油、盐、味精各适量。

做法：

1. 菠菜择洗净，入沸水略氽，捞出切碎；虾皮洗净。

2. 粳米淘洗净，放入锅中，加入清水，以大火煮沸后，放入虾皮、猪油，转小火熬煮约30分钟，待粥快煮熟时，加入菠菜碎微煮，熟后加入盐和味精调味，搅拌均匀即可。

小提示：菠菜要用沸水氽烫后再用，但不要久煮。

生滚鱼片粥

材料：粳米150克，活草鱼1条（约300克），油条1小根（约50克）。

调料：鸡汤1500克、姜丝、葱丝、盐、胡椒粉、水淀粉、香油、香菜各适量。

做法：

1. 草鱼宰杀洗净，取鱼腹部肉去骨切片，用水淀粉、香油、部分盐、部分胡椒粉腌约10分钟；油条切碎；香菜择洗净；粳米洗净后用水浸泡约15分钟。

2. 锅置火上，放入鸡汤与粳米。

3. 大火煮沸后转小火，熬煮至黏稠，加入姜丝、剩余盐、剩余胡椒粉调味，再转大火，加入腌好的鱼片，滚熟后熄火，食用前加入油条碎、葱丝、香菜即可。

小提示：可以将油条在五成热的油中炸一下，捞出沥油再入粥。

蟹柳豆腐粥

材料：粳米100克，豆腐1块（约100克），蟹足棒(蟹柳)2根（约30克）。

调料：高汤500克，盐、味精、姜末各适量。

做法：

1. 豆腐洗净切块，入沸水汆烫后捞出沥干；蟹足棒切段。

2. 粳米淘洗净，与高汤、清水一同放入锅中，加入姜末，以大火煮沸后，转小火熬煮约30分钟，下入豆腐块及盐、味精，煮约10分钟，下入蟹柳段，拌匀，熟后即可出锅。

小提示：豆腐炖煮时火不要大，小火慢炖。

鲜虾西芹粥

材料：粳米100克，鲜虾200克，芹菜100克。

调料：盐、料酒、姜末、淀粉各适量。

做法：

1. 鲜虾去头、去壳去肠泥洗净，放入碗中，加料酒、姜末、淀粉、部分盐抓匀；芹菜择洗净，切小段。

2. 粳米淘洗净，与适量清水一同放入锅中，大火煮沸，再转小火熬煮约30分钟，待米粒开花、粥汁沸腾时，放入鲜虾仁烫熟，再放入芹菜段、剩余盐拌匀，略滚后即可盛出。

小提示：西芹放入粥中即可熄火。

海带紫菜粥

材料：粳米100克，海带200克，紫菜1片。

调料：淡色酱油少许，鱼粉、香油各适量。

做法：

1. 海带洗净切丝；紫菜泡开。
2. 粳米淘洗净，与适量清水一同放入锅中，以大火煮沸，再转小火煮约30分钟，待粥软稠后，加入海带丝、淡色酱油、鱼粉、香油拌匀，熟后盛入碗中，点缀上紫菜即可。

小提示： 调料中的鱼粉在超市中能买到。

蚝仔粥

材料：粳米100克，鲜蚝300克，猪五花肉150克。

调料：蒜末、葱头、胡椒粉、味精各适量，酱油、猪油各少许。

做法：

1. 鲜蚝洗净去壳；猪五花肉洗净切薄片；葱头切粒；粳米淘洗净，用清水浸泡约30分钟备用。
2. 锅置火上，放入猪油烧热，将葱头粒煸至呈金黄色捞出。
3. 粳米与适量清水一同放入锅中，以大火煮沸，再转小火煮约30分钟至粥软稠，放入蚝肉、五花肉片，待煮沸后，用勺子顺着锅边搅动翻匀，再煮约20分钟，加入酱油、味精调味，熟后撒入葱头粒、蒜末、胡椒粉拌匀即可。

小提示： 五花肉要切薄一点才能与蚝肉一同熟。

防风葱白粥

材料：粳米100克，防风12克，葱白100克。

调料：盐适量。

做法：

1. 防风洗净；葱白洗净切段。
2. 将防风放入锅中，加水适量，以大火煮开，再转小火煎取药汁，过滤备用。
3. 粳米淘洗净，放入锅中，加水适量，以大火煮开，再倒入防风药汁，转小火熬煮至米烂粥稠，加入葱白段，煮约10分钟后拣出葱白，加盐调味即可。

小提示：

◎食用此粥期间忌食蜂蜜。

◎防风味辛、甘，性温，能祛除人体肌肉、毛发中的邪风。

状元及第粥

材料：粳米100克，猪肉、猪肝、猪腰各50克，粉肠25克，油条1根。

调料：料酒、姜片、盐、香菜、葱花各适量。

做法：

1. 猪肉、猪肝洗净切片，用淀粉抓匀；粉肠洗净切段；猪腰洗净去筋切片；油条掰碎。
2. 锅置火上，放水烧开，放入料酒、姜片煮开，再放入猪肉片、猪肝片、粉肠段、猪腰片氽烫后捞出，沥干水分。
3. 粳米淘洗净，与适量清水一同放入锅中，以大火煮沸，再转小火煮至粥软稠，加入猪肉片、猪肝片、粉肠段、猪腰片一起滚熟，起锅前加入油条碎、香菜、盐、葱花拌匀即可。

小提示：及第粥又名三及第，是指状元、榜眼、探花的合称。

紫米粥

材料：紫米100克。

调料：白糖适量。

做法：

紫米淘洗净，用清水泡约3小时，放入锅中，加水适量，以大火煮沸，再转小火熬煮约2小时至米烂粥稠，盛出以白糖调味即可。

小提示：紫米不易煮烂，要有耐心。

甘薯粥

材料：粳米100克，甘薯200克。

调料：白糖适量。

做法：

1. 甘薯去皮洗净，切块备用。
2. 粳米淘洗净，放入锅中，加水适量，以大火煮沸，再转小火熬煮约30分钟至粥稠，加入甘薯块，继续熬煮至熟，盛出以白糖调味即可。

小提示：甘薯本身有甜味，食用时可以不加白糖。

南瓜粥

材料：粳米 50 克，燕麦片 50 克，小南瓜 1 个（约 350 克）。

做法：

1. 南瓜去皮、瓤，洗净切小块。
2. 粳米淘洗净，与适量清水一同放入锅中，大火煮沸后转小火煮约 30 分钟，然后放入南瓜块，小火煮约 10 分钟，再加入燕麦片，继续用小火煮约 10 分钟至材料成熟、米烂粥稠即可。

小提示： 燕麦片易煮熟烂，所以要后放。

奶香麦片粥

材料：粳米 100 克，鲜牛奶 500 克，麦片 50 克。

调料：白糖适量。

做法：

粳米淘洗净，与适量清水一同放入锅中，大火煮沸后转小火煮约 30 分钟至粥稠，加入鲜牛奶，以中火煮沸，再加入麦片，搅拌均匀，熟后以白糖调味即可。

小提示： 牛奶后放，否则营养成分会流失。

冰糖大枣粥

材料：糯米 100 克，大枣 20 个。

调料：冰糖 50 克。

做法：

1. 大枣洗净去核；糯米淘洗净，入清水泡至米粒充分吸水膨胀。
2. 将糯米、大枣与适量清水一同放入锅中，以大火煮沸，再转小火熬煮约 30 分钟至米烂粥稠，出锅前加入冰糖调味，至糖化即可。

小提示： 大枣必须去核，否则经过长时间熬煮，枣核会变苦，影响粥味。

百合荸荠粥

材料：糯米100克，干百合、荸荠各50克。

调料：冰糖适量。

做法：

1. 干百合洗净泡水；荸荠去皮洗净切片；糯米淘洗净，入清水泡至米粒充分吸水膨胀。

2. 将糯米、干百合与适量清水一同放入锅中，以大火煮沸，转小火熬煮约30分钟，再放入荸荠，至材料成熟、米烂粥稠，出锅前加入冰糖调味，至糖化即可。

巧变化：干百合可以换作新鲜百合，但要在粥熟后熄火前放入。

黑芝麻糯米粥

材料：糯米100克，熟黑芝麻50克。

调料：白糖适量。

做法：

糯米淘洗净，入清水泡至米粒充分吸水膨胀，与适量清水一同放入锅中，以大火煮沸，再转小火熬煮约30分钟至米烂粥稠，加入黑芝麻略滚，熟后加白糖调味即可。

巧变化：可将黑芝麻炒熟后碾成碎末，再入锅滚熟，则香味更浓。

栗子粥

材料：糯米100克，栗子10个（约150克）。

调料：糖桂花适量。

做法：

1. 栗子洗净，放入开水锅中煮熟，捞出后浸在凉水中，去壳取肉，用搅拌机打磨成粉状。

2. 糯米淘洗净，入清水泡至米粒充分吸水膨胀，与适量清水一同放入锅中，大火煮开后转小火煮约30分钟，加入栗子粉继续煮约20分钟至米烂粥稠，最后撒上糖桂花即可。

小提示：栗子煮熟去壳后，也可用勺子压成泥状使用。

莲子荷叶粥

材料：粳米100克，鲜荷叶1张（约100克），新鲜莲子50克。

调料：白糖适量。

做法：

1. 荷叶洗净撕碎，放入锅中，加入适量清水，熬煮成绿色的荷叶汤，留汤备用；莲子洗净去心。

2. 粳米淘洗净，放入锅中，注入荷叶汤，大火煮滚，再改小火熬煮至粥稠，放入莲子同煮至熟，加白糖调味即可。

巧变化：也可以使用干莲叶，先用水泡发再煮水。

红枣山药薏米粥

材料：粳米100克，薏米50克，山药100克，红枣6个。

调料：冰糖、蜂蜜各适量。

做法：

1. 粳米淘洗净，用水浸泡约15分钟；薏米淘洗净，用水浸泡两三个小时；山药去皮洗净，切成小方块；红枣洗净去核。

2. 将粳米、薏米、红枣放入锅中，注入适量清水，大火煮开，改小火煮至粥稠，再加入山药块，熬煮约20分钟至熟，放入冰糖，搅拌至糖溶化，熄火晾凉后根据个人口味再浇入蜂蜜即可。

小提示：山药皮要削净，尤其那些小须子的根处更要处理干净，否则吃到嘴里会发麻。

桂圆糯米粥

材料：糯米100克，鲜桂圆100克。

调料：冰糖适量。

做法：

1. 桂圆去壳去核；糯米淘洗净，用水浸泡约1小时。

2. 将糯米放入锅中，注入适量清水，大火煮开，改小火煮至米烂粥稠，再加入桂圆肉，略煮片刻，放入冰糖，搅拌至糖溶化即可。

巧变化：也可以用干制的桂圆干，使用前用温水稍泡一下。

松仁核桃香粥

材料：紫米100克，松仁25克，核桃仁50克。

调料：冰糖适量。

做法：

1. 核桃仁洗净掰碎，大小与松仁相仿；紫米淘洗净，用水浸泡约3小时。

2. 锅置火上，放入清水与紫米，大火煮沸后，改小火煮至粥稠，加入核桃仁碎、松仁与冰糖，小火熬煮约20分钟至材料熟、冰糖溶化即可。

小提示：在超市可买到罐装或袋装的核桃仁与松仁，使用很方便。

番茄西米粥

材料：西米100克，番茄250克。

调料：白糖100克，糖桂花少许。

做法：

1. 番茄去蒂洗净，用开水略烫，撕去外皮，切成丁备用；西米淘洗净，用清水浸泡约20分钟至米粒吸水膨胀。

2. 锅置火上，放水烧开，放入西米、番茄丁、白糖，煮沸后改用小火煮约20分钟，熟后盛入碗中，撒入糖桂花即可。

小提示：此粥冰镇后食用，是夏季的保健粥品。

五色粥

材料：粳米100克，熟玉米粒50克，胡萝卜丁25克，青豆25克，香菇丁25克。

调料：冰糖适量。

做法：

1. 将玉米粒、胡萝卜丁、青豆、香菇丁分别入沸水汆烫，捞出沥干。

2. 将粳米淘洗净，放入锅中，注入适量清水，大火煮开，改小火煮约30分钟至米烂粥稠。

3. 放入玉米粒、胡萝卜丁、青豆、香菇丁以及冰糖同煮，搅拌均匀，待材料成熟、冰糖溶化即可出锅。

小提示：煮制此粥最好选用不锈钢锅，否则食材在焯水时易变色。

PART4 汤羹篇
TANGGENG PIAN
快汤类

什锦小白菜汤

材料：小白菜100克，土豆50克，胡萝卜30克，青豆20克。

调料：盐5克，香油、味精、鸡精各少许。

做法：

1. 小白菜洗净，切段；土豆、胡萝卜分别洗净，去皮，切成菱形片；青豆洗净。

2. 汤锅置火上，倒入适量水，放入土豆片、胡萝卜片、青豆煮10分钟，再放入小白菜段煮开，加入调料调味即可。

小提示：小白菜中含丰富的维生素，先清洗干净再切，如果先切再洗，则维生素流失过多。

上汤黄秧白

材料：黄秧白菜200克，上汤800克，草菇50克，胡萝卜少许。

调料：葱段、姜片各10克，盐5克，鸡精、白糖各少许。

做法：

1. 黄秧白菜去老帮，留心，洗净待用；胡萝卜洗净，切片。

2. 锅置火上，倒油烧热，爆香葱段、姜片，加入上汤煮开，下入黄秧白菜心、草菇、胡萝卜片煮10分钟，加入盐、鸡精、白糖调味即可。

巧变化：黄秧白菜可以换成娃娃菜，即成上汤娃娃菜。上汤可用猪蹄、鸡、鸭等放入沸水中加姜片余水，再用小火煨2小时以上，去浮油及杂物来制成。

青菜钵

材料：芥菜400克，枸杞少许。

调料：盐5克，鸡精少许。

做法：

1. 芥菜洗净，焯水后切碎待用；枸杞泡洗干净。

2. 锅置火上，倒入清水750克烧开，倒入芥菜碎、枸杞煮2分钟，放盐、鸡精调味即可。

小提示：此汤富含维生素，有降低血脂的作用，不含脂肪，膳食纤维含量也很丰富。

芹菜叶粉丝汤

材料：嫩芹菜叶60克，粉丝40克，香菇少许。

调料：盐5克，葱花、姜末、味精、香油各少许。

做法：

1. 嫩芹菜叶洗净；粉丝用温水泡至回软；香菇水发后去蒂，切丝。

2. 锅中加入色拉油烧至五成热，放入葱花、姜末炝锅，加入芹菜叶翻炒后盛出，锅中注入适量清水煮开，加入粉丝煮至透明，放入芹菜叶，加盐、味精调味，锅开后淋入香油即可。

小提示：芹菜叶非常嫩，高温加热易变黑，用前可先在清水中放少许白醋清洗，颜色会更翠绿。

清汤萝卜

材料：萝卜300克，香菜适量。

调料：水淀粉15克，盐、味精、胡椒粉各少许。

做法：

1. 萝卜洗净，去掉根部和外皮，切细丝；香菜洗净，切碎。

2. 锅中放入水、盐烧开，下入萝卜丝，煮熟后加胡椒粉、味精，撇去浮沫，用水淀粉勾薄芡，倒入汤碗，撒上香菜即可。

小提示：用擦丝器制作萝卜丝特别省事，一小会儿功夫就能擦出一堆粗细一致的萝卜丝，擦出来的萝卜丝熟得更快。

白萝卜虾皮汤

材料：白萝卜250克，虾皮10克，水发木耳50克。

调料：盐5克，味精、白糖各少许。

做法：

1. 白萝卜去皮，洗净，切薄片；木耳去蒂，撕小朵。

2. 锅置火上，倒入适量水煮开，下白萝卜片、木耳煮至白萝卜软烂，放盐、味精、白糖调味，放入虾皮煮开即可出锅。

小提示：白萝卜营养丰富，有下气、定喘、祛痰、消食、除胀利便等功效，是瘦身的理想食物。

胡萝卜海带丝汤

材料：胡萝卜150克，海带丝100克，白萝卜50克。

调料：盐5克，味精、鸡精、白糖各少许。

做法：

1. 胡萝卜、白萝卜均洗净，切丝；海带丝泡洗干净，切段，焯水后待用。

2. 锅置火上，倒入清水750克烧开，倒入胡萝卜丝、白萝卜丝、海带丝煮熟，加入调料调味即可。

小提示：海带含多种氨基酸和矿物质，能促进人体新陈代谢，经常食用有塑身美容的辅助作用。

三丝豆苗汤

材料：竹笋100克，胡萝卜50克，豌豆苗、香菇各25克。

调料：高汤750克，香油5克，料酒、盐、姜末、味精各2克。

做法：

1. 竹笋、胡萝卜、香菇均洗净切丝，分别入沸水锅中焯熟；豌豆苗择洗净，入沸水略焯，捞出沥干；将竹笋丝、胡萝卜丝、香菇丝和豌豆苗放入大汤碗内。

2. 锅置火上，注入高汤烧开，加入盐、料酒、姜末、味精煮开，淋入香油，盛出浇入已放好三丝及豆苗的汤盆里即可。

小提示：焯豌豆苗时，可在沸水中加入少许盐，再放入豌豆苗略焯，即可保持豌豆苗的翠绿色泽。

腐竹青瓜汤

材料：黄瓜（青瓜）100克，腐竹40克，木耳20克。

调料：盐5克，姜末、葱末、鸡精、味精各少许。

做法：

1. 黄瓜洗净，切片；腐竹用水泡软，切段；木耳泡发，去蒂，撕成小朵。

2. 锅置火上，倒油烧热，下入葱末、姜末爆香，倒入适量水，放入黄瓜、腐竹、木耳烧开，去浮沫，加入盐、味精、鸡精调味，2分钟后即可出锅。

小提示：

◎三种几乎没热量的食材一起做汤，色泽漂亮，引人食欲，却不会发胖。

◎待水沸后，再下入黄瓜片，这样可以保持黄瓜的翠绿和鲜味。

口蘑冬瓜汤

材料：冬瓜250克，口蘑50克，枸杞少许。

调料：盐5克，鸡精、香油、味精各少许。

做法：

1. 将冬瓜洗净，去瓤，切厚片；口蘑洗净，切片备用；枸杞泡洗干净。

2. 锅置火上，倒入适量清水烧开，放入冬瓜片、口蘑片、枸杞煮15分钟后加入调料调味即可。

巧变化：冬瓜汤的配菜可以有很多，比如将口蘑换成粉丝、番茄，调料中还可加入花椒，味道也很好。

枸杞冬瓜汤

材料：冬瓜300克，枸杞10克。

调料：盐5克，味精、鸡精、白糖各适量。

做法：

1. 冬瓜洗净，去皮去子，切成小丁待用；枸杞泡软。

2. 锅置火上，倒入清水750克，倒入冬瓜丁烧开，加入枸杞，煮3分钟调味即可。

小提示：冬瓜不含脂肪，含有蛋白质、膳食纤维、维生素B_1、维生素B_2、胡萝卜素等，是减肥纤体的佳品。

玉米冬瓜汤

材料：冬瓜200克，玉米粒罐头半听，海米15克。

调料：盐5克，味精适量。

做法：

1. 冬瓜洗净，去皮，切片待用；海米泡软。

2. 锅置火上，倒入适量清水烧开，加入冬瓜片、玉米粒煮至冬瓜软烂再加入海米，放入盐、味精即可。

小提示：也可先将海米炒香，再倒入清水烧开，加入冬瓜、玉米煮熟。

魔芋瓜蓉汤

材料：南瓜250克，魔芋150克。

调料：盐5克，味精、鸡精、白糖各适量。

做法：

1. 南瓜洗净，去皮去子，切块，上笼蒸至软烂，打成蓉；魔芋切丝后焯水待用。

2. 锅置火上，倒入清水750克烧开，放入南瓜蓉，再倒入魔芋丝煮2分钟，加入调料即可（可用枸杞装饰）。

小提示：此汤虽然口感甜润，但南瓜、魔芋都是非常好的瘦身食品，特别是魔芋能增强人的饱腹感，所以不用担心它的甜度会使人长胖。

黄花南瓜汤

材料：南瓜200克，黄花菜20克。

调料：盐5克，味精、白糖、鸡精各少许。

做法：

1. 南瓜洗净，去皮去子，切块，上笼蒸至软烂，打成蓉待用；黄花菜泡软，去根，用牙签划开入油锅炸至呈金黄色，加盐、味精、白糖、鸡精煨入味，盛出。

2. 锅置火上，倒入清水750克烧开，倒入南瓜蓉烧开，再加入已煨好的黄花菜，加入盐、味精、鸡精调味即可。

小提示：南瓜除了能够增强人体的免疫能力外，对于那些怕胖又爱吃甜食的朋友来说，南瓜的全天然香甜口感完全可以满足你对甜食的渴望。

丝瓜油条汤

材料： 丝瓜250克，油条1根。

调料： 盐5克，葱末2克，味精少许。

做法：

1. 丝瓜去蒂、去皮，洗净切成滚刀块；油条切小段。

2. 锅置火上，放油烧热，放入葱末爆香，再放入丝瓜块迅速翻炒，炒至八成熟时倒入适量清水煮开，加盐、味精调味，起锅前放入油条段略煮即可。

巧变化： 如果不加水，而是将油条复炸酥，再与丝瓜迅速翻炒，便成了老油条丝瓜。

雪菜肉丝汤

材料： 猪里脊肉100克，雪菜50克，海米10克，冬菇25克。

调料： 姜末5克，盐、酱油、料酒各3克，味精、香油各少许。

做法：

1. 猪里脊肉洗净切丝，放入碗中，加入酱油、姜末抓匀；雪菜洗净切丝；冬菇洗净泡软切丝；海米洗净，用温水泡软。

2. 锅置火上，放水适量，下入肉丝、冬菇丝、海米煮开，煮约5分钟后放入雪菜丝，转小火煮至全部材料成熟，加盐、料酒、味精、香油调味即可。

小提示： 雪菜为腌制的雪里蕻，制汤时用盐量要酌减，如果太咸，可先用清水浸泡。

黄瓜肉片汤

材料： 猪里脊肉50克，黄瓜100克。

调料： 高汤750克，料酒、酱油、水淀粉各10克，姜汁5克，盐3克，味精、胡椒粉各2克。

做法：

1. 猪里脊肉洗净切薄片，放入碗中，用料酒、酱油、姜汁、水淀粉抓匀；黄瓜洗净，去皮去子，切片。

2. 锅置火上，注入高汤，下入肉片煮开，再放入黄瓜片，转小火煮熟，加盐、味精、胡椒粉调味即可。

巧变化： 猪里脊肉可以换成鸡胸脯肉，做成黄瓜鸡片汤。

榨菜肉丝汤

材料：猪里脊肉60克，榨菜50克。

调料：姜末5克，酱油3克，味精2克。

做法：

1. 猪里脊肉洗净切丝，放入碗中，用酱油、姜末抓匀；榨菜洗净切丝，入沸水锅里焯至变色捞出。

2. 锅置火上，注入水，下入肉丝煮开，再加入榨菜丝，转小火煮熟，加味精调味即可。

小提示：榨菜有一定咸度，调味时应少放或不放盐；如使用袋装榨菜，可不放味精。

瘦肉冬菇荸荠汤

材料：猪瘦肉50克，荸荠、水发冬菇各40克。

调料：姜片10克，料酒、盐各5克。

做法：

1. 猪瘦肉洗净切片；荸荠去皮洗净；冬菇洗净，去蒂切片。

2. 锅内注入适量清水，放入瘦肉片、荸荠、冬菇、姜片、料酒，大火煮开，再改中火煮至熟，加盐调味即可。

小提示：去荸荠皮时，将荸荠入沸水煮开，然后捞出，用冷水猛激一下，根据热胀冷缩的原理，外皮就比较容易剥下来了。

木耳腰片汤

材料：猪腰100克，干木耳25克。

调料：料酒、姜汁各10克，盐3克，味精少许。

做法：

1. 猪腰洗净，除去薄膜，剖开去臊腺，切片；干木耳洗净，用温水浸泡发好，切成小片。

2. 锅置火上，放水烧开，加入料酒、姜汁、腰片，煮至腰片颜色变白后捞出，放入汤碗内。

3. 锅置火上，注入水煮沸，下入木耳，加盐、味精调味，烧开后起锅倒入放好腰片的汤碗里即可。

小提示：猪腰颜色变白即成熟，不宜煮太久，否则口感会太韧。

菠菜猪肝汤

材料： 猪肝100克，菠菜60克。

调料： 酱油15克，料酒10克，盐3克，味精少许。

做法：

1. 猪肝洗净，切成4厘米宽的长条，然后再横着切成薄片；菠菜洗净，焯水后切碎。

2. 锅置火上，注入水，下入猪肝片、菠菜碎，煮开后转小火，加酱油、料酒调味，熟后加盐、味精，拌匀即可。

小提示： 猪肝腥味较重，可先用面粉拌揉一下，异味就可大大减轻。吃不完的猪肝，可在表面抹一层油，再入冰箱保存，再次烹调时仍可保留鲜嫩口感。

枸杞猪肝汤

材料： 猪肝100克，枸杞20颗。

调料： 葱段、姜片、料酒、盐、胡椒粉各适量。

做法：

1. 将猪肝洗净切片；枸杞去杂质洗净。

2. 锅置火上，放油烧热，放入猪肝片、姜片、葱段煸炒，烹入料酒，加盐调味，继续煸炒片刻，注入适量清水，放入枸杞同煮至猪肝熟透，撒入胡椒粉即可。

小提示： 猪肝用水焯过后再煮，既缩短烹调时间，又可去除血污和杂质。

淮山猪心汤

材料： 猪心100克，淮山药30克，银耳20克，枸杞5克。

调料： 葱段、姜片各适量，盐5克，醋6克，料酒10克，味精少许。

做法：

1. 猪心洗净切片，下入沸水中，加料酒，汆烫后盛出；淮山药用水泡发；银耳泡发后，切小朵；枸杞洗净。

2. 锅置火上，炒香葱段、姜片，下猪心略炒，烹料酒，加水下入淮山药、银耳，小火炖煮20分钟，加入枸杞、盐、味精再煮开，加入醋即可。

小提示： 淮山药性平，味甘，有健脾胃、补肺气、益肾精等功效，适宜身体虚弱、精神倦怠、食欲不振、消化不良等人食用。

娃娃菜猪肚汤

材料：猪肚100克，娃娃菜100克。

调料：蒜片、姜片、盐各5克，料酒、醋各10克，胡椒粉、味精各少许。

做法：

1. 猪肚收拾干净，切条，放入沸水中，加料酒，氽水后捞出备用；娃娃菜取叶，洗净，片成片。

2. 锅置火上，倒油烧热，炒香姜片、蒜片，放入肚条翻炒，烹入料酒，加入水煮开，放入娃娃菜叶、盐煮至熟，加味精、醋、胡椒粉调味即可。

小提示： 猪肚在清洗时加少许白醋及盐搓洗，能去掉猪肚的黏液和异味。

芸豆腰花汤

材料：猪腰100克，芸豆荚50克，鸡汤500克。

调料：花椒粒、盐各5克，料酒10克，味精、胡椒粉各少许。

做法：

1. 猪腰洗净，片成片，用花椒粒水浸泡5分钟，下入开水中，氽透盛出；芸豆荚泡洗干净，切斜段，下入开水中煮10分钟，捞出。

2. 锅中加入鸡汤煮开，加入腰片、芸豆荚，点入香油，加剩余调料调味即可。

小提示： 猪腰要选用鲜品，且要去净腰臊，冻品腥气重，口感也不好。

甘草肺片汤

材料：猪肺100克，甘草10克，冬笋50克，胡萝卜、香菜各少许。

调料：盐、料酒各5克，味精、胡椒粉各少许。

做法：

1. 猪肺洗净，焯水后切片，备用；甘草加100克水煎后，取汁，备用；冬笋、胡萝卜分别洗净，切片；香菜择洗干净，切段。

2. 将猪肺片入锅，加入适量开水、甘草汁煮开，加入笋片、胡萝卜片、料酒，小火煲至软烂，加盐、味精、胡椒粉调味即可出锅，与香菜段同时上桌。

小提示： 猪肺要选用没有破损的，清洗猪肺时，先用水龙头堵住气管往里灌水，再用手拍肺叶把血水排出，直到把肺叶洗白才可使用。

杞红骨髓汤

材料: 猪骨髓100克,鸡汤适量,枸杞10克。

调料: 盐5克,料酒15克,味精、胡椒粉各少许,水淀粉适量。

做法:

1. 将猪骨髓洗净,切3厘米长的段,氽水后备用;枸杞洗净。

2. 锅置火上,加入鸡汤、骨髓、枸杞同煮5分钟,加入调料(水淀粉除外)至入味,勾芡出锅。

小提示: 骨髓含磷非常丰富,脂肪含量也高,烹制时可加少许白醋,这样有解除油腻的作用。

猪肉丸子汤

材料: 猪肉馅200克,黄瓜50克,水发木耳20克。

调料: 水淀粉10克,盐5克,味精、葱末、姜末各3克,葱丝2克。

做法:

1. 将猪肉馅加入水淀粉、葱末、姜末、部分盐拌匀,徐徐加水搅打起劲,用手挤成肉丸子;黄瓜洗净切片;水发木耳洗净,切小片。

2. 锅置火上,放水烧开,下入肉丸子,煮开后放入木耳、黄瓜片,小火煮熟,加葱丝、味精、剩余盐调味即可。

小提示: 猪肉馅的肥瘦比例以3:7为好,搅打猪肉馅时要按一个方向用力搅打。

腊肉苦瓜汤

材料: 苦瓜200克,腊肉50克。

调料: 姜片5克,盐、味精各2克,香油少许。

做法:

1. 苦瓜去瓤洗净,入沸水锅中略焯,捞出沥干水分,切片;腊肉洗净切薄片。

2. 锅置火上,注入适量水烧开,放入腊肉片、姜片煮约3分钟后倒入苦瓜片,煮开后转小火,加盐、味精调味,熟后淋入香油即可。

小提示: 苦瓜内瓤去得越干净,苦味越淡;煮汤前用沸水略焯苦瓜,也是为了减轻苦味。

枸杞牛肝汤

材料: 牛肝100克, 牛肉汤800克, 枸杞10克, 香菜适量。

调料: 葱花、盐各5克, 醋20克, 胡椒粉适量, 香油、味精各少许。

做法:

1. 牛肝洗净, 切片; 枸杞洗净; 香菜择洗干净, 切段。

2. 锅置火上, 倒油烧热, 下葱花炝锅, 放入牛肝略炒, 放入牛肉汤煮开, 加入枸杞, 煮至牛肝熟烂, 加入盐、醋、胡椒粉、味精、香油调味, 撒入香菜段即可。

小提示: 牛肝用鲜制品味道好, 制作时不宜煮时间过长, 老了营养流失太多, 口感也不好, 当牛肝颜色从酱紫色变成褐色, 即可加入香菜。

羊杂碎汤

材料: 羊心、羊肺、羊肚、羊肠各50克。

调料: 羊肉高汤1200克, 葱丝、姜末、姜片、蒜末、蒜瓣各20克, 大料15克, 花椒10克, 盐、醋、料酒、香菜末各10克, 胡椒粉、味精各少许。

做法:

1. 将羊杂反复冲洗干净, 放入锅中, 加水适量, 再加入花椒、大料、葱丝、姜片、蒜瓣、5克盐, 煮至九成熟后捞出沥水, 将羊杂切小块。

2. 锅置火上, 放入羊肉高汤, 投入姜末、蒜末、料酒、剩余5克盐和羊杂, 烧开后转小火, 撇去浮沫, 加醋和味精调味, 熟后再撒入胡椒粉和香菜末拌匀即可。

小提示: 羊杂清洗难度较大, 可用淀粉加粗盐抓洗, 再用清水冲净, 反复几次即可。

天麻陈皮羊脑汤

材料: 羊脑100克, 天麻5克, 陈皮5克, 油菜、鞭笋各少许。

调料: 葱段、姜片、盐各5克, 料酒10克, 水淀粉适量, 味精、胡椒粉各少许。

做法:

1. 羊脑去筋膜, 洗净; 天麻加100克水煎制, 取汁; 陈皮用清水泡软; 油菜清洗干净; 鞭笋洗净, 切段。

2. 锅置火上, 倒油烧热, 炒香葱段、姜片, 加适量水, 下入鞭笋煮开, 放入羊脑、天麻汁、陈皮、料酒同煮10分钟, 加入盐、味精、胡椒粉调味, 用水淀粉勾芡即可。

小提示:

◎羊脑在加工时要除去筋膜, 否则有异味。

◎天麻性平、味甘, 有息风、止眩晕的功效。主治眩晕、头痛、四肢拘挛、麻木、神经衰弱、失眠、风湿疼痛等。

火腿鸡蓉汤

材料： 鸡胸肉100克，火腿30克，鸡蛋1个。

调料： 盐5克，葱花、姜丝、胡椒粉、香油各少许。

做法：

1. 将鸡胸肉洗净，上锅蒸熟，晾凉后斩成蓉；火腿切丝；鸡蛋打散。

2. 将鸡蓉与火腿丝一同放入锅中，加入适量清水，烧开后用小火煮5分钟入味。

3. 将鸡蛋液淋入锅中，煮成蛋花，加入盐、胡椒粉调味，淋入少许香油，撒上葱花、姜丝即可。

巧变化： 可将火腿换成玉米粒，先用水淀粉勾芡，再淋入蛋液，便成了鸡蓉玉米羹，口味还可做成甜口的。

鸡丝豌豆汤

材料： 鸡脯肉100克，豌豆50克。

调料： 盐5克。

做法：

1. 鸡脯肉洗净，入蒸锅蒸熟，取出去骨撕成丝，放入汤碗中。

2. 豌豆洗净，入沸水锅中焯熟，捞出沥干，放入汤碗里。

3. 锅置火上，倒入水煮开，加盐调味，盛出浇入已放好鸡丝和豌豆的汤碗里即可。

小提示： 可直接使用速冻豌豆，烹调时不用解冻。

鸡肉丸子汤

材料： 鸡肉馅100克，土豆60克。

调料： 姜末10克，鸡汤、料酒、盐、胡椒粉、味精、水淀粉各适量。

做法：

1. 取鸡肉馅加姜末、料酒、盐、味精和水淀粉，用筷子顺同一方向边搅边加少量水搅成糊；土豆洗净，去皮，切小块。

2. 锅置火上，倒入清水烧开，放入土豆块煮开，将肉糊做成丸子下锅，煮5分钟左右，加盐、味精、胡椒粉调味即可。

小提示： 土豆属碱性食品，与鸡肉合烹，酸碱搭配，互为补充，营养更加均衡。

鸡片口蘑汤

材料：鸡脯肉100克，口蘑50克，西式火腿片、黄瓜各30克，鸡蛋清1个。

调料：淀粉10克，盐5克，味精、香油各少许。

做法：

1. 鸡脯肉切成薄片，放入淀粉、鸡蛋清、少许盐拌匀；口蘑洗净切片；黄瓜洗净，切片。

2. 锅置火上，注入水烧开，放入口蘑片、西式火腿片、黄瓜片煮开，再将鸡肉片抖散放入，煮开后转小火，撇去浮沫，熟后加味精、剩余盐调味，淋上香油即可。

巧变化：口蘑可以换成其他菌类，如平菇、草菇、黑木耳等。

鸡片莼菜汤

材料：鲜莼菜60克，鸡脯肉100克，蛋清1个。

调料：盐5克，水淀粉20克，味精少许。

做法：

1. 莼菜去茎及老叶，开水焯至断生，捞至汤碗内。

2. 鸡脯肉片成薄片，放入小碗内，用少许盐、蛋清和水淀粉上浆备用。

3. 锅置火上，倒入水烧开后，将鸡片下入汤锅内，待鸡片色白熟后，捞出放入盛莼菜的汤碗内，再将汤烧开，撇去浮沫，用盐、味精调味，起锅盛入汤碗内即成。

小提示：莼菜焯水以断生为宜，不要过火；鸡片上浆要薄厚适度。

鸡片竹荪汤

材料：鸡胸肉100克，水发竹荪50克，鸡蛋清1个。

调料：盐5克，料酒10克，味精、白糖、胡椒粉各少许，淀粉适量。

做法：

1. 鸡胸肉洗净，切成片，用盐、味精、料酒、淀粉、鸡蛋清上浆待用；水发竹荪切段，焯水待用。

2. 锅置火上，倒入清水750克烧开，把竹荪段放入锅内煮3分钟，加鸡肉丝煮开，加盐、白糖、胡椒粉调味即可。

小提示：营养丰富的百菌之王竹荪具有阻止糖分转化的作用，经常食用有轻身减肥的功效。

枸杞鸡肝汤

材料: 鸡肝100克,枸杞10克,枸杞叶20克,鸡骨头100克。

调料: 姜汁适量,盐5克,胡椒粉少许。

做法:

1. 鸡肝洗净,切片,用沸水氽一下,再用姜汁浸泡5分钟备用;枸杞、枸杞叶均洗净;枸杞叶和鸡骨头同熬取浓汤。

2. 在浓汤中加入枸杞煮10分钟,加水,再下入鸡肝煮熟,加盐、胡椒粉调味即可。

小提示: 枸杞叶如能打碎再与鸡骨同煮取汤,色泽会很艳丽。

桂花煲鸡蛋

材料: 鸡蛋4个,咸桂花5克。

调料: 白糖、蜂蜜各5克。

做法:

1. 锅中加水烧至微开,将鸡蛋打入煮4分钟成荷包蛋,倒入碗中。

2. 将桂花炒香,放入盛荷包蛋的碗中加白糖、蜂蜜调味即可。

小提示: 煮鸡蛋时水温不宜过高,水温高荷包蛋容易破。

鸡蛋豆腐汤

材料: 鸡蛋1个,嫩豆腐200克,火腿肠30克,番茄、油菜各50克,高汤1200克。

调料: 盐5克,味精、香油各2克。

做法:

1. 豆腐洗净切条;火腿肠切丝;番茄洗净切块;油菜洗净切段;鸡蛋打成蛋液。

2. 锅置火上,注入高汤烧开,放入豆腐、油菜段略煮,再均匀淋入鸡蛋液搅散,再次煮开后加入火腿肠、番茄块,煮熟后加盐、味精、香油调味即可。

小提示: 将豆腐切块后放入淡盐水中浸泡约15分钟,就会去除豆腥味,而且烹制起来还不易碎。

番茄鸡蛋汤

材料： 番茄200克，鸡蛋1个。

调料： 葱花、香菜末、盐各5克，水淀粉10克，味精、香油各少许。

做法：

1. 番茄洗净，去皮切块；鸡蛋磕入碗中，打散。

2. 锅置火上，放油烧热，下葱花煸出香味，放入番茄块略炒，加入适量水，煮开后用水淀粉勾芡，再倒入鸡蛋液搅匀，加盐调味，开锅后加味精、香油拌匀，熟后撒入香菜末即可。

巧变化： 调料可以加入花椒油，做出来的汤则带有椒香味。

紫菜海米鸡蛋汤

材料： 紫菜20克，海米15克，鸡蛋1个。

调料： 葱花5克，盐5克，香油、味精各少许。

做法：

1. 紫菜洗净撕碎，海米洗净，将紫菜、海米放入碗中，加清水泡好；鸡蛋打成蛋液。

2. 锅置火上，放油烧热，放入葱花爆香，再倒入适量水烧开，加入盐，均匀淋入鸡蛋液搅散，当形成蛋花浮起后，加香油、味精调味，再放入泡好的紫菜和海米煮熟即可。

小提示： 海米在加工过程中极易受到污染，泡前应先用开水烫洗一下。

木耳鸭丝汤

材料： 鸭胸肉100克，水发木耳50克，鸡蛋清1个。

调料： 盐5克，料酒10克，淀粉适量，胡椒粉、味精、白糖各少许。

做法：

1. 鸭肉洗净，切丝，用盐、淀粉、料酒、胡椒粉、鸡蛋清浆好，余水后待用；水发木耳去根，焯水后切丝。

2. 锅置火上，倒入清水750克烧开，下入鸭肉丝、木耳丝煮开3分钟，加入剩余调料即可。

小提示： 鸭肉是禽类食品中高蛋白、低脂肪的佳品，常喝此汤既滋补又瘦身。

清汤鸭条

材料： 熟白鸭300克，水发冬菇、冬笋、熟火腿、青菜心各适量。

调料： 盐、料酒、味精、酱油、花椒、大料、香油各适量。

做法：

1. 将熟鸭剔骨，切成长条，鸭皮向下整齐地摆入碗内；将鸭骨剁成块放在鸭肉上，然后放入少许水、盐、味精、料酒、花椒、大料蒸透；滗出汤汁留用，并将鸭条扣入汤碗内备用；冬菇、冬笋、熟火腿分别切成长方片；青菜心洗净、切开；将冬菇、冬笋、青菜心入沸水中略烫捞出。

2. 锅置旺火上，加入水、冬菇、冬笋、青菜心、火腿片、盐、味精、料酒、酱油和蒸鸭的原汤，烧沸后撇去汤面浮沫，淋入香油搅匀，起锅慢慢倒入盛鸭条的汤碗中即可。

小提示： 此汤开胃生津，滋阴补虚。火腿与鸭肉的搭配，其营养价值与食疗效果更胜一筹。

冬瓜鸭架汤

材料： 鸭架1副，冬瓜300克。

调料： 葱段、姜片、盐各5克，味精、白糖各少许。

做法：

1. 把鸭架砍成小块，汆水去血沫待用；冬瓜洗净，去皮切块待用。

2. 锅置火上，倒油烧热，放入葱段、姜片爆香，下入鸭架、料酒翻炒，加清水1000克烧开，再倒入冬瓜小火煮至软烂，加入剩余调料调味即可。

小提示： 鸭架中加入开胃利水的冬瓜，有助于降低胆固醇和脂肪。

鸭架白菜汤

材料： 鸭架1副，白菜200克。

调料： 姜片、葱段各5克，盐3克，胡椒粉、味精各少许。

做法：

1. 将鸭架清洗干净，剁成小块；白菜洗净，切成片。

2. 锅置火上，放油烧热，爆香葱段、姜片，再放入鸭架块煸炒，炒至八成熟时加入适量水至没过材料，大火烧开，撇去浮沫，煮约10分钟后，再放入白菜块、盐、胡椒粉、味精，煮约5分钟至熟即可。

小提示： 如用烤鸭架煮汤，可省去煸炒鸭架的过程，直接添水煮汤即可，味道更为鲜美。

冬菜鸭肝汤

材料: 鸭肝100克，川冬菜30克，鸡蛋清1个。

调料: 葱段、姜片各5克，盐3克，淀粉适量，味精、白糖、胡椒粉各少许。

做法:

1. 将鸭肝洗净，切片，用盐、味精、胡椒粉、淀粉、鸡蛋清上浆，待用；冬菜洗净，焯水后切末待用。

2. 锅置火上，倒油烧热，放入葱段、姜片炒香，倒入冬菜翻炒，加清水750克烧开，倒入鸭肝煮3分钟，加剩余调料调味即可。

小提示: 鸭肝脂肪含量较少且营养丰富，但胆固醇含量相对较高，不宜常吃。

鸡杂鸭血汤

材料: 鸭血200克，鸡肠、鸡胗各50克，高汤1000克。

调料: 葱末、姜片各5克，盐4克。

做法:

1. 鸭血冲洗净，切成小方块，入开水锅内汆熟，捞出沥干；鸡肠、鸡胗洗净，入开水锅内汆熟，捞出沥干，切碎。

2. 锅置火上，注入高汤煮开，加入鸭血块、鸡肠碎、鸡胗碎、葱末、姜片，煮开后撇去浮沫，加盐调味即可。

巧变化: 喜吃辛辣口味的朋友，可以在出锅前撒入一些胡椒粉。使用的高汤一定要用鸡汤或猪骨汤，否则会影响口味。

银耳鹌鹑蛋汤

材料: 鹌鹑蛋100克，水发银耳、蘑菇、番茄各50克。

调料: 葱花、盐各5克，姜末、味精各2克。

做法:

1. 鹌鹑蛋煮熟，去壳待用；蘑菇、番茄洗净切块；银耳洗净，撕开。

2. 锅置火上，注入水烧开，放入银耳、蘑菇块、番茄块、鹌鹑蛋煮约10分钟，加入姜末、盐、味精调味，起锅前撒入葱花即可。

小提示: 如果有条件，用鹌鹑肉煮汤作为此菜的汤水，味道将更好。

皮蛋鱼片汤

材料： 鱼肉80克，皮蛋1个。

调料： 盐5克，香菜段、姜丝、料酒各适量。

做法：

1. 鱼肉洗净，切片，下油锅，煎熟透；皮蛋去壳，切块。

2. 锅中加适量水，下入皮蛋块、姜丝中火煮约10分钟，再放入鱼片、料酒煮熟，加盐调味，撒入香菜段即可。

小提示： 食欲不佳时，可以加一个番茄同煮，营养又开胃。

香菜鱼片汤

材料： 鲤鱼肉50克，香菜20克。

调料： 料酒15克，葱段、盐各5克，姜片、味精各2克。

做法：

1. 鲤鱼肉洗净，片成薄片，加盐、部分料酒腌约半小时；香菜洗净，切末。

2. 锅置火上，放油烧热，爆香葱段、姜片，放入鱼片略煎，倒入料酒，加水煮开，投入香菜末，加入味精拌匀即可。

小提示：

◎片鱼片的过程是关键，如果是整鱼，要先将鱼头剁下，并从中间劈开成两半，将鱼身平放在案板上，用锋利的刀平着将两大片鱼肉和鱼脊梁骨分开，再继续将两大片鱼肉平着片成薄片即可。

◎汤中加几滴牛奶或放点啤酒，会使鱼汤色白、鱼肉更细腻。

丁香鱼片杞子汤

材料： 草鱼肉150克，枸杞15克，丁香3克。

调料： 盐、柠檬汁各5克，鸡蛋清1个，水淀粉15克，味精、胡椒粉各少许。

做法：

1. 草鱼肉洗净，片成片，用鸡蛋清、水淀粉制成糊上浆；枸杞、丁香分别洗净。

2. 锅置火上，倒入适量水煮开，下

入枸杞、丁香煮3分钟，加入鱼片、调料煮至入味即可。

小提示： 此汤有滋肾暖胃，明目润肺的功效，适合冬季食用。

玉竹鱼头汤

材料：鳙鱼头1个（约500克），玉竹5克。

调料：葱段、姜片各10克，盐5克，味精、白糖各少许。

做法：

1. 鱼头洗净，去鳃待用。
2. 锅置火上，倒油烧热，放入葱段、姜片爆香，放入鱼头，文火煎至两面呈金黄色，加入清水750克，放入玉竹煮至鱼头熟烂，再加入盐、味精、白糖调味即可。

小提示：鱼肉含丰富的蛋白质和磷，脂肪极低，配上滋阴养胃的玉竹，可以缓解血液中脂肪的堆积，起到瘦身健体的作用。

醋椒头尾汤

材料：鲢鱼头、鲢鱼尾各1个，萝卜丝50克，高汤1500克。

调料：醋25克，葱段、姜片、料酒各10克，姜丝、盐、味精各5克，花椒粒2克，香菜末、香油各少许。

做法：

1. 鱼头去鳃，由鱼鳃处把鱼头劈开（中间相连）；鱼尾刮鳞洗净，两面划十字花刀。
2. 锅置火上，放油烧热，放入葱段、姜片爆出香味，撒入花椒粒略微煸炒，再倒入料酒，放入鱼头、鱼尾煎至两面微黄，注入高汤，用大火烧开，再改小火炖约20分钟，捞出葱段、姜片不用，放入萝卜丝、姜丝、味精、盐，煮熟后淋入香油、醋，再撒入香菜末即可。

巧变化：还可做成麻辣口味的，在爆香葱段、姜片的时候放入干辣椒段，不加醋即可。

盖菜鱼腩汤

材料：盖菜60克，草鱼200克，鸡腿菇20克，红枣30克。

调料：盐5克，姜片10克，料酒、白糖、味精、胡椒粉各适量。

做法：

1. 草鱼洗净，取中段切成块；盖菜、鸡腿菇洗净切片。
2. 锅置火上，放油烧热，放入姜片略炒，放鱼腩两面略煎，淋入料酒，倒水，放入盖菜、红枣、鸡腿菇，用大火煮开，加盐、味精、白糖、胡椒粉，再煮约20分钟即可。

小提示：用不粘锅放少许油，将鱼腩煎一下，可缩短时间，也能增加汤的味道。

黄芪鲫鱼汤

材料： 鲜活鲫鱼250克，黄芪5克。

调料： 葱段、姜片各适量，盐8克，料酒15克，味精、胡椒粉各少许。

做法：

1. 将鲫鱼宰杀收拾干净，待用。
2. 锅置火上，倒油烧热，加入葱段、姜片、鲫鱼、料酒煎香，再加入清水约750克，放入黄芪炖至鱼肉软烂，最后加入盐、味精、胡椒粉调味即可。

小提示：

◎此汤低脂肪高蛋白，具有益气养阴，美容健身的作用，常喝此汤，有瘦身的作用。

◎黄芪性微温，味甘，有补虚，益气，止汗的功效。适宜气血不足，气短乏力，表虚而易患感冒，自汗多汗之人食用。

莼菜鲫鱼汤

材料： 鲫鱼250克，莼菜100克。

调料： 盐5克，料酒10克，味精、胡椒粉各少许。

做法：

1. 鲫鱼去鳞、鳃、内脏，洗净；莼菜洗净，去杂质，沥干。
2. 锅中下油，将鲫鱼两面煎黄，烹入料酒，加水煮开，大火煮20分钟，加入莼菜、盐、味精、胡椒粉小火再煮约5分钟即可。

小提示： 鲫鱼先用油煎一下，再加开水做汤，汤会色白味浓。

鲫鱼豆腐汤

材料： 鲫鱼250克，豆腐100克。

调料： 葱末、姜片、盐各5克，料酒15克，味精少许。

做法：

1. 鲫鱼刮鳞，除去内脏洗净；豆腐洗净切片，入沸水略焯，捞出沥干。
2. 锅置火上，放油烧热，放入鲫鱼煎至鱼身两面微黄时，放入豆腐片、姜片、料酒、适量水，用大火烧开，再改小火煮20分钟左右至熟，加盐、味精调味，撒入葱末即可。

巧变化： 此汤可以做成酸辣口味的，豆腐煮开后加入醋，出锅前撒入胡椒粉即可。

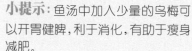

乌梅大枣鲫鱼汤

材料：鲫鱼1条，乌梅15克，大枣10个。

调料：葱段、姜片各10克，盐5克，味精、白糖各少许。

做法：

1. 将鲫鱼收拾干净；大枣用水泡软。

2. 锅置火上，倒油烧热，爆香葱段、姜片，放入鲫鱼煎至两面呈金黄色，倒入适量清水烧开，放入乌梅、大枣同煮至熟，加入剩余调料即可。

小提示：鱼汤中加入少量的乌梅可以开胃健脾，利于消化，有助于瘦身减肥。

鲢鱼丝瓜汤

材料：白鲢鱼1条（约500克），丝瓜150克。

调料：葱段、姜片、盐各5克，料酒10克，味精、胡椒粉、鸡精各少许。

做法：

1. 将白鲢鱼去鳃及内脏，收拾干净待用；丝瓜洗净，去皮切条。

2. 锅置火上，倒油烧热，放入鲢鱼，煎至两面呈金黄色，加入葱段、姜片爆香，烹入料酒，加入清水600克，待鱼八成熟时加入丝瓜条，煮至软烂，加入盐、味精、胡椒粉调味即可。

小提示：鲢鱼加入富含膳食纤维的丝瓜，对降脂、降胆固醇有着较为显著的食疗作用。

草菇鱼丸汤

材料：鳜鱼1条（约500克），草菇50克，山楂、油菜心各少许，鸡蛋清1个。

调料：盐5克，味精、白糖、胡椒粉各少许。

做法：

1. 鳜鱼宰杀后洗净，去骨、去皮取肉，用刀背捶成鱼蓉，加盐、味精、鸡蛋清，搅打成鱼胶状待用；山楂、草菇、油菜心分别洗净。

2. 锅置火上，倒入适量清水烧开，将打好的鱼胶挤成鱼丸，边挤边下锅，待开锅后捞出，锅内再加清水烧开，放入鱼丸、草菇、山楂、油菜心，加入盐、胡椒粉、白糖调味，煮熟即可。

小提示：鱼汤中加入少量的山楂可以开胃健脾，利于消化，有助于瘦身减肥。

清汤鱼丸

材料： 鱼肉泥200克，油菜心50克，香菇30克。

调料： 料酒10克，葱末、姜末、盐各5克，香油、味精各少许。

做法：

1. 香菇洗净，去蒂，切丝，和菜心一起入沸水中焯熟，盛入大汤碗中。

2. 将鱼肉泥放入盆内，加入少许水、盐2.5克，顺着一个方向搅拌，使劲搅拌至起劲时，再加入少许水搅拌均匀，放置约30分钟后，加入料酒、葱末、姜末、味精拌匀。

3. 锅置火上，放水烧开，将搅拌好的鱼肉泥用手挤成核桃大小的鱼丸，放入锅内煮熟，撇去浮沫，加剩余2.5克盐调味，连汤盛入放了香菇丝、油菜心的大汤碗中，淋入香油即可。

小提示： 将新鲜草鱼或鲤鱼去鳞、头、尾及内脏，洗净，上蒸锅蒸熟，取出去鱼皮、鱼骨及鱼刺，将鱼肉捣成泥状即成鱼肉泥。

芹菜鱼丸汤

材料： 芹菜叶80克，净鱼肉100克，鸡蛋清1个。

调料： 葱末、姜末各3克，盐5克，料酒15克，味精少许，香油适量。

做法：

1. 芹菜叶洗净，入开水锅中焯至断生捞出，过凉后控水，剁成细蓉；鱼肉漂净血水，放入搅拌机中制成鱼蓉，加入盐、鸡蛋清、葱末、姜末、料酒搅打上劲后再加入芹菜叶蓉拌匀成馅。

2. 锅置火上，加入适量水，待水烧沸后，将馅挤成鱼丸入水中煮熟，将鱼丸捞入碗中，加适量汤、盐、味精，淋上香油即成。

巧变化： 芹菜叶可以换成香菜，将其剁碎与鱼肉制成鱼丸，调料中加入醋、胡椒粉，去掉香油。

淮杞黄鳝汤

材料： 黄鳝150克，淮山药100克，枸杞10克。

调料： 盐5克，料酒10克，味精、白糖、鸡精各少许。

做法：

1. 将黄鳝宰杀后，去除内脏洗净，剁成4厘米长的段，焯水后待用；淮山药切片待用；枸杞洗净。

2. 锅置火上，倒油烧热，爆香葱段、姜片，放入鳝段，加料酒烹至鳝肉软烂，加入适量水煮开，加盐、味精、白糖、鸡精调味即可。

小提示： 黄鳝低脂肪、高蛋白，具有益气养阴，美容健身的作用。

丝瓜虾仁汤

材料: 丝瓜1/2根, 虾仁60克, 熟火腿40克。

调料: 蒜蓉2克, 水淀粉、盐、胡椒粉各适量。

做法:

1. 丝瓜洗净, 去皮后切块; 虾仁挑去肠线后洗净; 熟火腿切片。

2. 锅置火上, 放入少量油, 烧热后炒香蒜蓉, 放入丝瓜块, 翻炒至丝瓜变色。

3. 在锅中倒入清水, 大火烧开后加虾仁、熟火腿, 炖煮片刻, 加盐、胡椒粉调味后, 用水淀粉勾薄芡即可。

小提示: 月经不调的女性, 可以在月经前1周多喝几次这道汤, 能有效调理经期, 减缓疼痛。

猪血豆腐汤

材料: 韭菜30克, 猪血、豆腐各75克, 虾仁50克, 蟹肉20克。

调料: 盐5克, 姜末少许, 水淀粉适量。

做法:

1. 韭菜择洗干净, 洗净切段; 猪血洗净切块, 用开水氽烫煮熟后捞出, 再用温水洗净; 豆腐切块氽烫片刻后捞出; 虾仁洗净, 去肠线; 蟹肉洗净后切蓉。

2. 锅置火上, 放入适量油, 烧热后炒香姜末, 倒入水与猪血、豆腐、虾仁、蟹肉蓉, 大火煮开后转小火煮5分钟, 加韭菜、盐煮开后, 用水淀粉勾芡即可。

小提示: 氽烫时应先焯豆腐, 不用倒水再焯猪血, 先后顺序不可颠倒。

鲜虾黄芪汤

材料: 鲜活虾150克, 鲜黄芪5克。

调料: 盐6克, 味精、白糖、鸡精各适量。

做法:

1. 活虾清洗干净; 黄芪煮汁待用。

2. 锅置火上, 倒入清水750克烧开, 加入虾煮至虾变红色, 倒入黄芪汁, 加调料调味即可。

小提示: 煮虾的时间不要过长, 否则影响肉质。

277

金瓜花蟹汤

材料：花蟹1只（约200克），南瓜（金瓜）200克。

调料：葱段、姜片各10克，盐5克，味精、白糖、鸡精各少许。

做法：

1. 将螃蟹宰杀后洗净；南瓜洗净，去皮、去子，切成菱形块待用。

2. 锅置火上，倒油烧热，分别下入螃蟹、南瓜炸熟，加入适量清水烧开，放入调料，中火煮至汤浓即可。

小提示： 螃蟹属寒性，具有清热解毒，养精益气，利水减肥的功效，南瓜也同样属减肥食品，两者搭配美味又瘦身。

山药花蟹汤

材料：花蟹200克，山药50克。

调料：香葱段5克，盐5克，干淀粉6克，味精、胡椒粉各少许。

做法：

1. 花蟹洗净，去壳（留用）、去鳃，蟹身切成八块，过油，炸成金红色；山药洗净，去皮，切滚刀块。

2. 将山药入锅，加水2000克，煮10分钟后，加入蟹块，再煮6分钟，加调料调味即可。

小提示： 花蟹一定选用鲜活的，食用死的容易中毒。为了美观可将蟹壳再扣回蟹块上。

芦蒿山药煮海参

材料：水发海参100克，山药150克，芦蒿50克。

调料：盐5克，味精、白糖、鸡精各少许。

做法：

1. 海参去内脏、沙子洗净后切条，氽水后待用；山药洗净，去皮切条；芦蒿洗净，切段待用。

2. 锅置火上，倒入适量清水烧开，放入海参、山药、芦蒿，煮至山药软烂，放入调料调味即可。

小提示： 海参是低脂肪、高蛋白的食物，营养非常丰富，含有对人体有益的多种元素，经常食用既补益身体，又不会增肥。

菠菜海鲜汤

材料：水发海参50克，虾仁50克，海螺片50克，菠菜100克。

调料：盐4克，鸡精少许。

做法：

1. 海参去内脏、沙子洗净后切抹刀片；虾仁洗净，从去肠线处一切两半；海螺片洗净；菠菜择洗干净，焯水后，切段待用。

2. 锅置火上，倒入清水烧开，分别汆烫海参、虾仁、海螺，盛出待用。

3. 锅置火上，倒入适量清水烧开，放入海参、虾仁、海螺煮至开，加入菠菜段、调料烧开即可。

巧变化：菠菜可以换成豆腐，将其切块与海鲜同煮，制成豆腐海鲜汤，喜欢酸辣口味的还可加入醋和胡椒粉。

双耳日月贝

材料：日月贝150克，水发银耳、水发木耳各30克。

调料：盐5克，味精、白糖、鸡精各少许。

做法：

1. 日月贝洗净，去壳，焯水待用；银耳、木耳分别洗净，切小朵，焯水待用。

2. 锅置火上，倒入清水，放入银耳、木耳、日月贝烧开，加入调料调味即可。

小提示：双耳及日月贝不仅低脂肪、高蛋白，而且富含植物胶质蛋白，所以食之不仅瘦身而且还有护肤的作用。

海米三鲜汤

材料：海蛎蟥100克，海米10克，菠菜50克，草菇20克。

调料：盐4克，味精少许。

做法：

1. 海蛎蟥清洗干净，汆水待用；海米泡涨；菠菜择洗干净，焯水后，切段；草菇洗净，一切两半。

2. 锅置火上，倒入清水烧开，放入草菇、海米、海蛎蟥、菠菜烧开，加入调料调味即可。

巧变化：菠菜可以换成鸡毛菜，更适合南方人的口味。

海鲜丸子汤

材料：瘦肉馅100克，海参50克，玉兰片40克，水发鱿鱼头1个。

调料：料酒、淀粉各10克，葱末、葱丝、姜末、鸡精、胡椒粉各少许，盐、味精各适量。

做法：

1. 在瘦肉馅中放入少许盐、味精、料酒、淀粉、葱末、姜末拌匀，腌5分钟；海参洗净，去内脏切块；玉兰片洗净切片；水发鱿鱼头洗净，去眼睛及脆骨，切段。

2. 将玉兰片放入清水中煮，待水开后，加入鸡精，并将肉馅做成丸子，放入锅中，加入海参块，待水再次开后，下鱿鱼段，加盐、胡椒粉调味，煮开，撒入葱丝即可。

小提示：这个汤最好是用白水清汤来做，才能更突出丸子的香气，以及海鲜的鲜味。

乌鱼蛋汤

材料：水发乌鱼蛋50克。

调料：醋、香菜末、红椒丝、料酒、胡椒粉、盐、姜汁、水淀粉、鸡汤各适量。

做法：

1. 乌鱼蛋洗净备用。

2. 汤锅置于旺火上，放足量鸡汤、乌鱼蛋、料酒、姜汁、盐，煮沸后，撇去浮沫，再放入醋和胡椒粉，倒入碗内，撒上香菜末、红椒丝即成。

小提示：如果自己发乌鱼蛋，可以隔夜先用清水洗净，剥去外皮，放在凉水锅里，在旺火上烧开后，端下锅浸泡一晚；然后一片片地揭开，放进凉水锅里，置旺火上烧到八成热，换凉水再烧；反复数次，去掉咸腥味。发好的乌鱼蛋薄片，如果当天不用，必须用清水浸泡，每天要换一次水。

莴笋叶豆腐汤

材料：嫩豆腐200克，莴笋叶100克。

调料：盐5克，味精、香油各少许，高汤适量。

做法：

1. 嫩豆腐切成菱形片，入开水锅略焯，去除生豆腥味，捞起，沥净水。

2. 莴笋叶洗净，切成段，入开水锅焯一下，捞出，放在汤碗中。

3. 将高汤放入锅中，上火煮沸，加入豆腐、盐，待汤烧沸，撇掉浮沫，加味精，盛入汤碗中，淋香油即成。

小提示：制作时可先将高汤放入锅中加热，在另一个锅中进行豆腐和莴笋的焯水准备。应先焯莴笋，用后的开水不必倒掉，可再利用其焯豆腐。先后顺序不可颠倒，因为豆制品中的豆腥味较重，会影响其他食材。

酸辣汤

材料：豆腐100克，熟鸡血50克，水发鱿鱼30克，竹笋25克。

调料：高汤750克，醋20克，酱油、料酒、胡椒粉各5克，盐4克，水淀粉3克，味精、香油各2克。

做法：
1. 豆腐洗净切条；水发鱿鱼、熟鸡血、竹笋均洗净切丝。
2. 锅置火上，注入高汤烧开，放入豆腐条、鸡血丝、水发鱿鱼丝、笋丝煮开，加入酱油、料酒，用水淀粉勾芡，再加入醋、胡椒粉、盐、味精调味，熟后淋入香油即可。

巧变化：鸡血可用鸭血或猪血代替，可先用蒸锅蒸熟再制汤。

五香豆腐干汤

材料：五香豆腐干100克，冬菇、冬笋、草菇各50克。

调料：香油3克，盐、葱末各2克，味精、姜末各少许。

做法：
1. 五香豆腐干切块；冬菇泡发，洗净切片；冬笋洗净切片；草菇洗净切片。
2. 锅置火上，放油烧热，放入葱末、姜末爆香，再放入五香豆腐干丝翻炒，注入水，放入冬菇片、冬笋片煮开，加入草菇片煮熟，加盐、味精、香油调味即可。

小提示：如果使用罐头草菇应先用冷水冲洗，除去其防腐剂的味道。

豆腐笋丝蟹肉汤

材料：白豆腐100克，冬笋、蟹足棒各50克。

调料：盐5克，味精、鸡精、白糖各少许。

做法：
1. 豆腐洗净，切丝；冬笋去壳，洗净，切丝；蟹足棒撕成丝；将所有原料分别焯水，待用。
2. 锅置火上，倒入清水750克烧开，将焯好水的原料一并倒入锅内烧开，加入盐、味精、鸡精调味出锅即成。

巧变化：豆腐可以换成油豆腐皮，将其切丝，与其他材料同煮，味道也很好。

一品豆腐汤

材料： 豆腐100克，水发海参、虾仁、鲜贝各25克，枸杞少许。

调料： 盐5克，味精、鸡精、白糖各少许。

做法：

1. 豆腐洗净，切成小丁；海参剖开，去内脏后洗净切小丁，虾仁去肠线后洗净切小丁，鲜贝洗净切小丁，三种海鲜均氽水，待用；枸杞泡洗干净。

2. 锅置火上，倒入清水750克烧开，加入豆腐丁、海参、虾仁、鲜贝、枸杞煮3分钟，加入调料即可。

小提示： 虾含有丰富的磷和优秀的动物蛋白，与具有清热解毒的豆腐同食既有健身强体的作用，常食还不会增胖。

粉丝冻豆腐汤

材料： 冻豆腐150克，粉丝50克，高汤750克。

调料： 盐5克，香油3克，味精少许。

做法：

1. 冻豆腐洗净切小块；粉丝用水泡软后，洗净切段。

2. 锅置火上，注入高汤烧开，放入冻豆腐块煮开，再放入粉丝略煮，加盐、味精调味，熟后淋入香油即可。

巧变化： 如果在汤里加些羊肉片，就成了上好的羊肉靓汤，最适于在冬天吃。还可在冻豆腐汤中加入白菜。

鸡火煮干丝

材料： 干豆腐100克，鸡胸肉50克，鸡蛋2个，芹菜、香菇、虾仁各少许。

调料： 盐5克，味精、白糖、鸡精各适量。

做法：

1. 干豆腐切成细丝，焯水待用；鸡胸肉洗净，煮熟后用手撕成细丝；鸡蛋打散，入油锅摊成薄蛋皮，切丝；芹菜择洗干净，切丝；香菇泡发后，去蒂切丝；虾仁去肠线，洗净。

2. 锅置火上，倒入适量水煮开，加入豆腐干丝、鸡肉丝、鸡蛋丝、芹菜丝、香菇丝煮开，放入虾仁待其变红，放入调料调味即可。

小提示： 干豆腐能降低血中的甘油三酯，常吃干豆腐的人皮肤一般也较滑嫩，而且干豆腐还具有清热、润燥、生津、解毒、宽肠等功效。

香菇豆腐汤

材料：香菇4朵，嫩豆腐200克，鲜笋50克，高汤750克，香菜少许。

调料：盐5克，水淀粉15克，香油、胡椒粉、鸡精各少许。

做法：

1. 香菇用温水泡发，洗净，去蒂，切成丝；豆腐切成长方形薄片；鲜笋洗净切成丝；香菜择洗干净，切末。
2. 将炒锅置于火上，倒入油烧热，下入香菇丝、笋丝翻炒片刻出锅。
3. 将高汤倒入锅内，烧开后下入香菇丝、笋丝、豆腐片，加盐、胡椒粉、鸡精，倒入水淀粉勾薄芡，出锅倒入汤碗中，淋上香油，撒上香菜末即成。

巧变化：吃不惯香菜味道的朋友们，不妨用一点葱花替代，味道也很好。

香菇木耳莼菜汤

材料：水发香菇100克，木耳25克，莼菜50克，小红辣椒少许。

调料：盐5克，味精、鸡精各少许。

做法：

1. 香菇洗净，去蒂，焯水后切片；木耳水发后去根，焯水后撕成小片；莼菜择洗干净；辣椒洗净，去蒂及子，切节。
2. 锅置火上，倒入适量清水烧开，放入香菇、木耳烧开，放入莼菜煮熟，放入辣椒节、调料即可。

小提示：此汤富含氨基酸等多种营养物质，经常食用具有清除体内血液杂质，延缓衰老，抗癌，轻身健体等辅助作用。

清炖草菇汤

材料：干草菇20克。

调料：盐5克，味精、料酒、姜片各适量。

做法：

1. 将干草菇去杂质，用温水泡发，冷水洗净。
2. 炒锅倒油烧热，炒香姜片，下入草菇翻炒，倒入适量清水煮开，加盐、料酒、调味并煮至熟，加入味精即可。

小提示：草菇可提前泡好，如买罐装草菇更佳，可缩短制作时间。但应注意的是，大多数罐装食品中含有防腐剂，应当切开草菇，焯水。

竹笋香菇汤

材料：竹笋150克，香菇50克。

调料：姜丝5克，盐4克，味精、香油各少许。

做法：

1. 竹笋去皮洗净，切丝；香菇洗净切块。

2. 锅置火上，放水烧开，放入竹笋丝、姜丝煮约15分钟，再放入香菇块煮约5分钟，加盐、味精调味，熟后淋入香油即可。

小提示： 竹笋切丝时，靠近笋尖部的地方宜顺切，下部宜横切，这样煮汤时容易熟烂。

豆芽平菇汤

材料：豆芽100克，平菇100克。

调料：盐5克，味精、香油各少许。

做法：

1. 豆芽择洗净；平菇洗净，用手撕成条。

2. 锅置火上，放水烧开，放入豆芽煮约3分钟，再放入平菇条略煮2分钟，加盐、味精调味，熟后淋入香油即可。

巧变化： 如果觉得此汤太素，可先用大棒骨熬汤，然后再放入豆芽、平菇。

鸡汤烩野菌

材料：草菇、猴头菇、滑子菇各50克，鸡汤400克，干口蘑、冬菇、冬笋、油菜、枸杞各少许。

调料：葱段、姜片、盐、蚝油各5克，味精、水淀粉各少许。

做法：

1. 草菇、猴头菇、滑子菇洗净，焯水备用；口蘑、冬菇均泡发，冬笋洗净，切片；油菜清洗干净；枸杞泡洗干净。

2. 锅置火上，倒油烧热，炒香葱段、姜片，加鸡汤，下入草菇、猴头菇、滑子菇、口蘑、冬菇、冬笋、蚝油，小火炖2分钟，出锅前加入油菜、枸杞、味精，用水淀粉勾芡即可。

小提示： 此汤适合减肥者食用，还有防癌、抗癌、利脑等作用。

紫苏珍菌汤

材料：紫苏叶30克，羊肚菌50克，冬笋50克，胡萝卜少许，鸡蛋1个。

调料：盐5克，味精、香油各少许。

做法：

1. 紫苏叶洗净；羊肚菌泡发，切段；冬笋洗净，切片；胡萝卜洗净，切片；鸡蛋打散。

2. 锅置火上，倒入适量水烧热，下入羊肚菌、冬笋片、胡萝卜片煮开，放入紫苏叶，加入盐调味，出锅前打入鸡蛋液，淋入香油，放味精即可。

小提示：紫苏叶性温，味辛，有解表散寒，行气和胃的作用。它对人体很有好处，可增强免疫功能，还能润肤明目。紫苏在烹制鱼羹中，还有解腥增鲜提味的作用。

三菌豆苗汤

材料：草菇、松蘑、杏鲍菇各50克，豌豆苗30克。

调料：盐5克，味精、鸡精各少许。

做法：

1. 松蘑水发后洗净；草菇、杏鲍菇均洗净待用；豌豆苗清洗干净。

2. 锅置火上，倒入750克清水烧开，放入草菇、松蘑、杏鲍菇煮5分钟，下豆苗，调入盐、味精至开锅即可食用。

小提示：豆苗具有清热利水的功效，与菌菇同食既有健体抗癌的作用，而且不含脂肪，此汤是瘦身者很好的选择。

清汤蟹味菇

材料：蟹味菇200克，虾丸50克。

调料：葱段、姜片各适量，盐5克，味精、鸡精各少许。

做法：

1. 将蟹味菇去蒂洗净，虾丸剞十字花刀，将两种食材分别焯水，待用。

2. 锅置火上，倒油烧热，下葱段、姜片爆香，加水，下入蟹味菇、虾丸烧沸，加入盐、味精、鸡精再煮5分钟即可（可用枸杞、豆苗叶装饰）。

小提示：蟹味菇是低热量的天然营养食品，能提高机体免疫力，具有补肾、润肺、生津、提神、益气、健脑、嫩肤、减肥等功效。

葛根红薯防寒汤

材料: 红薯1个, 葛根50克。
调料: 红糖适量。
做法:

1. 红薯洗净, 去皮后切块; 葛根洗净。
2. 锅置火上, 放入适量清水, 大火烧开后放入葛根、红薯, 持续大火煮1分钟后转小火炖25分钟左右。
3. 熄火后, 用细纱布滤掉汤渣, 加适量红糖调味即可。

小提示: 葛根性凉、味甘, 冬季可预防感冒, 对伤寒、中风、头痛都有疗效。

参须素锅

材料: 参须25克, 小番茄5个, 荷兰豆10根, 玉米笋10支, 大白菜4片, 鲜香菇2朵, 魔芋、素丸子各适量。
调料: 盐6克。
做法:

1. 参须冲净; 大白菜洗净, 切片; 玉米笋、魔芋洗净; 鲜香菇洗净, 去蒂; 荷兰豆撕去边丝, 洗净; 小番茄洗净, 切片。
2. 参须、大白菜、玉米笋、鲜香菇放入汤煲, 加适量水炖煮。
3. 待大白菜熟软, 将荷兰豆、小番茄、素丸子、魔芋加入煮沸, 加盐调味即可。

小提示: 此汤有助于抗疲劳, 缓解紧张, 清理肠胃, 改善虚火上扬、容易出汗、疲劳等症状, 对降脂、减肥亦有效。

海米土豆瘦肉汤

材料: 猪瘦肉50克, 土豆100克, 海米10克。
调料: 盐5克, 味精、料酒、胡椒粉、姜片、葱段各适量。
做法:

1. 猪瘦肉洗净切块; 土豆去皮洗净切块; 海米用水浸透。
2. 将瘦肉块放入锅中, 注入适量清水, 用中火煮约6分钟后捞出沥干。
3. 另取锅置火上, 倒入适量清水、料酒, 放入所有材料及葱段、姜片, 大火煮开后, 改小火煲约30分钟至熟, 弃去葱段、姜片, 加入盐、味精、胡椒粉调味, 再煲约20分钟即可。

巧变化: 土豆还可以换成山药、芋头, 成汤将更加黏稠。

烧肉煲烟笋

材料: 带皮猪五花肉500克，烟笋200克。

调料: 老抽10克，盐5克，白糖、鸡精、味精、胡椒粉各少许。

做法:
1. 五花肉切成块用老抽拌匀上色，入油锅炸至金黄色；烟笋泡发，切断。
2. 将五花肉和烟笋放入锅中，加适量水炖至肉烂汤浓，加调料调味即可。

小提示: 烟笋先用温水泡软或蒸1小时，用时去老根。

莲藕玉米排骨汤

材料: 排骨300克，玉米、莲藕各150克。

调料: 姜片、料酒各10克，盐5克，陈皮少许。

做法:
1. 排骨洗净切段，放入锅中，注入适量清水，大火烧开，略煮片刻以去除血水，捞出沥干。
2. 莲藕去皮切片，入沸水锅内略焯；玉米切段。
3. 锅内注入适量清水，放入排骨段、莲藕片、玉米段、姜片、陈皮、料酒，大火煮开，再改小火煲约1.5小时至材料熟烂，加盐调味即可。

小提示: 玉米要选用嫩玉米，易熟，且味道好。

番茄排骨汤

材料: 番茄250克，排骨500克。

调料: 番茄酱40克，水淀粉15克，姜片少许，盐适量。

做法:
1. 排骨洗净，放入滚水中余2分钟，捞起用凉开水冲去血水备用。
2. 锅置火上，加适量开水，放入姜片、排骨后炖至排骨烂熟时，再放入番茄及番茄酱、盐，略炖。
3. 起锅时用水淀粉勾芡，至汤汁黏稠关火盛出。

小提示: 这道汤中所用的排骨最好选用小排，不要用腔骨。

花生排骨汤

材料: 排骨500克, 花生仁100克。
调料: 姜片、料酒各10克, 盐5克, 陈皮少许。
做法:
1. 排骨洗净切段, 放入锅中, 注入适量清水, 以大火烧开, 略煮片刻以去除血水, 捞出沥干。
2. 锅内注入适量清水, 放入排骨段、花生仁、陈皮、姜片、料酒, 大火煮开, 再改小火煲约1.5小时至材料熟烂, 加盐调味即可。

巧变化: 可将排骨换成猪手, 先将剁成块的猪手氽水, 与葱段、姜片同炒, 再入砂锅中煮1小时, 加入花生仁、调料煮至熟即可。

海带枸杞腔骨汤

材料: 腔骨500克, 水发海带150克, 枸杞10克, 红枣10个, 香菇3朵。
调料: 姜片5克, 盐适量, 料酒15克, 醋少许。
做法:
1. 将腔骨洗净切块, 放入开水中烫一下, 捞出; 海带泡洗干净, 切段; 香菇泡软, 去蒂, 切片; 枸杞、红枣发泡洗净。
2. 锅中倒入适量清水, 将各种材料

(除枸杞外) 及姜片、料酒、醋一起放入, 炖煮至熟, 出锅前放入枸杞、盐再煮5分钟即可。

小提示: 烹调时放几滴醋, 可加快海带的烹煮时间, 而且口感柔软, 更易消化。

冬瓜猪排汤

材料: 猪排骨400克, 冬瓜150克。
调料: 盐5克, 味精少许。
做法:
1. 猪排骨洗净, 切块, 放入沸水中氽水去血沫; 冬瓜洗净, 去皮、去瓤, 切条。
2. 排骨放入锅中加水炖成高汤, 除去浮油, 加入冬瓜煮10分钟, 加调料调味即可。

小提示: 排骨在炖汤时用大火煮, 这样脂肪会溶于水中, 汤才会更浓。

玉米淮山脊骨汤

材料： 猪脊骨400克，嫩玉米2根，淮山药30克。

调料： 盐5克，味精少许。

做法：

1. 猪脊骨洗净，剁段，放入凉水中加热，余水去血沫；嫩玉米洗净，连心切成小段；淮山药切片。

2. 锅中倒入适量水，下入脊骨、玉米段、淮山药片煮开，转小火炖至脊骨熟烂，加调料调味即可。

小提示： 玉米与生的脊骨一起炖，玉米的香味才能更好地溶于汤中。

双仁猪手汤

材料： 猪手500克，花生仁50克，银杏20克。

调料： 葱段、酱油、料酒各15克，姜片10克，大蒜4瓣，盐5克。

做法：

1. 猪手洗净，剁成小块，余水备用；花生仁洗净，泡在盐水中，浸泡3小时；银杏去皮。

2. 锅置火上，倒油烧热，炒香葱段、姜片、蒜瓣，下猪手炒至略带焦黄色，烹料酒，倒入适量开水煮开后，加酱油，转小火煮1小时，翻动一下，下入花生仁、银杏、盐再小火炖30分钟左右至猪手软烂即可。

小提示： 猪手斩块时，先从猪手的中间纵向劈开，再横向切成均匀的块，注意要从骨节缝隙间处下刀。

黄豆蹄筋汤

材料： 猪蹄筋100克，黄豆25克，红辣椒少许。

调料： 盐、料酒各5克，味精、胡椒粉各少许。

做法：

1. 猪蹄筋泡发，洗净，放入沸水中余烫；黄豆泡涨，洗净；红辣椒去蒂，洗净。

2. 将蹄筋、黄豆、红辣椒同入锅中煮开，小火炖至软烂，加调料调味即可。

小提示： 涨发猪蹄筋时可先放入加有芹菜叶、白萝卜的沸水中煮，去除异味后再使用，这样口味更好。

红枣白果猪肚汤

材料: 猪肚200克,猪瘦肉50克,红枣、白果各20克。

调料: 姜片、料酒各10克,盐5克,盐、淀粉各适量。

做法:

1. 猪肚用盐、淀粉用力抓洗,再用清水冲净,反复几次至干净无异味,切块,入沸水中略氽,捞出沥干。
2. 猪瘦肉洗净切片;红枣洗净去核;白果去皮洗净。
3. 锅内注入适量清水,放入猪肚块、瘦肉片、红枣、白果、姜片、料酒,大火煮开,再改小火煲约1小时至熟,加盐调味即可。

小提示: 煮猪肚时不能先放盐,要等煮熟后再放盐,否则猪肚会缩得像牛筋一样硬。

芸豆猪皮汤

材料: 猪皮200克,芸豆150克,红枣30克。

调料: 姜片、料酒各10克,盐5克,陈皮少许。

做法:

1. 猪皮洗净切小块,放入开水锅内略氽;芸豆洗净;红枣洗净去核。
2. 锅内注入适量清水,放入猪皮块、芸豆、红枣、陈皮、姜片、料酒,大火煮开,再改小火煲约2小时至熟,加盐调味即可。

小提示: 猪皮如有毛可用沸水浸烫5~7分钟,然后捞出迅速刮毛。不好刮的部位可以在火上略烤,烤后刮毛即可。

苦瓜牛肉汤

材料: 牛肉150克,苦瓜100克,枸杞15颗。

调料: 盐5克,味精、干辣椒各少许。

做法:

1. 牛肉洗净,切小块,氽水备用;苦瓜洗净,去瓤,切条备用;枸杞泡洗干净。
2. 将牛肉放入锅,加适量水烹制2小时左右待用。
3. 炒锅倒油烧热,煸香辣椒,加入苦瓜、枸杞翻炒,然后倒入牛肉锅中,与牛肉同炖5分钟,加盐、味精调味即可。

小提示: 苦瓜含维生素多,不宜长时间炖煮,而且烹制时间长了还易变色。想减轻苦瓜的苦味,可以先用凉水泡5分钟,或用盐腌10分钟左右。

牛肉薏米汤

材料： 鲜牛肉150克，薏米30克。

调料： 盐适量。

做法：

1. 牛肉洗净后切成小块，入沸水氽烫后捞出，沥干水分；薏米淘洗干净，浸泡2小时。

2. 将牛肉块、薏米同放入汤锅，加清水适量，用大火烧开后转用小火慢炖至牛肉熟烂，加入盐调味即可。

小提示：

◎炖牛肉时可缝一个纱布袋，将够泡一壶茶水的茶叶放入纱布袋里，捆好口，放入锅内和牛肉一起炖，牛肉熟得快，又不变味。

◎煮老牛肉时，加几个山楂（或山楂片），肉易烂、质不老。

萝卜牛腩汤

材料： 牛腩150克，白萝卜100克。

调料： 姜片、料酒各10克，盐5克，胡椒粒2克，陈皮少许。

做法：

1. 牛腩洗净切块，放入锅中，注入适量清水，以大火烧开，略煮片刻以去除血水，捞出沥干。

2. 白萝卜去皮洗净，切成大块。

3. 锅内注入适量清水，放入牛腩块、姜片、陈皮、胡椒粒、料酒，大火煮开，再改小火炖煮约1.5小时，加入白萝卜块再炖煮约30分钟至材料熟烂，加盐调味即可。

小提示： 煲汤前一天，先在牛腩上抹一层芥末，烹制前用冷水冲洗掉，这样处理过的牛腩不仅熟得快，而且肉质鲜嫩。

参须枸杞牛腩煲

材料： 牛腩600克，参须15克，枸杞10克，红枣10个，陈皮1片。

调料： 姜片5克，盐适量。

做法：

1. 牛腩切块；参须、枸杞泡水洗净；陈皮、红枣洗净。

2. 将牛腩放入开水中氽烫，捞出，洗净。

3. 汤煲中倒入适量水，加入牛腩、参须、红枣、陈皮、姜片，炖煮至牛肉烂熟，加枸杞、盐再煮5分钟即可。

小提示： 牛肉氽烫后会产生比猪、羊肉更多的细末，氽烫时间要长一些，以使汤汁更清澈。

萝卜牛肺汤

材料：牛肺150克，白萝卜100克，香菇50克。

调料：盐、醋各5克，料酒15克，味精、胡椒粉各少许。

做法：

1. 牛肺洗净，放入沸水中焯透，盛出，切片；白萝卜洗净，切片，焯水；香菇洗净，去蒂，切片。

2. 锅置火上，加适量水，放入牛肺片、萝卜片、香菇、盐小火炖煮至熟，加醋、味精、胡椒粉调味即可。

巧变化： 调料中还可将醋、胡椒粉换成花椒、辣椒，制成麻辣口味，因牛肺易有腥味，所以制作时以酸辣、麻辣口味的为好。

红枣牛尾汤

材料：牛尾300克，红枣40克，香菇30克，鞭笋少许。

调料：盐5克，老抽、料酒各10克，味精、胡椒粉各少许。

做法：

1. 牛尾洗净，切段，放入沸水中，加料酒，汆水备用；红枣洗净，去核；香菇洗净，去蒂，切片；鞭笋去皮，洗净，切斜段。

2. 将牛尾放入高压锅中，加水2000克煮40分钟，打开盖，放入红枣、香菇、鞭笋再一同煮15分钟，加入盐、味精、胡椒粉调味即可。

小提示： 如果有条件，选用山西柳林的红枣与牛尾一起制作此汤，味道更好。

杞子鞭花汤

材料：牛鞭200克，枸杞30克。

调料：盐5克，味精、胡椒粉各少许。

做法：

1. 牛鞭煮熟后，用刀从中间片开成两半，去掉杂物，再用剪子剪成一字花刀，制成牛鞭花备用；枸杞洗净。

2. 锅中加水，下入鞭花和枸杞同煮至软烂，加调料调味即可。

小提示： 发制牛鞭时，先煮1小时至软，然后要除干净尿管，再用香菜叶、葱段、姜片、料酒同煮去除异味。

萝卜羊肉汤

材料：羊腿肉100克，白萝卜100克，木耳少许。

调料：花椒5克，大料1个，葱段15克，姜片10克，盐8克，料酒15克，味精、胡椒粉各少许。

做法：

1. 羊肉洗净，切成小块，余水后盛出待用；白萝卜洗净，去皮，切块；木耳泡发，切小朵。

2. 锅置火上，倒入25克油烧热，爆香葱段、姜片，倒入羊肉、料酒翻炒，加入花椒、大料、清水750克，放入白萝卜块烧开，小火炖1小时左右，加入木耳、盐、味精、胡椒粉炖煮至木耳熟即可。

小提示：羊腿肉脂肪含量较低，再配上有利肠通气功效的白萝卜，有轻身健体的作用。

生姜羊肉汤

材料：羊腿肉400克，生姜50克，冬笋40克。

调料：盐5克，料酒10克，味精、胡椒粉各少许。

做法：

1. 羊腿肉洗净，切成块，放入沸水中余水备用；生姜洗净，切片；冬笋洗净，切片。

2. 将羊肉、生姜、冬笋同入锅中加适量水，小火炖至肉烂，加入调料即可。

小提示：生姜选用嫩姜与羊肉同做口感更好。

红枣羊腩汤

材料：羊腩200克，红枣50克。

调料：盐5克，料酒15克，味精、胡椒粉各少许。

做法：

1. 羊腩洗净，切小块，余水备用；红枣洗净，去核。

2. 羊腩、红枣同入锅中加水炖约50分钟，加调料调味即可。

小提示：炖羊腩过程中要一次加足水，如果中间加凉水，会使羊肉的蛋白质凝固，肉会老且不易煮烂。

核桃羊肉汤

材料：羊肉300克，核桃100克，荸荠50克，红枣30克。

调料：姜片、料酒各10克，盐5克，陈皮少许。

做法：

1. 羊肉洗净切块，放入锅中，注入适量清水，以大火烧开，略煮片刻以去除血水，捞出沥干。

2. 核桃去壳取肉；荸荠去皮洗净；红枣洗净去核。

3. 锅内注入适量清水，放入羊肉块、核桃肉、荸荠、红枣、姜片、陈皮、料酒，大火煮开，再改小火煲约1小时至材料熟烂，加盐调味即可。

小提示：要想去除羊肉膻味，可在余烫羊肉的开水锅里加一些米醋，比例为500克羊肉、500克水、25克米醋。

茯苓羊肉汤

材料：羊肉500克，茯苓15克，冬笋、油菜各少许。

调料：盐5克，料酒10克，味精、胡椒粉各少许。

做法：

1. 羊肉洗净，切小块，焯水备用；冬笋去皮，切段；香菇洗净。

2. 锅置火上，倒油烧热，下羊肉煸炒，烹料酒后加水烧开，加入茯苓、笋段、香菇，小火炖至肉烂，加入油菜、调料略煮即可。

小提示：

◎在制作过程中还可加1条煎过的鲫鱼，汤味会更浓更好，正所谓"鱼羊鲜"。

◎茯苓味甘、性平，有健脾胃，利水消肿，抗衰老，抗癌等功效，用于水肿尿少。

栗子炖羊蹄

材料：羊蹄300克，罐装栗子100克。

调料：盐5克，料酒15克，味精、胡椒粉各少许。

做法：

1. 羊蹄收拾干净，从中间劈开，放入沸水中，加料酒余烫一下。

2. 羊蹄放入锅中加水炖3小时，加入栗子再炖30分钟，加调料调味即可。

小提示：羊蹄有很重的膻味，制作前可先用葱、姜、料酒反复煮，直到膻味少了，再使用。

南瓜兔肉汤

材料：兔肉300克，南瓜200克，香菇30克。

调料：葱段、姜片、蒜末各5克，料酒10克，盐6克，白糖4克，味精少许。

做法：

1. 兔肉洗净，切小块，汆水；南瓜洗净，切块；香菇泡发，去蒂，切片。
2. 锅置火上，倒油烧热，放入兔肉、葱段、姜片、蒜末炒至肉变色，烹入料酒，加入适量水煮1小时，下入南瓜块、香菇片再煮15分钟，加入剩余调料调味即可。

小提示：兔肉切块后用凉水反复泡洗，以拔去血腥，否则有土腥味。

枸杞兔肉汤

材料：去皮兔肉400克，枸杞25克，竹笋50克。

调料：葱段、姜片、陈皮各10克，盐5克，味精、鸡精、胡椒粉各少许。

做法：

1. 将兔肉收拾干净，砍成小块，汆水待用；枸杞泡发；竹笋洗净，切片。
2. 锅置火上，倒入清水2000克烧开，加入葱段、姜片，放入兔肉炖制1小时，加入枸杞、笋片、陈皮再煮约20分钟，加入剩余调料即可。

小提示：此汤具有清除体内血液杂质，延缓衰老，轻身健体的功效。

当归兔肉汤

材料：兔肉400克，当归5克，枸杞少许。

调料：姜片、葱段、盐各5克，料酒10克，味精、胡椒粉各少许。

做法：

1. 兔肉洗净，切块，放入沸水中，加料酒，焯水后捞出备用；当归用温水泡发；枸杞泡洗干净。
2. 将兔肉和当归同入锅中，加适量水及枸杞，小火炖至兔肉软烂，加入盐、味精、胡椒粉调味即可。

小提示：当归味甘辛，性温，有补血活血，调经止痛，润肠通便的作用。对眩晕心悸，月经不调，经闭痛经，虚寒腹痛等症有一定疗效。

绿豆糯米鸡片汤

材料: 鸡片200克,绿豆30克,糯米20克,鸡蛋清1个,枸杞少许。

调料: 盐5克,水淀粉10克。

做法:

1. 鸡片洗净,用鸡蛋清、水淀粉上浆备用;绿豆泡软,与糯米均淘洗干净,加水蒸熟备用。

2. 将绿豆、糯米放入锅中加水煮开,改小火煮约30分钟至软烂,放入枸杞、鸡片煮熟,加盐调味即可。

小提示: 鸡片用蛋清上浆后,水开后,关火再放入鸡片,这样鸡肉不会老。

十全大补母鸡煲

材料: 母鸡半只,十全大补帖1帖(当归、桂枝、川芎、甘草各4克,党参、熟地、炒白芍、白术、茯苓、黄芪各8克),参须(或人参)、枸杞各10克。

调料: 米酒30克,盐适量。

做法:

1. 母鸡治净,切块;十全大补帖、参须、枸杞冲净。

2. 将母鸡放入水中煮开,捞起。

3. 将所有材料放入汤煲中,加适量水煮沸,加米酒和盐,转小火炖熟即可。

小提示: 在鸡汤中放三四个山楂,可加快其烂熟。

香菇笋鸡汤

材料: 鸡腿300克,竹笋100克,香菇20克。

调料: 姜片10克,盐5克。

做法:

1. 鸡腿洗净切块,放入锅中,注入适量清水,大火烧开,略煮片刻以去除血水,捞出沥干。

2. 竹笋去皮洗净,切成滚刀块;香菇泡软去蒂,洗净,切块。

3. 锅置火上,放水烧开,放入竹笋块,小火煮约30分钟,再放入鸡块、香菇、姜片,大火煮开后转小火煲约40分钟至材料熟烂,加盐调味即可。

小提示: 要使竹笋煮后不缩小,可在煮时加几片薄荷叶同煮。

白果腐竹鸡汤

材料：鸡肉100克，腐竹40克，白果15粒。

调料：姜片10克，盐5克。

做法：

1. 鸡肉洗净切块，放入锅中，注入适量清水，以大火烧开，略煮片刻以去除血水，捞出沥干。

2. 腐竹泡发，洗净切段；白果去皮洗净。

3. 锅内注入适量清水，放入鸡肉块、腐竹段、白果、姜片，大火煮开，再改小火煲至熟，加盐调味即可。

小提示：白果多吃会中毒，食用时一定要完全加工至熟，且每天食用不宜超过10粒。

鲜奶炖鸡汤

材料：鲜奶500克，鸡肉100克，去核红枣5个。

调料：姜片5克，盐3克。

做法：

1. 鸡肉洗净切块，放入锅中，注入适量清水，以大火烧开，略煮片刻以去除血水，捞出沥干。

2. 将适量清水、鸡肉块、鲜奶、红枣、姜片放入锅中，大火煮开，再改小火煲至材料熟烂，加盐调味即可。

小提示：奶汁倒入水中不会马上化开的是鲜奶；用完奶后奶瓶底有沉淀者即为不鲜的奶。

栗子芋头鸡汤

材料：鸡肉100克，栗子、芋头各50克。

调料：姜片10克，盐5克。

做法：

1. 鸡肉洗净切块，放入锅中，注入适量清水，以大火烧开，略煮片刻以去除血水，捞出沥干。

2. 栗子洗净，去壳取肉；芋头洗净，去皮切成块。

3. 锅内注入适量清水，放入鸡块、栗子肉、芋头块、姜片，大火煮开，再改小火煲至材料熟烂，加盐调味即可。

小提示：先将芋头洗干净，再放入开水中略煮，捞出后芋头的皮就容易剥了，而且能剥得很薄，还能防止剥皮时引起过敏而手痒。

苦瓜鸡汤

材料：光鸡1只，苦瓜50克，红枣50克。

调料：盐、姜片、葱段各5克，陈皮3克，水淀粉10克。

做法：

1. 苦瓜去蒂、去子，切片，泡水以减少苦味；光鸡斩成块，用水淀粉拌匀，放进锅内氽烫；陈皮用水浸洗干净；红枣洗净待用。

2. 炒锅放火上，放油烧热，下葱段、姜片爆香，再放入鸡块、苦瓜片、红枣、陈皮爆香，盛出置入锅中，倒入温水用小火煲至鸡肉熟烂，加盐调味。

小提示：在炖煮鸡前，先用凉水加少量醋浸泡一段时间，再用小火煮炖，肉香嫩可口。

红枣莲子鸡汤

材料：净仔鸡1只，红枣50克，莲子30克，口蘑2个。

调料：盐、料酒各5克，味精少许。

做法：

1. 净仔鸡冲洗一下，剁成小块，放水中氽烫去血沫，盛出备用；莲子用水洗净后上屉隔水蒸10分钟；红枣泡涨；口蘑洗净，切片。

2. 将鸡块、红枣、莲子、口蘑同入锅中，加水、料酒小火慢炖至熟，用盐、味精调好口味即可。

小提示：鸡在焯水时要凉水下锅，这样一来鸡的鲜味不跑，二来鸡皮不会被损坏。

桂圆枸杞童子鸡汤

材料：童子鸡1只，桂圆肉20克，枸杞10克。

调料：葱段、姜片、盐各5克，味精少许。

做法：

1. 将童子鸡宰杀，去毛，洗净内脏，切块，氽水备用；枸杞洗净。

2. 将童子鸡、葱段、姜片放入锅中加水1000克煮开，加入桂圆肉、枸杞小火炖煮至鸡熟，加盐、味精调味即可。

小提示：童子鸡即当年的小鸡，其胸骨尖处十分软，用手一拨即可动，老鸡则反之。

二子补肾鸡汤

材料：子鸡1只，鸡腰10个，香菇30克，枸杞10克。

调料：盐5克，胡椒粉少许。

做法：

1. 子鸡收拾干净，切块，汆水备用；鸡腰洗净；香菇泡发，去蒂，切片；枸杞洗净。

2. 将子鸡放入锅中，加入水煮开，放入香菇片、鸡腰、枸杞转小火炖至鸡肉软烂，加调料调味即可。

小提示：鸡腰也叫公鸡蛋，很嫩，水温高容易破，制作时要后放，并要小火慢炖。

银耳笋鸡汤

材料：笋鸡1只，银耳30克。

调料：葱段、姜片各适量，盐5克，白糖2克，料酒10克，味精少许。

做法：

1. 笋鸡收拾干净后切成小块，汆水备用；银耳水发后撕成小块。

2. 锅置火上，倒油烧热，炒香葱段、姜片，倒入料酒、鸡块煸炒，加入适量水烧开，拣出葱段、姜片，下入银耳小火炖30分钟，加剩余调料调味即可。

小提示：鸡最好选用子鸡，汆鸡块时要水开后再放入，这样鸡肉不会老。

人参乌鸡汤

材料：乌鸡1只，人参1小根，红枣10个，枸杞5克。

调料：盐5克，料酒15克。

做法：

1. 乌鸡收拾干净，切小块，放入沸水中汆水备用；红枣、枸杞均洗净。

2. 锅中加水，下入乌鸡块、人参、红枣、枸杞同煮至鸡块软烂，加调料调味即可。

小提示：煮鸡时应小火慢煮，人参的药性才会溶解到汤里。

香菇翅尖汤

材料： 鸡翅尖300克，香菇100克，冬笋50克，油菜少许。

调料： 葱段、姜片、盐各5克，味精少许。

做法：

1. 鸡翅尖洗净，每个上面切两刀备用；香菇洗净，去蒂；冬笋洗净，切片；油菜洗净。

2. 锅中加水烧开，加入料酒，下入翅尖氽水，去血沫，盛出。

3. 锅加底油，爆香葱段、姜片，下香菇、冬笋片略炒，加入翅尖炒出香味后加水烧开，转小火煮至翅尖熟，放入油菜、盐、味精搅匀即可。

小提示： 鸡翅与整鸡不同，下水时要开水下锅，否则易破皮。

扁豆凤爪汤

材料： 鸡爪（凤爪）300克，扁豆150克，红枣30克。

调料： 姜片10克，盐5克。

做法：

1. 鸡爪洗净，切去指尖，放入开水锅内略氽，捞出沥干；扁豆择洗干净；红枣洗净去核。

2. 锅内注入适量清水，放入鸡爪、扁豆、红枣、姜片，大火煮开，再改小火煲约2小时至熟，加盐调味即可。

小提示： 煲汤的鸡爪一定要用子鸡的鸡爪，不能用老母鸡的鸡爪。

冬菇凤爪汤

材料： 水发冬菇100克，鸡爪（凤爪）4个，冬笋40克，火腿30克。

调料： 盐5克，料酒10克，味精少许，葱段、姜片各适量。

做法：

1. 冬菇去蒂，洗净，切成半圆片；冬笋洗净，切片；鸡爪洗净，去掉爪尖，剁成两段；火腿切片。

2. 冬菇、冬笋、鸡爪分别下沸水锅氽水，捞出后沥水备用。

3. 将冬菇、冬笋、鸡爪、火腿放入汤碗中，加入水、盐、味精、料酒、葱段、姜片，上屉蒸至鸡爪熟烂即可。

小提示： 此汤有温中补脾、益气养血的保健作用。

首乌凤爪汤

材料：子鸡爪（凤爪）300克，何首乌5克，冬笋50克。

调料：葱段、姜片、盐各5克，料酒10克，饴糖、白醋各适量，味精少许。

做法：

1. 鸡爪洗净，剁去爪尖，放入加有饴糖、白醋的水中汆烫，盛出控干水备用；何首乌用100克清水浸泡，隔水蒸20分钟，取汁备用；冬笋洗净，切片。

2. 锅置火上，倒油烧热，下入鸡爪过油炸一下后，爆香葱段、姜片，加水烧开，加入何首乌汁、冬笋片，加入剩余调料，炖至鸡爪软烂即可。

小提示：

◎炖鸡爪时应用小火，否则皮容易破，不美观。

◎何首乌性微温，味甘涩，有补肝肾，益气血，乌须发，通便秘等功效。

白果炖凤爪

材料：鸡爪（凤爪）400克，白果50克，香菇、竹笋各少许。

调料：葱段、姜片、盐各5克，料酒10克，味精、白糖、胡椒粉各少许。

做法：

1. 将鸡爪洗净，去趾甲，剁成段，汆水待用；白果用温水泡发；香菇泡发去蒂，切片；竹笋洗净，切片。

2. 锅置火上，倒油烧热，放入葱段、姜片爆香，倒入鸡爪、料酒翻炒，加水2000克，放入白果炖20分钟，加入香菇、笋片、盐、味精、白糖、胡椒粉再炖煮20分钟左右即可。

小提示：鸡爪主要含胶原蛋白，为不完全蛋白质，适量食用不会增肥，还有美容作用。

绿豆老鸭汤

材料：鸭肉300克，绿豆100克。

调料：姜片、料酒各10克，盐5克，陈皮少许。

做法：

1. 鸭肉洗净切块，放入锅中，注入适量清水，以大火烧开，略煮片刻以去除血水，捞出沥干；绿豆淘洗干净。

2. 锅置火上，放水烧开，放入鸭肉块、绿豆、陈皮、姜片、料酒，转小火煲约1小时至熟，加盐调味即可。

小提示：鸭肉用猛火煮，会肉硬不好吃；可先用凉水和少许食醋泡约2小时，再用小火炖熟，鸭肉就会变得香嫩可口。

海带鸭肉汤

材料： 鸭肉300克，水发海带100克，鸡蛋清1个。

调料： 盐6克，水淀粉15克，味精、胡椒粉各少许。

做法：

1. 鸭肉洗净，切片，用鸡蛋清、水淀粉制成蛋清糊后上浆，汆水后备用；海带泡洗干净，切片。

2. 将海带放入锅中，加水1000克，小火炖30分钟，加入鸭片，加调料调味，再开锅即可（可用豆苗叶点缀）。

小提示： 海带含有丰富的碘，在做汤时要烹制时间长一些，让其充分溶解到汤里。

鞭笋水鸭汤

材料： 鸭子1只，鞭笋100克，草菇50克。

调料： 盐6克，味精3克，料酒15克。

做法：

1. 鸭子收拾干净，去头，剁成块，放入沸水中，加料酒汆烫，盛出待用；鞭笋取笋肉，洗净，切长菱形条；草菇洗净，切两半。

2. 将鸭块、笋条一同入锅中，加入水大火烧开，放入料酒，小火炖约40分钟，加草菇、盐、味精炖煮至熟即可。

巧变化： 可以将鞭笋、草菇去掉换成生姜，将鸭块用香油翻炒至变色，放入辅有姜片的砂锅中加酱油、葱结、甜米酒、水，大火烧开后改小火炖熟即成姜母鸭。

银杏子鸭汤

材料： 子鸭半只，银杏30克，枸杞10克。

调料： 盐5克，酱油10克，料酒适量，味精少许。

做法：

1. 子鸭收拾干净，切小块，汆水备用；银杏、枸杞均洗净。

2. 将子鸭和银杏一同入锅，加水、酱油、料酒炖至鸭肉熟，加入枸杞、盐、味精再煮5分钟即可。

小提示： 银杏性平，味甘苦涩，有敛肺气，定咳喘，止滞浊，缩小便等功效。

麦冬麻鸭汤

材料：麻鸭半只，麦冬5克，冬笋50克。

调料：葱段、姜片各10克，盐5克，料酒15克，味精、胡椒粉各少许。

做法：

1. 麻鸭收拾干净，剁成块，放入沸水中氽水备用；麦冬用温水浸泡后，蒸20分钟至软；冬笋洗净，切片。

2. 锅置火上，倒油烧热，炒香葱段、姜片，下入麻鸭煸炒，烹料酒后加适量水煮开，下入冬笋片、麦冬，加入剩余调料调味，炖煮至鸭肉熟烂即可。

小提示：麻鸭含氨基酸丰富，是瘦型鸭，煮时小火慢炖汤味更鲜美。

酸菜鸭肉汤

材料：鸭肉500克，酸菜100克，香菇、冬笋、枸杞各少许。

调料：姜片、盐各5克，干辣椒3克，味精、胡椒粉各少许。

做法：

1. 鸭肉洗净，切块，氽水备用；酸菜洗净，切段备用；香菇泡发，去蒂，切片；冬笋洗净，切片；枸杞泡洗干净。

2. 锅置火上，倒油烧热，下入姜片、干辣椒、鸭肉煸炒，再下入笋片、香菇、酸菜同炒至出香味，倒入水烧开，加枸杞、盐、胡椒粉调味，小火炖至鸭肉熟烂加入味精即可。

小提示：酸菜有不同的风味，南北不一味道不同，有用白菜制作的，也有用芥菜做的，这里可以选用超市里袋装制作酸菜鱼的酸菜。

芦笋鸭掌汤

材料：鸭掌400克，芦笋100克，枸杞少许。

调料：香葱段、姜片、盐各5克，料酒10克，味精、胡椒粉各少许。

做法：

1. 鸭掌洗净，剁掉爪尖，切成三段；芦笋洗净，去根，切段；枸杞洗净。

2. 锅置火上，倒油烧热，炒香葱段、姜片，加入料酒及适量水烧开，下入鸭掌、芦笋同煮至鸭掌熟，加入盐、味精、胡椒粉调味即可，可加入枸杞作装饰。

小提示：鸭掌在加工前先用葱姜水泡一会儿，可去除其本身的异味，再制作味道会更好。

大枣黄芪炖鸭爪

材料: 鸭爪400克,番茄50克,大枣10个,黄芪5克。

调料: 盐5克,味精少许。

做法:

1. 将鸭爪洗净,去掉趾甲,剁成段,汆水待用;番茄洗净,切块;大枣用温水泡涨;黄芪用温水浸泡,取约50克汁。

2. 锅置火上,倒油烧热,加葱段、姜片爆香,倒入鸭爪、料酒翻炒,加入2000克清水,放入大枣煮1小时,加入番茄煮30分钟,再加入黄芪汁、盐、味精烧开即可。

小提示: 富含胶原蛋白的鸭掌,辅以补气、养颜的黄芪,是瘦身、美容的佳肴。

芋头鹅肉汤

材料: 大鹅500克,芋头200克。

调料: 葱段、姜片各5克,盐6克,味精、老抽、水淀粉各少许。

做法:

1. 大鹅收拾干净,切块,汆水备用;芋头洗净,去皮,切块。

2. 锅置火上,倒油烧热,爆香葱段、姜片,下入鹅块煸炒,加入料酒、老抽,加水烧开,加入芋头、盐、味精,小火炖40分钟,勾薄芡出锅。

巧变化: 芋头可以换成红薯,即成薯香盆盆鸭。

羊肚菌乳鸽汤

材料: 乳鸽2只,羊肚菌30克。

调料: 盐5克,味精、胡椒粉各少许。

做法:

1. 乳鸽收拾干净,剁成小块;羊肚菌水发后洗净。

2. 将乳鸽、羊肚菌同入锅中,倒入适量热水烧开,小火炖30分钟至熟,加入调料调味即可。

小提示: 羊肚菌干品褶皱多,要多泡多清洗,才能去除沙子。

洋参乳鸽汤

材料： 乳鸽1只，洋参片5克，大枣40克。

调料： 姜片、料酒各10克，盐5克。

做法：

1. 乳鸽收拾干净，放入沸水中，加料酒汆水，备用；洋参片用100克水煎5分钟，取汁留用。

2. 乳鸽放入锅中加2000克水，20克药汁，加入姜片、大枣、盐，上笼屉蒸1小时至熟即可。

小提示： 鸽子选用笋鸽肉比较嫩，烹制出来的鸽子形状好，汤也鲜。

天麻鱼头汤

材料： 鳙鱼头400克，天麻10克。

调料： 姜片、料酒各10克，盐5克。

做法：

1. 将鳙鱼头洗净，除去鳃，切成两半；天麻洗净沥干。

2. 锅置火上，放油烧热，放入5克姜片爆出香味，再倒入料酒，放入鱼头略煎后盛出。

3. 锅内注入适量清水，放入鱼头、天麻、姜片，大火煮开，再改小火煲约1小时至熟，加盐调味即可。

小提示： 天麻性平，味甘，有息风、止眩晕的功效，购买时凡质地坚硬而紧密、呈半透明状、表面带黄白或浅黄棕色、通体晶莹丰满、个大结实的，一般都是质量较好的真品。

松蘑鲢鱼头汤

材料： 鲢鱼头1个，松蘑100克，冬笋50克，枸杞少许。

调料： 葱段、姜片、盐各5克，料酒10克，味精少许。

做法：

1. 鲢鱼头洗净，从中间剁开，放入开水中，加料酒，汆水后盛出备用；松蘑用温水泡软；冬笋洗净，切片；枸杞泡洗干净。

2. 锅中炒香葱段、姜片，加入冬笋片，烹料酒加水，下入鱼头和松蘑小火炖30分钟，加剩余调料调味即可。

小提示： 鱼头加工时一定要去除喉骨，否则汤腥。

银耳黄花鱼尾汤

材料：草鱼尾300克，干银耳30克，干黄花菜20克。

调料：姜片、料酒各10克，盐5克。

做法：

1. 刮去草鱼尾的鱼鳞，洗净；干银耳、干黄花菜用温水泡软，洗净，银耳切小片。

2. 锅置火上，放油烧热，放入鱼尾煎至两面微黄，盛出备用。

3. 锅内注入适量清水，放入草鱼尾、银耳、黄花菜、姜片、料酒，大火煮开，再改小火煲约1小时至熟，加盐调味即可。

小提示：黄花菜要用温水发制，冷水和开水发制的味道都不好。

海带鲫鱼汤

材料：鲫鱼400克，海带200克。

调料：盐5克，料酒10克，味精、白糖、鸡精各少许。

做法：

1. 将鲫鱼宰杀收拾干净，待用；鲜海带洗净，切成象眼片待用。

2. 锅置火上，倒油烧热，放入葱段、姜片爆香，下入鲫鱼、料酒煎制3分钟，倒入清水、海带炖至鱼肉软烂，加入盐、味精、白糖、鸡精调味即可。

小提示：鲫鱼加入海带不仅味道更加鲜美，而且可以为人体补充碘和钙。

鲫鱼冬瓜汤

材料：鲫鱼1条，红小豆30克，冬瓜150克。

调料：葱段、料酒各10克，盐5克。

做法：

1. 将鲫鱼去鳞去鳃及内脏，洗净；冬瓜去皮去瓤，切块；红小豆洗净，浸泡2小时。

2. 锅置火上，倒入适量清水烧开，放入红小豆煮开，转小火煮约20分钟，放入鲫鱼、冬瓜、葱段、料酒，大火煮开后转中火煮至熟即可。

小提示：如果想加强利尿消肿的作用，可在处理冬瓜时将冬瓜洗净，将削下的冬瓜皮切细放入汤中一起炖煮。但不要将冬瓜连皮切块，那样冬瓜不易熟。

草菇甲鱼汤

材料: 甲鱼1只,草菇50克,鸡腰2个。

调料: 葱段、姜片、盐各5克,料酒15克,味精、胡椒粉各少许。

做法:

1. 甲鱼宰杀后,去头、爪尖、内脏,放入沸水中氽烫,去掉外膜,剁成小块备用;草菇洗净;鸡腰洗净。

2. 锅置火上,倒油烧热,炒香葱段、姜片,下入甲鱼略炒,烹入料酒,加水烧开,加入草菇、鸡腰小火煮至甲鱼熟透,加剩余调料即可。

小提示: 甲鱼杀后要擦干净背壳上的绿苔,这样做会减少腥气。

莼菜甲鱼汤

材料: 甲鱼1只,莼菜200克。

调料: 盐5克,料酒15克,味精、胡椒粉各少许。

做法:

1. 甲鱼宰杀后,去头、爪尖、内脏,放入沸水中氽烫,去掉外膜,剁成小块备用;莼菜洗净。

2. 将甲鱼放入锅中,加水煮开,转小火炖煮至软烂,下入莼菜及剩余调料煮至软烂即可(可加枸杞点缀)。

小提示: 甲鱼在去除内脏时,重点要去除体内的肥油,因为肥油的腥味很大。

地黄气锅甲鱼

材料: 甲鱼1只(约500克),熟地黄5克。

调料: 葱段、姜片各10克,盐5克,味精、白糖、鸡精、胡椒粉各少许。

做法:

1. 将活甲鱼宰杀后,去除内脏及鱼油,放入锅中加热水浸烫,搓去表层老皮,沿软裙边处平刀片开,砍成小块,氽水去除血沫待用;熟地黄浸泡软后,留汁待用。

2. 锅置火上,倒入清水750克烧开,放入葱段、姜片、甲鱼炖至甲鱼肉软烂,再加入熟地黄汁,加入剩余调料调味即可(可加枸杞、豆苗叶点缀)。

小提示: 甲鱼脂肪含量较低,又滋阴养阴,是女性瘦身养生的佳品。

马蹄气锅龟

材料: 乌龟1只,鸡汤1500克,马蹄200克。

调料: 姜片10克,盐5克,料酒15克,胡椒粉、味精各少许。

做法:

1. 将龟剁去头,从后腿和龟盖连接处片开,剁成小块,洗净,放入沸水中,加入料酒,余水后捞出备用;马蹄洗净,去皮,切块。

2. 将龟块、马蹄、姜片放气锅中,加鸡汤、剩余调料上屉蒸熟即可。

小提示: 龟肉腥气重,在汤中加少许猪油会除去腥味。

山菌牛骨汤

材料: 鸡腿菇、杏鲍菇、鲜口蘑各60克,牛肋骨400克。

调料: 盐、咖喱酱各5克,味精、鸡精、胡椒粉各少许。

做法:

1. 将鸡腿菇、杏鲍菇、鲜口蘑分别洗净,切片焯水待用;牛骨砍成小块,放入沸水中焯去血水,捞出。

2. 先将牛骨放入锅中,加水1500克,小火煲2小时至脱骨,捞出牛骨,把已焯水的菌类一并倒入牛骨汤内再文火炖30分钟,加调料调味即可。

小提示: 菌类是瘦身很好的食材,多食也无妨,而几种菌类搭配食用,营养更均衡。

鸡汤炖臻蘑

材料: 臻蘑150克,子鸡500克。

调料: 盐5克,味精、鸡精、白糖各少许。

做法:

1. 臻蘑水发后洗净(去沙子);子鸡收拾干净,剁成块,放入沸水中余去血水,捞出待用。

2. 锅置火上,倒入1500克清水烧开,放入子鸡块煮1小时,捞出鸡肉留汤,再倒入臻蘑煮15分钟,加入调料调味即可(可用冬瓜皮作装饰)。

小提示: 臻蘑具有清血栓,化脂肪,抗癌的功效,子鸡脂肪含量较低,常食可健身美容,喝此汤既解馋,又瘦身。

杏仁雪梨汤

材料：梨300克，菠萝100克，杏仁25克，枸杞20颗。

调料：盐2克，冰糖15克，蜂蜜10克。

做法：

1. 梨洗净，去皮、去核，切片；菠萝去皮，切小块，放入淡盐水中浸泡一会儿；枸杞泡洗干净。

2. 锅置火上，倒入适量水烧开，放入梨块、杏仁煮开，再放入菠萝、枸杞同煮至梨块软，放入冰糖、盐调味，关火后稍晾凉，加入蜂蜜即可。

小提示：要想甜，加点盐，这是做甜菜的一般要求。

雪耳木瓜盅

材料：木瓜1个，银耳20克，莲子适量。

调料：冰糖适量。

做法：

1. 木瓜洗净，在1/3处切开，把中间的子和相连的瓤去掉。

2. 银耳洗净，在温水中泡发；莲子浸泡约1小时。

3. 将泡发的银耳、莲子放入木瓜中，加入冰糖与水，置于蒸锅中蒸熟即可。

小提示：木瓜雪耳是女人的超级补品，冬天热着吃，夏天凉着喝。

银耳百合雪梨汤

材料：雪梨2个，水发银耳100克，百合、枸杞各10克。

调料：冰糖适量。

做法：

1. 雪梨洗净，去皮、去核，切块；百合、枸杞分别洗净，百合泡软。

2. 银耳用温水浸泡涨发，洗净后撕成小朵。

3. 将撕好的银耳放入汤煲内，加入适量清水，大火烧开，用小火炖至银耳软烂，再放入百合、枸杞、冰糖及雪梨块，加盖继续用小火炖至梨块软烂即可。

小提示：炖时要用小火，以保持材料形态的完整；冰糖调味的甜度要适中。

银耳南杏山楂汤

材料: 水发银耳50克,南杏15克,山楂30克,枸杞10克。

调料: 盐、白糖各适量,蜂蜜8克。

做法:

1. 水发银耳切成小朵,洗净;南杏泡软,枸杞洗净;山楂洗净,去子,切片。

2. 蒸笼加水烧开,将南杏、山楂片放入碗中,放入蒸笼蒸约10分钟,拿出待用。

3. 锅置火上烧热,倒入矿泉水,放入银耳、枸杞,用中火烧开,加入南杏、山楂片,调入盐、白糖煮约2分钟,盛入汤碗,稍晾凉后加入蜂蜜即可。

小提示: 这一款糖水是极好的生津止渴饮品,其中银耳富含胶质,有很好的滋润效果。山楂、银耳的搭配,在夏天能清润消暑,冰冻之后吃更加美味。

桂圆菠萝汤

材料: 菠萝200克,桂圆肉30克,红枣50克。

调料: 白糖10克,盐2克。

做法:

1. 菠萝去皮,取肉切成小块,放入淡盐水中浸泡10分钟;红枣洗净去核。

2. 桂圆肉、菠萝、红枣放入锅中加适量水烧开,小火煮20分钟,加入调料调味即可。

小提示: 菠萝要用盐水浸泡后再制作,不能直接食用,否则有可能会产生呕吐、恶心等中毒现象。

菠萝雪耳汤

材料: 水发银耳(雪耳)100克,菠萝50克,杏仁20克,枸杞少许。

调料: 盐2克,白糖、冰糖各10克,水淀粉适量。

做法:

1. 银耳去根洗净,撕成小块,放碗中加水上屉蒸半小时至软取出;菠萝去皮,切小块,放淡盐水中浸泡一会儿;杏仁、枸杞洗净。

2. 锅中加入清水,放入银耳、菠萝、杏仁、枸杞煮开,加盐、白糖、冰糖调味,再上笼蒸20分钟,用水淀粉勾芡即可。

小提示: 也可以先煮银耳至软,再放入菠萝、杏仁、枸杞,银耳要煮或蒸软烂才有益于消化。

银耳枇杷汤

材料： 水发银耳100克，枇杷罐头50克。

调料： 葱段、姜片各适量，盐2克，冰糖20克。

做法：

1. 水发银耳去蒂，加葱段、姜片煮30分钟捞出，切成小朵；枇杷捞出，切片。

2. 锅置火上，倒入清水750克烧开，加入枇杷片、银耳烧开，再放入盐、冰糖，煮开后放入蒸笼中，蒸至银耳软烂即可。

小提示： 银耳具有滋阴润肺，补肾生津养胃的功效，还含多种酶有助于消化，常食之既美容养颜，又不会发胖。

银耳莲子汤

材料： 水发银耳100克，莲子50克。

调料： 葱段、姜片各适量，冰糖20克。

做法：

1. 将水发银耳去蒂，加葱段、姜片煮30分钟，捞出，切小片待用；莲子去心，洗净，煮30分钟捞出待用。

2. 砂锅置火上，倒入适量清水烧开，把加工好的银耳、莲子一并下锅煮沸，加入冰糖，转小火，盖上锅盖煮至银耳软糯即可。

小提示： 莲子有清热解毒的功效，与有滋阴润肺功效的银耳共同食用有美容塑身的辅助作用。

菊花杏红羹

材料： 银杏30克，红枣50克，菊花5克。

调料： 冰糖20克。

做法：

1. 银杏去外壳；红枣洗净去核。

2. 将银杏、红枣一同入锅，加水煮30分钟，加入菊花、冰糖调好口味即可。

小提示： 可以在出锅前撒一些鲜菊花，这样更能增加其香气。

莲枣养血汤

材料：猪血100克，红枣70克，莲子60克，枸杞15克。

调料：白砂糖20克，盐少许。

做法：

1. 猪血洗净，切块，余水；红枣洗净，去核；莲子去心，洗净；枸杞洗净。
2. 将红枣、莲子一同入锅中，加水小火煮25分钟，放入猪血、枸杞、白砂糖、盐再煮3~5分钟即可。

小提示：汤中再加些蜂蜜会更好，有滋阴润肺的作用，要等汤晾凉一些再加入，否则高温将破坏蜂蜜所含的营养物质。

红枣薏米山药汤

材料：薏米40克，鲜山药200克，红枣50克。

调料：冰糖适量。

做法：

1. 山药洗净，削去外皮，切成小块。
2. 薏米、红枣分别洗净，浸泡1小时备用。
3. 锅置火上，倒入适量清水烧开，放入薏米、红枣大火烧沸，撇去表面浮沫，改小火煮约20分钟，放入山药块煮至薏米、山药熟烂，加入冰糖即可。

小提示：薏米事先用热水泡软，可缩短烹饪时间。

美味双色羹

材料：胡萝卜200克，山药150克。

调料：盐5克，味精、白糖、鸡精各少许，水淀粉20克。

做法：

1. 胡萝卜洗净，去皮，放入搅拌机中搅打成蓉；山药洗净，去皮，也搅打成蓉。
2. 锅置火上，倒入清水500克烧开，放入胡萝卜，再放入一半盐、味精、白糖、鸡精调味，勾芡后出锅，锅内再加清水400克烧开，倒入山药蓉至开锅，放入另一半盐、味精、白糖、鸡精调味，勾芡后出锅，将胡萝卜羹、山药羹倒入同一个碗中即可。

小提示：山药有润肺化痰、滋阴养胃的作用，与胡萝卜同食丰富了膳食纤维，有健脾胃，消积食，下气通肠，轻身的功效。

金宝粟米羹

材料： 玉米粒罐头1罐（200克），番茄1个，香菇40克，青豆30克，鲜虾仁60克，鸡蛋1个，鸡汤500克。

调料： 盐5克，白糖10克，水淀粉25克，味精、胡椒粉各少许。

做法：

1. 玉米粒从罐头中捞出；番茄洗净，用开水稍烫，去皮及子，切丁；香菇用温水泡发，去蒂切碎；青豆放入开水中煮5分钟，捞出，沥去水分；鲜虾仁去肠线，洗净。

2. 将汤锅置于火上，倒入鸡汤、玉米粒、香菇、青豆、番茄共煮，待汤沸起后放入虾仁，加盐、白糖、味精、胡椒粉等调料，待其再滚时，加水淀粉勾芡，淋入鸡蛋液，搅拌均匀即成。

小提示： 玉米适宜脾胃气虚、气血不足、营养不良之人食用，如果受潮霉坏变质则有致癌作用，忌食。

金针豆芽羹

材料： 金针菇150克，豆芽50克。

调料： 盐5克，水淀粉10克，味精少许。

做法：

1. 将金针菇洗净，去根，焯水后切碎，待用；绿豆芽择洗干净，焯水后切碎待用。

2. 锅置火上，倒入750克清水烧开，倒入已焯好水的金针菇末和绿豆芽末烧开，加入盐、味精，勾薄芡即可（可用豆苗叶及枸杞装饰）。

小提示： 此汤具有温中散寒的功效，豆芽有利水、轻身消肿的作用，还有降低胆固醇，促进人体健康的作用。

杞子牛肉羹

材料： 牛肉100克，枸杞15克，香菇、豆腐各适量，鸡蛋1个。

调料： 盐5克，味精少许，水淀粉适量。

做法：

1. 牛肉洗净，切小粒；枸杞用清水泡发；香菇泡发，去蒂，切小粒；豆腐洗净，切粒；鸡蛋打散。

2. 锅中加清水烧开，下入香菇粒、牛肉粒、豆腐粒、枸杞烧开，去浮沫加入盐、味精，用水淀粉勾芡，打入鸡蛋液至散即可。

小提示： 烹制牛肉前，注意去干净筋膜。

黄鱼羹

材料： 净黄鱼肉 200 克，熟火腿 20 克，嫩笋 50 克，鸡蛋 1 个。

调料： 水淀粉 30 克，葱末、姜末、料酒、香油各适量，盐、味精各少许。

做法：

1. 将黄鱼肉片成指甲片大小；嫩笋、熟火腿均切成末；鸡蛋在碗内打散。

2. 炒锅置中火上，倒入油烧热，放入葱末、姜末，煸出香味，下鱼片，放入料酒、温水、笋末、盐，烧沸后撇去浮沫，加入味精、水淀粉勾芡，淋入鸡蛋液推匀，盛在汤盘中，撒上葱末、熟火腿末，淋香油即可。

小提示： 用水淀粉勾浓芡时，不要快搅，需待煮沸冒泡，让淀粉充分糊化后再关火，这样汁明芡亮。

杂菌鲜鱿羹

材料： 鲜鱿鱼 300 克、鸡腿菇、草菇、鲜香菇、杏鲍菇各 40 克，枸杞少许。

调料： 盐 5 克，水淀粉 15 克，味精、白糖各少许。

做法：

1. 鲜鱿鱼收拾干净，切成粒；鸡腿菇、草菇、鲜香菇（去蒂）、杏鲍菇均洗净，切小粒；枸杞泡洗干净。

2. 锅置火上，倒入适量清水烧开，放入鱿鱼粒、枸杞及所有菌类煮开，加入盐、味精、白糖调味，用水淀粉勾芡即可。

巧变化： 鱿鱼也可以换成虾仁，味道也不错，制作也方便。

金针菇虾仁羹

材料： 虾仁 50 克，金针菇 50 克，油菜心 20 克。

调料： 葱丝、姜丝、盐各 5 克，味精、水淀粉各少许。

做法：

1. 虾仁洗净，去肠线；金针菇去根洗净；油菜心洗净。

2. 锅置火上，倒油烧热，炒香葱丝、姜丝，下入虾仁、油菜心略炒，加入适量水烧开，加入金针菇、盐烧开后加味精，用水淀粉勾芡即可。

小提示： 金针菇要选鲜品，一般罐头的比较老，而且含防腐剂，无益健康。

蜇头马蹄羹

材料：海蜇头150克，马蹄100克，枸杞5克。

调料：盐5克，味精、胡椒粉各少许，水淀粉适量。

做法：

1. 海蜇头泡洗干净，切片，用80℃的水氽烫，备用；马蹄洗净，去皮，切片备用；枸杞洗净。

2. 锅中加水烧开，下入马蹄片、枸杞烧开，加盐、味精、胡椒粉调味，用水淀粉勾芡，放入海蜇头煮至熟即可。

小提示：马蹄宜选用鲜品，蜇头也可换成海蜇丝，焯水时水温不宜过高。

三鲜椰子盅

材料：椰子1个，鲜鱿鱼片、瘦肉片、火腿片各30克，草菇片20克。

调料：盐少许，姜片、葱段、料酒、胡椒粉、清鸡汤各适量。

做法：

1. 将椰子洗净，在其1/3处切开，倒出椰子水备用；椰子壳即成椰子盅，用压力锅蒸透备用。

2. 开水烫熟鲜鱿鱼片，捞出备用。

3. 在汤煲中，放油烧热，放入姜片、葱段、瘦肉片、草菇片，再倒入料酒、清鸡汤、椰子水，加入火腿片、鲜鱿鱼片，用中火烧透后，加盐、胡椒粉搅匀，盛入椰子壳中即可。

小提示：椰子盅是典型粤菜，其味鲜清香，营养丰富，具有疗肺、养身、补神等功效。

芦笋浓汤

材料：芦笋200克，土豆2个，鸡清汤400克，鲜奶油100克，鸡蛋黄2个。

调料：盐、胡椒粉各适量。

做法：

1. 将芦笋洗净，去掉根部；将土豆去皮，洗净，切成小丁。

2. 煮锅内添加适量清水，放入芦笋煮5分钟，捞出，将芦笋上部嫩尖切下备用，其余部分切成段，重新放入锅内，加入土豆丁，再倒入鸡汤，用小火继续煮约15分钟。

3. 捞出汤里的菜，用家用搅拌机绞成菜泥；蛋黄中加入鲜奶油，打成蛋液后，与菜泥混合搅匀，倒入汤中，加入盐和胡椒粉调好口味，再次烧开，撒入备用的芦笋尖，即可出锅盛入汤碗中。

小提示：芦笋性微温、味苦、甘，具有健脾益气、滋阴润燥、生津止渴、解毒等作用。因此，可助消化，增食欲，提高机体免疫能力，排除体内自由基等有害物质，抑制癌细胞的活力。

砂锅什锦素菜煲

材料： 胡萝卜、冬笋、菠菜、冬瓜各50克，水发木耳、粉丝、芹菜各30克。

调料： 葱段、姜片各5克，盐8克，白糖3克，味精、胡椒粉、鸡精各少许。

做法：

1. 胡萝卜、冬笋、冬瓜分别洗净，切片；菠菜择洗干净，焯水后，切段；芹菜择洗干净，切段；水发木耳洗净，撕成小朵。

2. 砂锅置火上，倒油烧热，炒香葱段、姜片，倒入适量开水，放入胡萝卜片、笋片、冬瓜片、木耳、粉丝煮5分钟，加入盐、味精、鸡精、白糖调味，再放入芹菜段、菠菜段煮开，加入胡椒粉搅匀即可。

小提示： 菠菜先焯水可以减少其所含的草酸，焯水时间不要过长，且水要多一些。

砂锅狮子头

材料： 猪五花肉（四分肥六分瘦）500克，马蹄50克，水发冬菇25克，冬笋30克，鸡蛋1个，油菜心50克。

调料： 葱末、姜末各适量，盐6克，料酒5克，味精、胡椒粉各少许。

做法：

1. 猪五花肉切成小丁；马蹄洗净，去皮切小粒；冬笋、冬菇洗净，切碎成小粒；油菜心洗净。

2. 将改刀后的材料放入一大盘中，放入葱末、姜末、盐、料酒搅拌上劲后挤成大小均匀的丸子。

3. 将砂锅置火上，倒入水开锅后下丸子，大火烧开，撇去浮沫，煮至丸子熟，加入油菜心、盐、味精、胡椒粉煮开即可。

巧变化： 在制作丸子时还可放些大白菜，汤味会更好。将大白菜盖在丸子上，与丸子一起炖煮。

腌笃鲜

材料： 五花肉300克，咸肉（或咸脚蹄）200克，火腿100克，冬笋1支，百叶结150克。

调料： 姜片5克，黄酒、盐各适量，味精少许。

做法：

1. 五花肉去皮，切条，放入沸水中余烫去血水；火腿煮熟，刮去浮油，切细条；百叶结洗净；冬笋切条备用。

2. 在砂锅中加入所有材料及姜片，加满水，煮沸，在水最沸时加入黄酒，加盖改用小火煨40分钟。

3. 待所有材料熟透，汤汁浓白时，撒入盐、味精调味即可。

小提示： 春天用春笋，冬天用冬笋，用冬笋一定要用沸水焯一下，去土腥味和涩味。

砂锅白肉

材料：五花肉250克，水发香菇、冬笋各25克，海米50克。

调料：料酒、盐各适量，葱段、姜片、味精、香油各少许。

做法：

1. 五花肉洗净，煮熟后切成薄片，肉汤待用；水发香菇、冬笋均切成薄片；海米用水泡发。

2. 炒锅上火，加底油烧热，用葱段、姜片炝锅，下肉汤、海米、五花肉片、冬笋片、香菇、料酒、盐，烧沸后倒在砂锅内加香油、味精即成。

巧变化： 如果有白菜可以放入一些，会使汤不太油腻，或者去掉海米加入酸菜，便成了砂锅酸菜白肉。

砂锅竹荪猪心

材料：猪心200克，竹荪60克。

调料：葱段、姜片各适量，柱侯酱、料酒、盐、老抽各5克，味精少许。

做法：

1. 猪心切开，洗净淤血，切片，加料酒腌制10分钟，氽水待用；竹荪水发后，去渣，切段。

2. 锅置火上，倒入油烧热，下葱段、姜片炒香，烹料酒，下猪心片翻炒，加水1000克烧开，改文火炖30分钟下竹荪段煮5分钟，加入柱侯酱、盐、老抽、味精调味即可（可以枸杞、豆苗叶点缀）。

小提示：
◎竹荪有特殊的香气可以掩饰猪心的异味。
◎猪心也可不炒，氽水去血沫后直接煮熟。

砂锅猪肚

材料：猪肚250克，冬笋50克。

调料：葱段、姜片、蒜片各适量，盐5克，料酒15克，味精、白胡椒粒各少许。

做法：

1. 将猪肚洗净，氽水去血沫杂质，捞出改刀成块；冬笋洗净，切片；白胡椒粒压碎。

2. 将猪肚、笋片同入砂锅中，加水、料酒煲1.5小时加入盐、白胡椒碎再煮10分钟，加味精即可。

小提示： 加工猪肚时，放些白醋可以去除猪肚的腥臭味。

白萝卜炖猪肺

材料: 猪肺500克，白萝卜200克。

调料: 葱段、姜片各适量，盐6克，醋、料酒各15克，胡椒粉、味精各少许。

做法:

1. 将猪肺洗净切片；白萝卜洗净，去皮，切滚刀块。

2. 将猪肺、白萝卜块同入砂锅，加葱段、姜片、料酒煮开，撇去血沫杂质，转小火煮1.5小时后加入剩余调料调味即可。

小提示: 在制作猪下水时，多用较浓重的调味方法，以掩其腥异味。

砂锅炖牛腱

材料: 牛腱子600克，春笋100克，豆苗少许。

调料: 葱段、姜片各适量，料酒10克， 盐5克，味精、胡椒粉、白糖各少许。

做法:

1. 牛腱子洗净，去老皮，切滚刀块，放入沸水中余水；春笋去笋衣，切成比牛腱块稍小一点儿的滚刀块；豆苗洗净。

2. 锅中加入油烧热，放入笋块炸至金黄色，捞出控油。

3. 将牛腱子和笋块一同放入砂锅中，加水、葱段、姜片、料酒炖至肉软烂加盐、白糖、味精、胡椒粉调味，撒入豆苗即可。

小提示: 牛腱子肉不易煮熟烂，煮时放几个山楂不但易熟，还可去掉牛肉的膻味。

砂锅番茄牛肉

材料: 牛肉200克，番茄150克。

调料: 葱段、姜片各适量，盐6克，番茄沙司10克，料酒15克，味精少许。

做法:

1. 牛肉洗净，切块后焯水待用；番茄洗净，切块。

2. 砂锅置火上，倒油烧热，下葱段、姜片炒香，下牛肉，烹料酒翻炒，加水1000克炖1小时左右，放入番茄和番茄沙司煮30分钟，加盐、味精调味即可。

小提示: 番茄用开水轻烫去皮，在油里煸炒色泽会很鲜艳。

砂锅莲子毛肚

材料: 毛肚400克,莲子50克。

调料: 葱段、姜片、盐各5克,料酒15克,味精、白糖各少许。

做法:

1. 毛肚洗净切片;莲子去心,放水中泡软。

2. 砂锅置火上,倒入油烧热,下葱段、姜片炒香,加入适量热水,下莲子煮30分钟,下毛肚、盐、味精、白糖、料酒煮至开锅即可。

小提示: 在清洗毛肚时,要一片一片地翻开洗,可适量加入淀粉、醋揉搓,然后用清水漂洗,醋能使毛肚更有脆感。

砂锅腐竹炖羊腩

材料: 羊腩500克,腐竹100克,香菇3朵。

调料: 葱段、姜片各适量,花椒、大料各3克,盐6克,生抽、料酒各10克,味精少许。

做法:

1. 羊腩洗净,切大块,凉水下锅烧开,汆去血水,待用;腐竹泡软,切段;香菇泡发,去蒂,切段。

2. 砂锅中倒入清水,放入羊腩、葱段、姜片、花椒、大料煮开,七成熟时放入腐竹、香菇一起炖至肉软烂,加入剩余调料调味即可。

小提示: 腐竹容易烂,做时要后放。或者先将腐竹切段,炸成金黄色再用。

砂锅当归鸡

材料: 子鸡1只,当归10克。

调料: 葱段、姜片各适量,盐5克,料酒15克。

做法:

1. 子鸡宰杀去毛,去内脏,剁成小块,汆水待用;当归用温水泡一下洗净。

2. 砂锅置火上,倒入油烧热,下葱段、姜片炒香,放入鸡块,烹料酒翻炒,加水1500克,下当归煮40分钟,加入盐调味即可。

小提示: 选用柴鸡味道会更鲜美,鸡煸炒的时间要长些(约10分钟),肉会更香。

砂锅云吞鸡

材料： 三黄鸡1只（约重750克），云吞皮适量，水发黑木耳50克，菠菜30克。

调料： 葱末、姜末各适量，料酒10克，盐6克，生抽5克，白糖、鸡精、味精各少许。

做法：

1. 将三黄鸡的腿肉和胸肉剔下，剁成蓉，加生抽、葱末、姜末、料酒、盐、味精调成馅，包入云吞皮中备用；木耳洗净，撕成小朵；菠菜择洗干净，焯水后切长段。

2. 将剩下的鸡剁成块，汆水后去血沫杂质，放入砂锅中加适量水煲30分钟左右，放入云吞、木耳，加盐、味精、鸡精、白糖调味，煮熟，放入菠菜煮开即可。

小提示：

◎剁鸡蓉时要先去净筋膜。

◎菠菜最好用手拧断，用刀切有铁锈味。

砂锅黄芪煲乌鸡

材料： 乌鸡500克，黄芪2克，枸杞5克。

调料： 料酒15克，盐8克，味精、鸡精、白糖各少许。

做法：

1. 将乌鸡宰杀，去内脏，洗净后剁成小块，汆水待用；枸杞泡洗干净。

2. 将乌鸡块、黄芪、枸杞一同入砂锅中，加适量水煮开，撇去血沫杂质，加料酒，改小火炖1小时后加盐、鸡精、白糖再煮10分钟，加味精调味即可。

小提示： 黄芪是补气药材，不宜放过多，否则味苦。

砂锅冬瓜老鸭

材料： 老鸭750克，冬瓜300克。

调料： 葱段、姜片各适量，盐5克，料酒15克，胡椒粉、味精各少许。

做法：

1. 老鸭宰杀，剁成块，汆水待用；冬瓜洗净，去皮、去瓤，切片。

2. 锅置火上，倒油烧热，下葱段、姜片、老鸭肉翻炒，倒入料酒炒匀，加水1500克煮30分钟，下冬瓜片煮20分钟，加盐、味精调味即可。

小提示： 鸭子属寒性原料，煲制时可选些温性原料一起制作，如老姜，对寒性体质的人群更有益处。

砂锅杏鲍菇煲白鸽

材料: 白鸽1只，杏鲍菇150克，枸杞5克。

调料: 葱段、姜片各适量，盐6克，鸡精5克，白糖3克，料酒10克，味精少许。

做法:

1. 白鸽宰杀后去内脏，洗净汆水，备用；杏鲍菇洗净，切厚片。

2. 将白鸽、杏鲍菇、姜片、葱段一同入砂锅中，加适量水煲至开锅，撇去杂质，炖1小时左右，加枸杞煮开，加剩余调料调味即可。

小提示: 鸽子选用老鸽子，不仅肉味香，而且营养更丰富。

砂锅淮枸鹌鹑

材料: 鹌鹑2只，山药100克，枸杞5克。

调料: 葱段、姜片各适量，料酒15克，盐6克，鸡精、白糖、味精各少许。

做法:

1. 将鹌鹑宰杀，去内脏，洗净后备用；山药去皮洗净，切滚刀块。

2. 将材料同入砂锅中，加水煮至开锅，撇去血沫杂质，改小火煮1.5小时后，加调料调味即可。

小提示: 山药用火烤一下后再去皮，手不会痒。

砂锅鱼头

材料: 鲢鱼头300克，豆腐200克，冬笋50克，香菇20克，五花肉100克。

调料: 葱段、姜片各适量，盐5克，料酒15克，鸡精、味精、胡椒粉各少许。

做法:

1. 将鱼头去鳃洗净；豆腐洗净，切片；冬笋洗净，切片；香菇水发后去蒂，切片；五花肉切片。

2. 锅置火上，倒油烧热，下入鱼头、五花肉煎黄，放入葱段、姜片爆香，加入料酒略焖后入砂锅加入适量清水，放入笋片、香菇、豆腐，大火烧开转小火炖至熟，加剩余调料调味即可。

小提示: 鱼头要去净鳃，把鱼脑洗干净，否则腥气重。

砂锅甲鱼

材料：甲鱼250克，枸杞5克。

调料：葱段、姜片、熟蒜各适量，料酒15克，老抽10克，盐6克，味精、白糖、胡椒粉各少许。

做法：

1. 将甲鱼宰杀后洗净，剁成小块，氽水后撇去血沫，盛出备用；枸杞泡洗干净。

2. 将甲鱼块放入砂锅中，加入枸杞、葱段、姜片、熟蒜、料酒煲30分钟，加入剩余调料调味至软烂即可。

小提示：甲鱼的初加工：刮去老皮后，左手按住甲鱼壳，右手用刀从其壳外缘软裙处插入，割开，即可去掉内脏。

砂锅百合煲花蟹

材料：花蟹500克，干百合20克，枸杞5克。

调料：葱段、姜片各适量，盐5克，料酒10克，味精、胡椒粉各少许。

做法：

1. 花蟹洗净后，剁成块备用；干百合泡软；枸杞泡洗干净。

2. 将干百合与花蟹、枸杞一同放入砂锅中，加葱段、姜片、适量清水煮15分钟后加剩余调料调味即可。

小提示：用干百合成菜后会比较白，鲜百合加热后容易变黑。

砂锅核桃蚕蛹

材料：去皮核桃仁100克，蚕蛹60克，水发香菇50克。

调料：葱段、姜片各适量，盐5克，料酒10克，味精少许。

做法：

1. 核桃仁焯水去泡沫；蚕蛹洗净，沥水；香菇洗净，去蒂，切片。

2. 砂锅置火上，倒油烧热，下蚕蛹、葱段、姜片炒香，加水1500克，再加入香菇、核桃煮10分钟即可。

小提示：蚕蛹用油煎过后再制作味道会更好。

锅仔鸡汤烩时蔬

材料：子鸡1只（约750克），冬笋50克，水发木耳30克，冬瓜、胡萝卜各60克，油菜适量。

调料：葱段、姜片各适量，盐6克，味精少许。

做法：

1. 将子鸡去内脏收拾干净，放入锅中加水1500克，煲汤2小时后，去渣留鸡汤；冬笋洗净，切片；木耳撕小朵；冬瓜、胡萝卜分别洗净，去皮，切片；油菜洗净，切长段。

2. 锅置火上，倒入鸡汤，放入笋片、木耳、胡萝卜片、冬瓜片，加入葱段、姜片煮10分钟，加入油菜、盐、味精煮开即可。

巧变化：用此法也可将鸡换成鸽子、鸭子等禽类原料。

锅仔虾干粉丝大白菜

材料：大白菜250克，虾干25克，粉丝40克。

调料：葱段、姜片各适量，盐、料酒各5克，味精、香油各少许。

做法：

1. 大白菜取叶，洗净待用；虾干水发后，加料酒上笼蒸10分钟至软；粉丝用水泡软。

2. 锅置火上，加入清水750克，放入葱段、姜片烧开，倒入大白菜叶、虾干、粉丝煮10分钟，加盐、味精调味，倒入锅仔内淋入香油即可。

小提示：虾干选个大色红的，不要买色发黑的，味道不好。

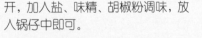

锅仔枸杞叶煲猪肝

材料：猪肝250克，枸杞叶100克。

调料：葱段、姜片各5克，盐6克，料酒10克，味精、胡椒粉各少许。

做法：

1. 猪肝洗净，切成片，加入盐、味精、料酒入味，腌制5分钟，用淀粉上浆，轻轻地放入沸水中汆一下；枸杞叶洗净，切段。

2. 锅置火上，倒入少许油爆香葱段、姜片，加适量水，下猪肝、枸杞叶煮开，加入盐、味精、胡椒粉调味，放入锅仔中即可。

小提示：猪肝上浆时最好选用白薯淀粉，其凝固力强，能保持猪肝的嫩滑度。

锅仔三菌牛骨髓

材料: 牛骨髓150克, 杏鲍菇、茶树菇、鸡腿菇各50克, 香菜2棵。

调料: 葱段、姜片各5克, 盐6克, 料酒10克, 老抽、味精各少许。

做法:

1. 牛骨髓去筋, 切段, 焯水待用; 杏鲍菇、鸡腿菇切片, 茶树菇切段焯水待用; 香菜择洗干净, 切段。

2. 锅置火上, 倒入色拉油20克, 下葱段、姜片爆香, 加水750克, 下菌类煮20分钟, 放入牛骨髓再煮30分钟, 加入盐、料酒、老抽、味精调味, 倒入锅仔中撒香菜段即可。

小提示: 骨髓里含有大量的磷和钙, 烹制的时间不要过长, 这样营养才不会损失过多。

锅仔芥菜鱼肚

材料: 鱼肚片100克, 芥菜胆5棵。

调料: 葱段、姜片、盐各5克, 料酒10克, 胡椒粉、味精各少许。

做法:

1. 将鱼肚片汆水待用; 芥菜胆洗净待用。

2. 锅置火上, 倒入色拉油20克, 下葱段、姜片爆香, 烹料酒后加水750克, 放入鱼肚、菜胆煮5分钟, 加入剩余调料调味即可。

小提示: 油发鱼肚用温水泡软后用白面揉洗, 也可加入适量的小苏打粉在水里漂洗, 鱼肚中的油就可以洗出来了。

锅仔沙茶酱双丸

材料: 冰鲜鱼丸、虾丸各50克, 油菜心5棵, 粉丝30克。

调料: 葱段、姜片、盐、沙茶酱、生抽、海鲜酱各5克, 味精、鸡精各少许。

做法:

1. 油菜心洗净; 粉丝放入温水中泡软。

2. 鱼丸、虾丸下入开水中, 放入葱段、姜片煮5分钟, 下粉丝煮3分钟, 放入油菜心、盐、味精、鸡精、沙茶酱、海鲜酱、生抽煮熟即可。

小提示: 可以在虾丸、鱼丸上剞上十字花刀, 这样更易入味。

港式芋头糕

材料：

A：芋头385克，腊肠65克，海米30克。

B：米粉160克，澄粉45克，荸荠粉15克。

调料：盐4克，胡椒粉3克，香油15克，五香粉1克，细砂糖、味精各适量。

做法：

1. 芋头洗净切丁备用。

2. 腊肠切小丁，海米泡软沥干，一起入沸水余烫后，捞出沥干，再一同入热油锅中炒香，盛出备用。

3. B料与全部调料拌匀，加入冷水150克搅拌均匀，再加入炒香的腊肠丁、海米拌和。

4. 将开水580克及芋头丁放入锅中，煮至沸腾，离火后冲入做法3中，拌匀至呈浓稠糊状，入模后抹平，上笼用大火蒸约70分钟至熟即可。

白糖糕

材料：米粉185克，细砂糖150克，快速干酵母3克，泡打粉1克。

调料：细砂糖3克。

做法：

1. 将保鲜膜铺入模具内备用。

2. 将米粉、细砂糖150克、清水100克拌匀备用。

3. 将快速干酵母、泡打粉、清水30克、细砂糖3克拌匀，静置约5分钟。

4. 将清水260克入锅煮沸，离火冲入做法2中，拌匀至呈微稠状，待米糊降温后再与做法3拌和，入模，静置约4小时，待发酵至表面冒起凹凸不平的气泡，将模具放入蒸笼内，以大火蒸25～30分钟至熟即可。

香椿菱角糕

材料：菱角360克（去壳后实重），米粉200克。

调料：盐5克，细砂糖15克，胡椒粉3克，香椿嫩芽酱10克，葱油30克，味精适量。

做法：

1. 将米粉与全部调料拌匀，再加入150克清水搅拌均匀备用。

2. 将菱角蒸熟后切片，入锅中加清水550克煮沸，离火后冲入做法1中，拌匀至呈浓稠糊状，入模后抹平，上笼用大火蒸约70分钟至熟即可。

绿豆糕

材料：干绿豆200克，红豆沙及白豆沙共60克。

调料：绵白糖100克，食用油10克，麦芽糖20克。

做法：

1. 干绿豆洗净，泡水两三个小时，沥干水分后放入电饭锅内，外锅加240克清水蒸熟，趁热捣碎成泥，再过筛成细泥状。

2. 将全部调料拌和，再与绿豆泥混合均匀。

3. 将红豆沙及白豆沙分成20～30份豆沙馅心备用。

4. 将豆沙馅包入做法2，做成夹馅糕坯，再用模具压实，排入蒸笼内，转小火，蒸四五分钟至熟即可，放凉后再入冰箱冷藏。

椰汁相思糕

材料：荸荠粉75克，淀粉15克，澄粉23克，椰浆400克，红豆粒240克。

调料：细砂糖210克，香草精少许。

做法：

1. 将荸荠粉、淀粉、澄粉、椰浆260克、香草精拌匀备用。
2. 将椰浆140克、清水460克、细砂糖入锅中煮沸，加入红豆粒后再次煮滚，离火冲入做法1中，拌匀至成糊状，趁热入模，上锅用大火蒸约30分钟至熟。
3. 蒸好后放凉，入冰箱冷藏冰透，取出切成条或块状食用即可。

豌豆黄

材料：干豌豆200克，红枣汁30克，荸荠粉40克，琼脂粉20克。

调料：细砂糖120克。

做法：

1. 干豌豆泡水，待其膨胀后去皮，再加清水（水量需没过豆子）上火煮至熟烂，离火放凉后沥除水分，再过筛，用勺压成泥状备用。
2. 将细砂糖与豌豆泥、红枣汁一起入锅煮至浓稠。
3. 将荸荠粉、清水150克、琼脂粉调匀，加入做法2中勾芡，若状态过湿，则需多拌炒一下，熟后熄火，倒入方形模具内，入冰箱冷藏至凝固变硬，即可切块食用。

椰奶凉糕

材料：干豌豆50克，鲜奶90克，椰浆100克，玉米粉50克，荸荠粉20克。

调料：细砂糖150克。

做法：

1. 干豌豆泡清水，待其膨胀后去皮，放入锅中，加清水（水量需没过豆子）上火煮至熟烂，放凉后沥除水分，再过筛，用勺压成泥状，备用。
2. 将细砂糖、清水400克入锅煮至糖溶化，再将鲜奶、椰浆与豌豆泥加入一起煮沸。
3. 将玉米粉、荸荠粉与清水100克调匀，加入做法2中勾芡，熄火后倒入方形模具内，冷藏至凝固变硬，即可切块食用。

洛神花凉糕

材料：洛神花蜜饯50克，洛神花蜜饯汁50克，荸荠粉40克，玉米粉20克。

调料：细砂糖100克。

做法：

1. 将洛神花蜜饯、洛神花蜜饯汁放入果汁机中，加入清水500克搅细，滤去粗渣后，取汁液入锅煮滚，再加入细砂糖煮沸。
2. 将荸荠粉、玉米粉、清水75克调匀，倒入做法1中勾芡，略滚至熟后熄火，再倒入模具中，待其冷却后，入冰箱冷藏至定型，食用前取出，切分成块即可食用。

芝麻糕

材料：黑芝麻粉300克，蒸熟面粉100克。

调料：绵白糖100克，麦芽糖150克，食用油60克。

做法：

1. 将黑芝麻粉、蒸熟面粉拌匀备用。
2. 将绵白糖、麦芽糖、食用油拌和，并用手将其搓散（尤其是麦芽糖，不可结成块状），再与做法1拌匀，压入模具（糕模）内。
3. 将用模具压制好的芝麻糕排入蒸笼内，以小火蒸四五分钟至熟即可，放凉后入冰箱冷藏。

枣汁凉糕

材料：枣（去核）50克，桂圆肉15克，荸荠粉30克，玉米粉15克。

调料：细砂糖50克。

做法：

1. 将枣、桂圆肉放入果汁机中，加入清水480克搅细，滤除粗渣后，将汁液入锅煮滚，再加入细砂糖续煮至滚。
2. 将荸荠粉、玉米粉、清水60克调匀，加入做法1中勾芡，略滚至熟后离火，装入模具内，放凉后入冰箱冷藏，定型后即可取出食用。

荸荠糕

材料：荸荠肉240克，荸荠粉75克，玉米蛋黄粉25克，淀粉15克，澄粉25克，椰奶80克。

调料：香草精少许，细砂糖210克。

做法：

1. 荸荠肉切片，入沸水氽烫后备用。

2. 将除荸荠肉以外的材料拌匀，加入香草精，再分次加入180克清水拌和。

3. 将清水600克入锅煮滚，加入细砂糖后再次煮滚，加入荸荠片略滚后离火，再冲入做法2中拌匀至成糊状，趁热入模，上锅用大火蒸约30分钟至熟，取出放凉，入冰箱冷藏冰透，取出切成条或块状食用即可。

红豆年糕

材料：糯米粉300克，蜜红豆200克。

调料：黄砂糖210克。

做法：

1. 将保鲜膜铺入模具内备用。

2. 糯米粉过筛，加入黄砂糖、清水240克，拌匀至糖溶化，再加入蜜红豆拌和，倒入铺好保鲜膜的模具中，上锅以大火蒸约2小时至熟即可。

红枣桂圆年糕

材料：红枣（去核）60克，桂圆肉30克，糯米粉300克。

调料：红糖30克，黄砂糖195克。

做法：

1. 将保鲜膜铺入模具内备用。

2. 将红枣、清水适量放入锅中，上火煮软，将水分沥干备用。

3. 桂圆肉用冷水冲洗，切碎备用；糯米粉过筛备用。

4. 红糖过筛，与黄砂糖、清水240克及煮好的红枣一起放入果汁机中搅碎，倒入筛好的糯米粉中拌匀，最后再拌入桂圆肉碎，倒入铺好保鲜膜的模具中，上锅以大火蒸约2小时至熟即可。

桂圆紫米糕

材料：紫米200克，圆糯米400克，米酒150克，桂圆肉100克，色拉油10克。

调料：红糖150克。

做法：

1. 紫米洗净，泡水8小时（加入的水量需比米高出3~5厘米）后，将水分沥干，加入清水170克、米酒30克拌匀，上锅以大火蒸约60分钟至熟备用。

2. 圆糯米洗净后沥干，加入清水280克、米酒120克拌匀，放入电饭锅中蒸熟。

3. 将红糖、桂圆肉、色拉油与蒸熟的紫米、圆糯米拌匀，放入模具中压实，待凉后取出切块即可。

红糖年糕

材料：糯米粉350克。

调料：红糖40克，黄砂糖240克。

做法：

1. 将保鲜膜铺入模具内备用。

2. 将糯米粉、红糖混合过筛，再加入黄砂糖、清水280克，拌匀至糖溶化，倒入铺好保鲜膜的模具中，上锅以大火蒸约2小时至熟即可。

黑豆渣芝麻松糕

材料：

A：奶油150克，鸡蛋液2个，黑豆渣150克，黑芝麻粉50克。

B：低筋面粉300克，奶粉55克，泡打粉4克，苏打粉4克。

调料：细砂糖60克，蜂蜜60克，香草精适量。

做法：

1. 将B料混合过筛备用。

2. 将奶油、细砂糖、蜂蜜拌打至微发状态，再分次加入鸡蛋液拌匀，然后加入过筛后的B料拌匀。

3. 将黑豆渣、黑芝麻粉拌匀后，加入做法2中拌和，再加入香草精拌匀，分装入模，入烤炉以160℃烤焙约30分钟至熟即可。

糯米蒸糕

材料：糯米粉150克，大米粉150克，红枣、核桃仁各25克，葡萄干、糖青梅各少许。

调料：白糖150克。

做法：

1. 红枣洗净、去核，放入水中泡软，切碎；核桃仁放热水中泡几分钟，去皮，切碎；糖青梅、葡萄干切碎；白糖溶入适量的开水内，晾凉。

2. 均匀混合大米粉、糯米粉，放入每种果料的3/4和匀，倒入糖水拌匀。将混合物放在屉布上，抹平，剩余的果料均匀撒在上面。

3. 上笼旺火蒸20分钟左右，出笼晾凉，切块装盘。

土豆豆沙糕

材料：大米粉125克，土豆100克，豆沙50克，熟芝麻25克。

调料：白糖50克。

做法：

1. 土豆洗净，加水煮至熟烂，去皮、压碎成泥；白糖加水溶化。

2. 大米粉、土豆泥混合，加糖水拌匀，拌揉成米团。

3. 案板用水冲一下，抹一层熟植物油，将一半米团平铺在案板上，上加豆沙抹平，再撒上熟芝麻，最后用余下的米团平铺在最上面，放入蒸锅以大火蒸熟即可。

莲子糕

材料：糯米250克，去心莲子120克。

调料：绵白糖适量。

做法：

1. 莲子放高压锅内加水煮烂，取出压成泥。

2. 糯米洗净，与莲子泥混合拌匀，蒸熟，压成饼状，撒上绵白糖即可。

重阳蒸糕

材料：糯米粉100克，大米粉150克，熟芝麻、瓜子仁、红枣各适量。

调料：绵白糖5克，香油适量。

做法：

1. 将两种米粉混合，用开水拌匀，上锅蒸熟后拌入绵白糖再打匀，捏成团状压平。

2. 糕面涂一层香油，撒上熟芝麻、瓜子仁、红枣即可。

藕粉糕

材料：藕粉125克，糯米粉125克。

调料：白砂糖50克。

做法：

1. 将所有材料和白砂糖混合，加水揉成米团。

2. 蒸笼内铺上湿布，放上米团，以大火蒸熟即可。

豆沙油糕

材料：糯米250克，豆沙40克，熟猪油30克，开水100克。

做法：

1. 糯米洗净，浸泡约2小时，沥干；蒸熟后加开水拌匀，再上锅焖约15分钟；双手抹少量油，将蒸好的糯米揉团、揪剂、擀成皮。

2. 熟猪油入锅烧热，炒匀豆沙，冷后搓成小球，包入糯米皮中，收口压扁；入七成热的油中炸至呈金黄色即可。

夹沙凉糕

材料：糯米250克，豆沙150克。

调料：白砂糖50克。

做法：

1. 糯米洗净，放在大碗或盘内加适量水，旺火蒸熟透后取出。

2. 用刀挖起1/2蒸熟糯米饭，平铺于盘上，压至约1厘米厚，上面均匀抹上豆沙，然后铺上另一半糯米饭，用干净的小案板或木板压平，晾凉。食用时可切成小块。

桂花方蛋糕

材料：面粉100克，鸡蛋120克。

调料：白砂糖100克，糖桂花适量。

做法：

1. 鸡蛋去壳、打散，加白砂糖搅打，待气泡均匀不碎散、体积比原来增加一倍左右即可。

2. 将鸡蛋液与面粉拌匀后倒入盘中，入180℃烤炉中烘15分钟至熟拿出，倒在撒上糖桂花的案板上，晾凉后翻面、切块即可。

马来糕

材料：米粉250克，鸡蛋100克，发酵粉10克。

调料：绵白糖100克。

做法：

1. 鸡蛋打入碗中，边搅边加入绵白糖、发酵粉，再倒入米粉，搅成粉状，至没有颗粒为止。

2. 取一个大碗，碗内均匀抹一层植物油，将做法1倒入，上笼以旺火蒸约30分钟，蒸熟后扣入盘内即可。

奶油蛋糕

材料：面粉50克，鸡蛋液150克，牛奶50克。

调料：白糖200克。

做法：

1. 将白糖150克、鸡蛋液100克、牛奶倒入锅中拌匀，上火加热，熄火稍冷后充分打和成奶油膏。

2. 把余下的鸡蛋、白糖和面粉混合搅打，倒入铁皮盘中，入180℃烤炉烘15分钟成蛋糕。

3. 将蛋糕切成3片，把奶油膏分成两份抹入蛋糕中即可。

玉米牛奶糕

材料：玉米面250克，牛奶100克，杏仁15克，瓜子仁25克，鲜酵母适量。

调料：白糖150克。

做法：

1. 鲜酵母溶于少许温水中，倒入玉米面，再加适量水，将玉米面和成较稠的面浆，放于温暖的地方，待发酵至呈蜂窝状时，加入白糖、牛奶、杏仁和瓜子仁，搅匀。

2. 蒸屉内垫上湿屉布，将发酵好的玉米面倒入，盖上盖，用大火蒸熟取出，切块即可。

上海炒年糕

材料：年糕250克，猪肉70克，油菜心120克，韭菜30克。

调料：料酒、葱末、姜末、盐、酱油、水淀粉、味精、胡椒粉各适量。

做法：

1. 年糕切片；猪肉洗净、切丝，加料酒、水淀粉、酱油、部分盐拌好；油菜心、韭菜洗净，去根、切段。

2. 锅置火上，放油烧热，爆香葱末、姜末，加猪肉丝滑炒取出；再加少许油略煸炒油菜段，倒入年糕片，加适量水焖几分钟至年糕软时，倒入猪肉丝、韭菜段，放剩余盐调好口味，撒上味精、胡椒粉即可。

椒盐香糕

材料：大米粉200克，糯米粉50克，白糖60克。

调料：椒盐4克。

做法：

1. 将大米粉、糯米粉、椒盐、白糖混合后，搅拌均匀，放入饭盒内，刮平压实，上锅蒸约10分钟取出。

2. 扣出、冷却后切片，再放入烤炉烘焙至整个糕面为焦黄色即可。

家常油糕

材料：糯米250克。

调料：盐5克，花椒粒3克。

做法：

1. 花椒粒碾碎；糯米洗净，放入清水浸泡约2小时，沥干，蒸熟后倒入盆内，加100克开水、盐、花椒碎拌匀，倒入饭盒内压实，冷却后取出切块。

2. 锅置火上，放油烧至八成热，放入糕块炸至皮酥色黄时即可。

油炸米糕

材料：大米250克。

调料：盐、味精各少许。

做法：

1. 大米淘洗净，沥干后拌入盐、味精，腌约半小时后倒入锅中，加水烧开，改小火煮至饭表面有少量稠米汤时，微火焖约10分钟。

2. 取方形饭盒，内抹油，盛入米饭抹平，盖上湿布按实，去掉布、扣出切块，放入油锅炸熟至呈金黄色，沥油后上桌即可。

小枣粽子

材料：糯米600克，红枣120~150克，粽叶30片，棉绳1束。

调料：白糖适量。

做法：

1. 糯米洗净，浸泡三四个小时后沥干；红枣洗净，沥干水分；粽叶泡清水，再刷洗干净，用热水烫过备用。

2. 将粽叶折成三角漏斗状，放入糯米后略微压实，再放入两三颗红枣，再填入糯米至满，包实，并以棉绳绑紧。

3. 将粽子放入锅中，加清水（水量要没过粽子）煮2~2.5小时至熟即可，可蘸白糖食用。

米煎糕

材料：糯米250克。

调料：红糖100克。

做法：

1. 糯米淘洗净，入清水浸泡约2小时，沥干，上锅旺火蒸30分钟左右，掀盖，边淋清水100克边扒松糯米，盖盖续焖约15分钟，再掀盖淋清水100克，盖盖再蒸约半小时取出。

2. 红糖用开水调成浓汁，将糯米、红糖汁混合，加植物油拌匀倒在饭盒内、压实，扣出、切片，放入油锅煎熟至呈黄色即可。

牛轧糖

材料：花生仁400克，蛋白霜30克，水麦芽360克，奶粉115克，奶油65克。

调料：细砂糖70克，盐0.5克。

做法：

1. 将花生仁入烤炉内以90℃烤香，保温至糖浆煮好为止。

2. 将蛋白霜、30克细砂糖与30克凉开水搅打至硬性发泡备用。

3. 将40克细砂糖、水麦芽、盐及60克清水放入锅中，以中火煮开成糖浆，离火，冲入打好发泡的蛋白霜，以球状搅拌器快速拌匀，换桨状搅拌器后加入奶粉拌匀，再加入奶油拌匀，最后将烤好的花生仁倒入拌和。

4. 将拌好的料倒在抹油的烤盘内，抹平后放至完全凉透，再切分成长5厘米、宽1.5厘米的条即可。

牛肉番茄粉

材料：米粉（水泡米粉）250克，牛肉120克，番茄100克。

调料：盐、酱油各少许，姜1块，葱1根。

做法：

1. 米粉用冷水浸泡；牛肉洗净，切块，用酱油拌匀；番茄洗净，去蒂、切块；姜洗净切片；葱洗净切丝。

2. 锅置火上，放油烧热，放入牛肉块、姜片煸炒，放盐调好味后倒入砂锅中，加水适量，以小火烧煮至牛肉熟烂，下番茄块炖烂，放入米粉、葱丝，熟后即可盛出。

韭菜银芽粉

材料：米粉250克，豆芽50克，韭菜50克。

调料：豆瓣酱50克，醋、白糖、熟芝麻各15克，蒜3瓣。

做法：

1. 熟芝麻擀成末；蒜去皮拍碎；韭菜洗净切段；豆芽洗净去根、焯熟。

2. 锅置火上，放油烧热，爆香蒜碎，炒香豆瓣酱，加韭菜段炒熟，加少许水，放入米粉，炒熟后加白糖、醋调味，最后放入豆芽，拌入芝麻末即可。

羊肉汤粉

材料：米粉250克，羊肉250克。

调料：姜粉、葱花、蒜泥、辣椒油各10克，酱油25克，胡椒粉、味精适量，五香料袋1包。

做法：

1. 羊肉洗净，用木棒捶松，以清水漂洗至色白，再人沸水中氽烫一下，沥干水，把姜粉、葱花抹在羊肉上腌约5分钟，切块。

2. 锅内放水1000克，放入羊肉块、五香料袋，大火烧沸后撇去浮沫，以中火焖约1小时，捞出料袋，放入米粉，加酱油、胡椒粉、味精，再煮至熟即可。食用时将蒜泥、辣椒油随口味加入即可。

素汤粉

材料：细米粉250克，咸菜25克。

调料：芝麻酱25克，葱末、胡椒粉、盐、味精、香油各适量。

做法：

1. 咸菜洗净切丁；碗中加少许香油、盐、味精拌匀。

2. 锅置火上，放水烧开，放入米粉烫熟后捞出，放入装调料的碗内，撒上咸菜丁、葱末、胡椒粉，淋入芝麻酱即可。

什锦煮粉

材料：米粉250克，猪肉丝、豆苗、冬笋丝各100克，胡萝卜丝、虾米各50克。

调料：酱油、盐、水淀粉、味精各适量。

做法：

1. 胡萝卜丝入沸水中焯熟；猪肉丝用水淀粉抓一下。

2. 锅置火上，放油烧热，放入肉丝炒熟盛出。

3. 锅留底油烧热，下胡萝卜丝、冬笋丝、虾米、米粉略炒，加水煮熟，再放入豆苗、肉丝略煮至熟，放酱油、盐、味精调味即可。

香菇炒粉

材料：米粉250克，香菇50克，冬笋25克。

调料：酱油、香油、味精、盐各适量，葱1根。

做法：

1. 香菇、冬笋分别洗净切丝；葱洗净切末；米粉入沸水中焯一下，捞出过冷水，沥干水分，上笼蒸约10分钟取出。

2. 锅置火上，放油烧热，爆香葱末，放入香菇丝、冬笋丝煸炒，放米粉略炒，倒入酱油炒匀，熟后用盐、味精调好味，淋香油炒匀即可。

炒米粉

材料：米粉250克，绿豆芽60克，海米、水发香菇各15克，猪肉丝30克，鸡汤适量。

调料：黄酒、水淀粉、盐各适量。

做法：

1. 猪肉丝用水淀粉、盐拌匀；绿豆芽掐去头尾，洗净；香菇去蒂，洗净切丝；海米用水泡发；米粉煮熟后过冷水，沥干备用。

2. 锅置火上，放油烧至七成热，放入肉丝炒熟后捞出，随即放入香菇丝、海米、绿豆芽煸炒，烹入黄酒，加鸡汤，小火煮熟，再放入肉丝、米粉，大火烧熟至汤汁快收干即可。

西山软饼

材料：面粉500克，蜜桂花50克，白砂糖50克，白芝麻25克。

调料：盐5克。

做法：

1. 面粉、白砂糖、蜜桂花加盐、清水一起和成面浆。

2. 煎锅置火上，放油滑好，舀入一勺约50克重的面浆，待其铺满整个锅底时，上火煎制，一面撒上白芝麻，待两面煎熟至呈微黄色盛出。

3. 将煎好的软饼卷成"枕头"状，码放于盘中即可。

牛肉丝炒粉

材料：米粉250克，牛肉丝50克。

调料：红辣椒1个，姜1/2块，葱1根，米酒、酱油、盐、味精各适量。

做法：

1. 锅置火上，放水烧开，放入米粉煮至九成熟，略有膨胀时捞出，迅速过冷水，沥干水分；姜洗净切丝；葱洗净切末；红辣椒洗净去蒂，去子切丝。

2. 锅置火上，放油烧热，下牛肉丝、姜丝、辣椒丝煸炒，淋入米酒，放盐，翻炒至七成熟时加入米粉翻炒，淋入酱油，炒至颜色均匀时加葱末、味精拌匀即可。

金丝馓

材料：面粉500克，香油1250克，盐12克。

做法：

1. 将盐和清水275克入盆搅至盐溶化，下入面粉，擞揉半小时至面光、手光、盆光时，取出置案板上，揉成圆形。饧约15分钟后，搓成3厘米直径的长条，再饧约10分钟，然后搓成细条，由内向外盘旋于盆内，似盘香状，每旋完一层，刷一层油，旋毕，盖上湿布饧约半小时。

2. 锅置火上，放香油烧热，将饧好的面条头牵起，搭放在左手的虎口上，由外向内挽12~14圈，捏断，用手将面条撑开，插入两支竹筷，放入锅内炸，顺势用竹筷抖动几下，扭成鱼肚形，用竹筷拨动余炸，炸至呈金黄色时起锅即可，依此法做完20个馓子。

香酥胡萝卜

材料：糯米粉220克，胡萝卜汁150克，白砂糖100克，花生仁50克，椰蓉25克，泡打粉2克，熟白芝麻、香菜叶各适量。

做法：

1. 将胡萝卜汁、糯米粉、白砂糖50克、泡打粉一起和成面团。

2. 花生仁炒熟后碾成末，与白砂糖、椰蓉、部分熟白芝麻拌匀成馅心备用。

3. 将胡萝卜汁面团揪成12个小剂，分别包入馅心，捏成胡萝卜状，裹上剩余白芝麻，制成生坯。

4. 锅置火上，放油烧热，放入生坯，慢火炸至生坯浮起，再升温慢炸至"萝卜"成熟，呈金黄色时捞出，插上香菜叶作为胡萝卜叶，装盘即可。

红油凉粉

材料：豆粉250克，菠菜100克。

调料：辣椒油、芝麻酱各25克，盐10克，蒜泥汁50克，醋100克，酱油10克。

做法：

1. 豆粉中加入凉水调成粉芡汁，搅匀后徐徐倒入开水锅中，边倒边搅动，煮开后改小火，仍不停搅动，10分钟左右即熟，倒入盆中晾约4小时至凉。

2. 芝麻酱用温水调开；菠菜择洗净，焯熟后切成2厘米左右的小段。

3. 食用前，用凉粉专用刮子蘸凉水，将凉粉刮成细长条或扁长条，放入碗中，加入熟菠菜段，浇上蒜泥汁、芝麻酱、醋、酱油、辣椒油，撒上盐，拌匀即可。

茴香豆

材料：干蚕豆 500 克。

调料：茴香 7 克，桂皮 5 克，酱油 100 克。

做法：

1. 干蚕豆淘洗后下入冷水锅中（水以浸没蚕豆为度），加盖后用旺火煮约 15 分钟。

2. 加入桂皮、茴香、酱油，再煮约 15 分钟至熟即可。

臭豆腐

材料：板豆腐 250 克。

调料：臭卤水 750 克，辣酱 12 克，醋 5 克。

做法：

1. 将板豆腐切成 2 厘米见方的块，入臭卤水中发酵 3 至 5 天后，成臭豆腐坯。

2. 将臭豆腐坯入热油锅中炸制，至豆腐浮起，色泽金黄时捞起，食用时蘸以辣酱或醋即可。

驴打滚

材料：糯米面 500 克，红豆沙 375 克，黄豆面 75 克。

调料：白糖 50 克。

做法：

1. 糯米面用水调匀，上笼蒸约 40 分钟，熟后取出摊开晾凉。

2. 黄豆面上烤盘烤出香味至熟。

3. 以黄豆面为铺面，将糯米面揉匀擀开，擀成 0.5 厘米厚的圆形大薄片，抹上一层红豆沙，卷成圆筒形，将成直径 3 厘米左右粗细的圆柱形，然后每隔 3 厘米左右用刀切一刀，撒上白糖即可。

煎饼馃子

材料：绿豆 200 克，小米 50 克，薄脆 4 张。

调料：甜面酱 25 克，葱末 30 克，辣椒糊 25 克，五香面 2.5 克，盐 2 克。

做法：

1. 绿豆、小米淘洗净，用磨将绿豆磨碎，与小米一同入水浸泡（夏天浸泡约 4 小时，冬天浸泡约 12 小时），将浮在水面的豆皮捞出，用电磨磨成糊，加入五香面、盐，加清水浸稀调匀成浆糊。

2. 饼铛置火上烧热，少抹一层油，舀一勺浆糊倒在铛上，用刮子摊成圆薄饼，磕上一个鸡蛋，用刮子刮匀，熟后翻个，抹上甜面酱、辣椒糊，撒上葱末，放上一张薄脆，卷折好即可。

炸卷馃

材料：油皮 2 张，熟山药泥 500 克，熟栗子肉碎 100 克，小枣碎 100 克，青梅丁 50 克，山楂糕丁 50 克，熟芝麻 25 克，水淀粉 100 克。

调料：白糖 25 克，饴糖 100 克。

做法：

1. 山药泥、栗子肉碎、小枣碎、青梅丁、山楂糕丁拌匀成馅。

2. 将油皮摊平，刷上一层水淀粉，抹上约 0.3 厘米厚的馅，从一头卷起，用水淀粉封好边，用手略挤压成三棱形，上笼蒸熟，且油皮与馅心充分粘合在一起时，取出晾凉，切成厚片待用。

3. 锅置火上，放油烧热，放入卷馃片，炸至呈淡黄色时捞出。

4. 另置锅于火上，放入少许清水，下入白糖、饴糖炒至黏稠，下入卷馃，裹匀糖汁，盛出，裹上熟芝麻即可。

天津崩豆

材料：蚕豆 500 克。

调料：盐 12 克，丁香、桂皮、小茴香、豆蔻各适量。

做法：

1. 蚕豆淘洗净，冬季用 50～60℃的温水浸泡 48 小时（气温越高，浸泡时间越短），加入丁香、桂皮、小茴香、豆蔻，腌渍浸泡约 6 小时至入味。

2. 将浸泡好的蚕豆手工制成玉带状（即除去蚕豆两头的皮，留中间一周约 4 毫米的皮，状似玉带）。

3. 锅置火上，放油烧热，下入蚕豆，浸炸约 10 分钟，捞出，待油温再次升高时，复入蚕豆浸炸约 10 分钟至酥脆，捞出即可。

麻饼

材料：面粉200克，芝麻25克，鸡蛋液、奶粉各20克，酵母2克，泡打粉3克。

调料：白糖20克，盐适量。

做法：

1. 将面粉放入盆中，加入奶粉、酵母、泡打粉、白糖、盐及适量清水和成面团，搋揉均匀。

2. 将面团揪成8个面剂，逐个揉匀，擀成直径约20厘米的圆饼，表面刷上鸡蛋液，撒上芝麻，饧约30分钟，制成麻饼生坯，上笼蒸约30分钟至熟。

3. 锅置火上，放油烧热，放入麻饼炸至两面呈金红色，捞出，均匀切成八角状，装盘即可。

酒酿圆子

材料：糯米粉375克，酒酿250克。

调料：白糖400克，水淀粉35克，糖桂花10克。

做法：

1. 将糯米粉加水揉匀后成团，再搓成直径为1厘米的小圆子。

2. 锅中加入清水烧沸后，放入圆子略煮，然后加入白糖，再沸时用水淀粉勾薄芡，放入酒酿，煮熟后起锅撒上少量糖桂花即可。

茶汤

材料：秫米250克，青红丝10克。

调料：红糖100克，白糖50克，糖桂花5克。

做法：

1. 秫米淘洗净，用凉水浸泡3~5小时，然后沥干水，上磨磨成面，过细箩。

2. 将大铜壶装满水烧开；将秫米面放入碗中，加入适量温水，搅成糊状，然后用大铜壶里的开水将面糊冲熟。其冲法：左手端着碗紧对着壶嘴，右手握着壶把儿将壶倾斜，使壶内开水顺着壶嘴冲入碗内，碗与壶嘴的距离由近及远（最远为45厘米左右），由高往低，一送一回，加大了水的冲力，时间约2秒钟，使茶汤冲得均匀，面糊呈浅砖红色，在表面撒上红糖、白糖、糖桂花、青红丝即可。

韭菜肉丝春卷

材料：面粉春饼皮子215克（15张），面粉糊5克，净猪肉丝250克，净韭菜165克。

调料：酱油15克，盐2克，料酒3克，味精2克，水淀粉50克。

做法：

1. 锅置火上，放油烧热，将肉丝入锅煸炒约半分钟，加入料酒、酱油、盐、味精和适量水，用水淀粉勾厚芡，沸透后起锅，装盆摊凉。

2. 韭菜切段，入沸水焯熟，撒入炒好的肉丝中拌匀成馅。

3. 将春饼皮子平摊在案板上，放上肉丝馅，先将一边折拢，最后卷成小长形包，用面粉糊封口。

4. 锅置火上，放油烧热，将包好的春卷入锅炸，炸时用筷子不断翻动，约2分钟后呈金黄色时，捞起装盘。

大梨糕

材料：白糖500克，苏打粉50克，清水50克。

做法：

将铜勺置火上，放入清水、白糖，熬出糖香味，待糖液变至微黄色并略见烟时，快速放入苏打粉，将勺撤离火口，并迅速搅拌，见糖液突突冒泡时，停止搅拌，然后静置稍晾，回火略烤，倒出即可。

奉芋煎饼

材料：奉化芋艿头300克，麦淀粉50克，豆沙60克。

调料：猪油50克，盐7克，白糖10克，味精5克，胡椒粉3克。

做法：

1. 将芋头去皮后上笼蒸熟，再将熟芋捣制成泥，加入麦淀粉拌匀，并加入猪油、盐、味精、白糖、胡椒粉，再次拌匀后待用。

2. 将拌匀的芋泥搓条下剂，然后擀成皮子状，包入豆沙馅心后，压扁成饼状。

3. 锅内放油烧热，将芋饼放入锅中煎熟至两面呈金黄色即可。

饸饹

材料：荞麦面500克，熟羊肉250克，羊肉汤500克，豆腐50克，水发木耳25克，水发黄花菜25克。

调料：花椒水50克，干红辣椒1个，酱油25克，盐7克，食碱0.5克，胡椒粉1克，香菜末10克，葱末、姜末各10克。

做法：

1. 熟羊肉切丁，豆腐洗净切丁，水发木耳撕碎，水发黄花菜洗净切丁。

2. 把荞麦面倒入盆内，用溶入少量食碱的凉水调制成较硬的面团，揉匀揉透，饧约20分钟后再揉一遍，搓成大的圆条。将饸饹床①放到开水锅上，将大圆条填入饸饹床眼内，用手按住床把，用力将饸饹条压出，使其落入开水锅内，煮熟后捞出，即成半成品。

3. 锅置火上，放油烧热，放入羊肉丁煸炒，加入葱末、姜末、干红辣椒碎、盐、花椒水、酱油、胡椒粉，略炒一下，倒入羊肉汤，然后下入豆腐丁、黄花菜丁及木耳碎，煮开后即成羊肉臊子汤。

4. 食用时将饸饹半成品放入碗中，撒上香菜末，再浇上羊肉臊子汤即可。

艾窝窝

材料：糯米225克，大米粉25克，熟芝麻50克，金糕25克，青梅15克，核桃仁10克，熟瓜子仁5克。

调料：白糖100克，冰糖屑15克，糖桂花5克。

做法：

1. 糯米淘洗净，用清水浸泡约3小时，沥净水，上笼用旺火蒸约1小时，取出放入盆中，浇入开水200克，盖盖浸泡约10分钟，使糯米吸饱水分，再将米捞入屉中，上笼蒸约30分钟取出，入盆中，用木槌捣烂成团，摊在湿布上晾凉。

2. 核桃仁用微火烤熟，去皮碾碎；熟芝麻、熟瓜子仁擀碎；青梅、金糕切丁。将以上材料连同白糖、冰糖屑、糖桂花一起拌匀成馅。

3. 将大米粉蒸熟晾凉，铺撒在案板上，放上糯米团揉匀，揪成10个剂子，逐个按成圆皮，包上馅料，包成圆球状后再滚上一层干米粉即可。食用前可用食用红色素在每个艾窝窝上点一红点装饰。

猫耳朵

材料：面粉250克，熟鸡脯肉、熟火腿、浆虾仁各60克，熟干贝、笋丁、绿叶菜各25克，水发香菇75克。

调料：鸡清汤500克，盐、料酒各5克，味精7克，熟鸡油50克，葱段、姜片各适量。

做法：

1. 浆虾仁用猪油滑过。干贝洗净后放入小碗，加入125克水及料酒、葱段、姜片，入笼屉蒸熟，与鸡脯肉、火腿、香菇均切成小片。

2. 将面粉加水200克，搓成直径8毫米的长条，切成7毫米的丁，放在铺面里略拌，然后分段直立，用大拇指向前推捏成极小的猫耳朵形状，分为5份，按份放在沸水锅内焯约10分钟捞出。

3. 炒锅置火上，按份加入鸡清汤，待汤沸，按份放入虾仁、干贝、火腿、鸡脯肉、香菇、笋丁，汤再沸时撇去浮沫，将猫耳朵入锅，煮约20秒，待猫耳朵浮起时，再撇一次浮沫，加入盐、味精、绿叶菜，熟后随即出锅，盛入碗内，淋上鸡油即成。

清真漏鱼儿

材料：绿豆淀粉625克，白萝卜丝50克，黄瓜丝50克。

调料：酱油、芥末油、辣椒油、蒜泥各25克，醋、芝麻酱各75克，白矾12克。

做法：

1. 将绿豆淀粉加水调成水淀粉，勿起疙瘩；锅中放水烧开（每500克淀粉约加水3000克左右），将白矾研制成粉加入水中，一次下完水淀粉，搅拌均匀，改小火煮，边煮边搅，防止粘锅，约15分钟即熟。

2. 白萝卜丝用开水焯熟；芝麻酱用凉开水化开。

3. 将大漏勺置于水桶上（漏勺孔直径约0.8厘米），桶内放凉水，漏勺底部与水面距5~10厘米即可，将搅匀的熟淀粉糊倒入漏勺内，用木槌往下按搋淀粉糊，使淀粉糊自然流下，入水后即成小鱼儿形。

4. 将过凉透的漏鱼儿沥干水，放入碗中，加入萝卜丝、黄瓜丝，再浇入酱油、芥末油、辣椒油、蒜泥、醋、芝麻酱拌匀即可。

---

①饸饹床：饸饹床前有凹形木槽，中有多孔铁片，将揉好的面搓成圆条放置其中，用机身上压杆用力挤压，面就从孔洞内挤出，流入沸水锅中煮熟，即成光滑的饸饹半成品。

PART6 套餐
TAOCAN

平衡膳食 10 大秘诀

1. **主食与副食**——要吃五谷杂粮，同时要按宝塔型的要求，吃肉、禽、蛋、奶、菜。

2. **荤与素**——要吃四条腿的猪、牛、羊，两条腿的鸡和鸭，没有腿的鱼，又要吃根、茎、叶、花、瓜、果、菌等多样的菜。

3. **干与稀**——要注意吃饭、菜的同时，也要喝一些能帮助下咽的汤水。

4. **精与杂**——在吃米、面、肉、蛋等大菜的同时，别忘了角落处的下饭菜：臭豆腐、辣椒酱、韭菜花等。

5. **寒与热**——中医的寒凉温热四性，要用到食谱中"寒者热之，热者寒之"。例如，吃热性的羊肉需白菜来平衡，吃寒性的螃蟹需酒和姜来平衡。

6. **酸与碱**——鸡、鸭、鱼、肉、蛋是酸性食物，瓜、果、菜、茶、菌是碱性食物，要搭配好，多吃碱性食物。

7. **油腻与清淡**——每餐最好肉、菜、蛋、豆全有，每种不在多，但要角色齐全。上顿吃得油腻，下顿吃得清淡，保证营养平衡，一顿平衡做不到，一天平衡也可以。

8. **调味品**——一种食物可用多种调味品，烹制出各种美味佳肴。如麻辣肉、五香肉、油浸肉、糖醋肉、焦盐肉、醋烹肉……诱人食欲。

9. **烹调**——烹调用火，五花八门，花式繁多，用小火的焖、炖、熬、煨，用大火的炸、炒、爆、烧，分开用火，不显手忙脚乱。

10. **饥与饱**——饥不可太饥，饱不可太饱，除儿童外，提倡一日多餐，餐餐不饱，饿了就吃，吃得很少。这对老人、肥胖者、糖尿病、胃病患者更有利。

1. p103 家常红烧肉 + p148 五彩鸡丝 + p98 香菇油菜 + p31 小葱拌豆腐 + p257 白萝卜虾皮汤
2. p106 霉干菜扣肉 + p147 芙蓉鸡片 + p34 芝麻酱拌豇豆 + p72 小黄瓜炒草菇 + p255 上汤黄秧白
3. p104 腐乳烧肉 +p147 木瓜鸡丁 +p191 家常豆腐 +p12 蓑衣黄瓜 +p256 青菜钵
4. p105 东坡肉 +p148 柚皮炒鸡丝 +p193 椒盐炸豆腐 +p52 海带三丝 +p255 什锦小白菜汤
5. p103 苏式红烧肉 +p144 香蕉鸡 +p77 葱香卷心菜 +p30 皮蛋豆腐 +p259 黄花南瓜汤
6. p107 粉蒸肉 +p151 芦笋煎鸡蛋 +p64 酱烧春笋 +p20 菠菜拌粉丝 +p281 豆腐笋丝蟹肉汤
7. p105 咖喱猪肉块 +p176 翡翠虾仁 +p88 蚕豆炒韭菜 +p11 香辣黄瓜皮 +p257 胡萝卜海带丝汤
8. p104 烧樱桃肉 +p182 韭菜墨鱼仔 +p192 香辣豆腐 +p16 果汁白菜心 + p267 鸡片口蘑汤
9. p106 香糟扣肉 +p181 洋葱炒小鱿鱼 +p190 番茄烧豆腐 + p12 双耳炝黄瓜 + p268 桂花煲鸡蛋
10. p107 洋葱猪扒 +p172 番茄焖虾 +p189 白菜粉丝炖豆腐 +p28 拌三丝 +p311 银耳莲子汤
11. p108 菜根蒜香骨 + p176 西兰花炒虾仁 + p87 清炒豌豆苗 + p34 炝鲜蘑腐竹 +p276 芹菜鱼丸汤
12. p108 粉蒸排骨 +p186 鲜贝炒翠瓜 +p61 酱烧茄条 +p33 什锦腐竹 +p262 菠菜猪肝汤
13. p108 清蒸丝瓜排骨 +p185 小番茄炒鲜贝 +p97 炒素什锦 +p16 酸辣白菜 +p261 木耳腰片汤
14. p109 冰糖肘子 +p152 香椿炒鸡蛋 +p73 黑木耳炒黄瓜 +p32 卤煮腐皮 +p285 三菌豆苗汤
15. p105 叉烧肉 +p169 炒鳝丝 +p94 醋熘白菜 +p32 豆腐拌什锦 +p269 紫菜海米鸡蛋汤
16. p109 红香猪蹄 +p147 冬笋鸡片 +p96 蚝油生菜 +p33 腐竹三丝 +p260 丝瓜油条汤
17. p106 金银扣肉 +p188 海鲜西兰花 +p195 雪菜炒黄瓜 + p66 什锦番茄盅 + p269 木耳鸭丝汤
18. p129 牛肉烧萝卜 +p115 圆白菜肉卷 +p68 松仁玉米 +p33 什锦腐竹 +p266 火腿鸡蓉汤
19. p110 糖醋里脊 +p187 生菜虾松 +p91 香干炒芹菜 +p21 凉拌胡萝卜丝 +p267 鸡片竹荪汤
20. p110 咕咾肉 +p175 蒜香皮皮虾 +p98 蒜蓉油麦菜 +p11 红油黄瓜 +p309 银耳百合雪梨汤
21. p111 回锅肉 +p183 泡椒蒸花螺 +p98 香菇油菜 +p13 凉拌竹笋黄瓜 +p266 鸡丝豌豆汤
22. p113 熘肉片 +p153 冬菜蒸鸭 +p196 糖醋蘑菇青豆 +p19 腐竹拌芹菜 +p269 番茄鸡蛋汤
23. p121 咖喱肉丁 +p169 西芹爆鳝丝 +p97 清炒荷兰豆 +p28 蒜泥茄子 +p270 鸭架白菜汤
24. p121 酱爆肉丁 +p174 侧耳根醉虾 +p98 蒜蓉空心菜 +p26 五香花生米 +p283 香菇豆腐汤
25. p123 油爆里脊丁 +p137 青椒豆干炒牛肉丝 +p204 黄豆炖白菜 +p29 拌双耳 +p271 冬菜鸭肝汤
26. p123 麻辣肉丁 +p127 土豆烧牛肉 +p95 芝麻小白菜 +p47 芹菜香肠沙拉 +p273 盖菜鱼腩汤
27. p117 鱼香肉丝 +p184 台式炒蛤蜊 +p70 炒胡萝卜丝 +p20 芥末西芹 +p267 鸡片荪菜汤
28. p126 九转大肠 +p136 苦瓜炒牛肉 +p95 栗子烧白菜 +p56 什锦沙拉 +p284 鸡汤烩野菌

29. p126 火爆腰花 +p186 香芒肉带子 +p73 海米冬瓜 +p22 芥末拌时蔬 +p281 酸辣汤

30. p134 水煮牛肉 +p154 青椒炒鸭片 +p193 葱香豆腐 +p53 蜇头拌白菜丝 +p281 五香豆腐干汤

31. p127 红烧牛肉 +p178 虾仁烩甜豆 +p63 家常茄子 +p17 韩国泡菜 +p259 玉米冬瓜汤

32. p131 清蒸牛肉 +p146 雪梨炒鸡肉卷 +p199 白菜烧三菇 +p18 四川泡菜 +p268 鸡蛋豆腐汤

33. p128 黄焖牛肉 +p158 熘鱼片 +p190 韭菜炒干丝 +p13 凉拌苦瓜 +p268 桂花煲鸡蛋

34. p128 焖烧牛肉 +p177 腰果虾仁 +p77 辣炒卷心菜 +p34 炝鲜蘑腐竹 +p312 红枣薏米山药汤

35. p131 炖牛肉 +p185 柠檬姜汁炒牡蛎 +p202 菜心炒双菇 +p35 甜酒芸豆 +p316 砂锅什锦素菜煲

36. p132 咖喱牛腩 +p125 蚂蚁上树 +p98 蒜蓉油麦菜 +p31 咸蛋黄拌豆腐 +p283 清炖草菇汤

37. p133 扒牛肉 +p145 板栗烧鸡 +p198 猴头菇炒菜心 +p33 素烧鹅 +p279 海米三鲜汤

38. p127 土豆烧牛肉 +p151 香辣鸡胗 +p96 蚝油生菜 +p30 香椿拌豆腐 +p291 萝卜牛腩汤

39. p132 橙汁小牛排 +p119 龙爪肉丝 +p194 百合黄花烩豆腐 +p23 桂花糖藕 +p270 鸭架白菜汤

40. p137 黑椒牛柳 +p182 双鲜墨鱼仔 +p189 芹菜烧豆腐 + p28 酸甜莴笋 + p279 菠菜海鲜汤

41. p138 蜀乡嫩牛柳 +p146 番茄鸡块 +p192 香辣豆腐 + p27 双笋拌茼蒿 + p276 清汤鱼丸

42. p138 芫爆百叶 +p177 火龙果炒虾仁 +p95 栗子烧白菜 + p70 糖醋小萝卜 + p298 红枣莲子鸡汤

43. p139 红焖羊肉煲 +p170 黄瓜鳝段 +p202 菜花炒蘑菇 +p21 拍小萝卜 +p280 莴笋叶豆腐汤

44. p142 孜然羊肉 +p186 豆豉蒸带子 +p95 金边白菜 +p32 豆腐拌什锦 +p259 魔芋瓜蓉汤

45. p139 红烧羊肉 +p146 芦笋鸡块 +p79 炒西兰花 +p36 素酿油面筋 +p285 三菌苗汤

46. p140 手抓羊肉 +p147 冬笋鸡片 +p94 醋熘白菜 +p14 凉拌青木瓜 +p289 黄豆蹄筋汤

47. p140 清炖羊肉 +p177 腰果虾仁 +p192 红烧日本豆腐 +p26 凉拌老虎菜 +p323 锅仔鸡汤烩时蔬

48. p141 大蒜煨羊肉 +p178 虾胶酿兰花 +p203 双冬油面筋 + p18 五彩菠菜 + p285 清汤蟹味菇

49. p142 葱爆羊肉 +p182 青椒墨鱼肉丝 +p96 鱼香白菜 +p25 番茄洋葱沙拉 +p282 一品豆腐汤

50. p38 白斩鸡 +p125 酿菇盒 +p94 炒小白菜 + p69 珍珠芦笋烩 + p324 锅仔芥菜鱼肚

51. p143 油淋春鸡 +p118 榨菜肉丝 +p77 辣炒卷心菜 +p32 五彩腐竹 +p256 清汤萝卜

52. p144 重庆辣子鸡 +p124 冬菜肉末 +p201 双菇扒荠菜 +p52 水晶虾冻 +p283 香菇豆腐汤

53. p146 芦笋鸡块 +p118 烂糊肉丝 +p65 油焖春笋 +p17 海米拌菠菜 +p282 一品豆腐汤

54. p143 三杯鸡 +p118 冬笋雪菜肉丝 +p191 炒豆腐干五丁 +p17 萝卜泡菜 +p323 锅仔虾干粉丝大白菜

55. p149 湘味鸡翅 +p165 雪笋平鱼 +p190 雪里蕻烧豆腐 +p16 木耳荸荠 +p262 菠菜猪肝汤

56. p149 可乐鸡翅 +p135 泡菜炒牛肉 +p88 韭菜炒鸡蛋 +p17 海米拌菠菜 +p282 鸡火煮干丝

57. p149 蜜汁鸡翅 +p124 肉末榄菜四季豆 +p99 芝麻卷心菜 + p31 咸蛋黄拌豆腐 + p277 丝瓜虾仁汤

58. p153 香酥鸭子 +p124 肉末豆腐 +p79 清炒莴笋 +p16 酸辣白菜 +p288 海带枸杞腔骨汤

59. p156 西湖醋鱼 +p136 双花炒牛肉 +p93 胡萝卜炒菠菜 +p12 拍黄瓜 +p266 鸡丝豌豆汤

60. p160 油浸鲈鱼 +p119 瓜皮肉丝 +p102 炒菊花菜 +p35 兰花豆干 +p269 番茄鸡蛋汤

61. p167 家常烧黄鱼 +p124 冬菜肉末 +p93 五彩菠菜 +p32 卤煮腐皮 +p284 鸡汤烩野菌

62. p165 干烧平鱼 +p112 青椒炒肉片 +p193 素炒豆腐丝 +p22 芥末拌时蔬 +p271 鸡杂鸭血汤

63. p155 水煮鱼 +p152 鱼香蒸蛋 +p97 炒素什锦 +p20 菠菜拌粉丝 +p263 娃娃菜猪肚汤

64. p156 酸菜鱼 +p110 农家小炒肉 +p204 黄豆炖白菜 +p51 蟹肉拌菠菜 +p283 香菇木耳莼菜汤

65. p155 糖醋鲤鱼 +p112 菜心肉片 +p67 番茄炒鸡蛋 +p35 兰花豆干 +p277 鲜虾黄芪汤

66. p156 豆瓣鱼 +p117 蒜苗肉丝 +p195 海带烧豆腐 + p24 腌西兰花 + p296 香菇笋鸡汤

67. p158 红烧鱼块 +p141 胡萝卜烧羊肉 +p203 双冬油面筋 + p24 红翠大拌菜 + p271 银耳鹌鹑蛋汤

68. p159 原汁白鲢 +p130 番茄青笋烧牛肉 +p78 香菇烧菜花 + p36 枸杞拌蚕豆 + p257 三丝豆苗汤

69. p162 清蒸武昌鱼 + p120 炒胡萝卜酱 + p198 猴头菇炒菜心 + p37 蒜泥蚕豆 + p267 鸡片竹荪汤

70. p155 清蒸鲈鱼 +p113 菠菜面筋肉片 +p194 百合黄花烩豆腐 +p29 拌双耳 +p274 莼菜鲫鱼汤

71. p164 糖醋带鱼 +p112 蘑菇肉片 +p98 蒜蓉油麦菜 +p34 五香大芸豆 +p271 银耳鹌鹑蛋汤

72. p173 干煎蒜子大虾 +p115 肉片豆腐卷 +p83 雪菜炒粉皮 +p27 双笋拌茼蒿 +p267 鸡片口蘑汤

73. p171 油焖大虾 +p122 山楂肉丁 +p195 炒三鲜 +p14 XO 酱拌丝瓜 + p273 盖菜鱼脯汤

74. p175 白灼基围虾 +p116 萝卜干炒腊肉 +p98 香菇油菜 +p36 绿豆芽拌蛋皮丝 + p270 冬瓜鸭架汤

75. p174 椒盐皮皮虾 +p120 什锦肉丁 +p90 香菇蕨菜 +p29 凉拌侧耳根叶 +p277 猪血豆腐汤

76. p179 香辣炒蟹 +p129 牛肉烧萝卜 +p192 豆腐酿青椒 +p20 蒜泥菠菜 + p261 木耳腰片汤

77. p179 油焖蟹 +p150 银耳鸡胗 +p190 韭菜炒干丝 +p19 翠芹拌桃仁 +p260 雪菜肉丝汤

78. p185 蒜蓉粉丝蒸扇贝 +p145 辣子竹笋鸡 +p98 蒜蓉空心菜 +p19 腐竹拌芹菜 + p261 瘦肉冬菇荸荠汤

79. p188 香辣炒牛蛙 +p111 木樨肉 +p199 苦瓜炒三菇 +p53 蜇头拌白菜丝 +p269 紫菜海米鸡蛋汤

80. p187 葱烧海参 + p111 五花肉炒泡菜 + p77 辣炒卷心菜 + p35 茴香豆 +p284 竹笋香菇汤

厨房小窍门

CHUFANGXIAOQIAOMEN

一、食材选购

怎样选购鲜肉

①看：质量好的新鲜肉，肌肉有光泽，红色均匀，脂肪洁白（牛、羊、兔肉的脂肪或为淡黄色）。

②摸：肌肉外表微干或微湿润，不黏手；指压肌肉后，凹陷立即恢复。

③闻：无异味。

怎样选购猪内脏

①新鲜猪肝有颜色，褐色、紫色都不错，手摸光滑有弹性，闻无异味是好货。

②新鲜猪肚黄白色，手摸劲挺黏液多，肚内无块和硬粒，弹性较足好货色。

③新鲜猪心好选择，无味不黏有血液。

④新鲜猪腰有层膜，光滑润泽不变色。

怎样选购牛百叶

牛百叶的天然颜色应该是淡黄褐色，正确的选购办法：一是摸，如果水发货比较滑腻，可能是用工业氢氧化钠处理了；二是闻，如果凑近水发货闻到刺激的味道，可能是用甲醛浸泡过；三是看，如果颜色过于鲜亮雪白，也要谨慎购买。

选购活鸡的小窍门

选择活鸡说法多，一要看来二要摸。

一看鸡冠红又挺，眼睛圆大很灵活，嘴巴紧闭且干燥，羽毛整齐有光泽，尾部高耸肛门洁，没有鸡屎往外泻。

二摸鸡肉发育好，腿部健壮胸肉多，全身肥实鸡囊瘪，这种鸡仔最鲜活。

怎样选购冷冻禽肉

市场上出售的冷冻禽肉中，有些在冷冻前已是病死家禽，有些则是在解冻之后，由于存放条件不好，引起变质腐败。识别优质冻禽肉与变质冻禽肉方法如下：

①眼睛：新鲜禽肉的眼球饱满，角膜有光泽；变质禽肉眼球干缩、凹陷，角膜混浊污秽。

②口腔：新鲜禽肉口腔黏膜有光泽，呈淡玫瑰红色，洁净无异常气味；变质禽肉口腔上带有黏液，呈灰色，有霉斑或腐败气味。

③皮肤：新鲜禽肉皮肤光泽自然，表面不黏手，具有正常固有气味；变质禽肉体表无光泽，头颈部常带暗褐色，皮肤表面湿润发黏，或有霉斑，有腐败气味。

④肌肉：新鲜禽肉结实富有弹性，鸡肉呈淡玫瑰红色，鸭、鹅肉呈红色，胸肌为白色，微带红色，肌肉稍湿润，但不发黏，具有各种禽肉所固有的气味；变质禽肉肉质松散、发黏，极湿润，呈暗红、淡绿或灰色，有腐败气味。

⑤脂肪：新鲜禽肉脂肪呈淡黄色，有光泽、无异味；变质脂肪色泽稍淡或呈淡灰色，有时发绿、发黏，有涩味、脂化味。

⑥肉汤：新鲜禽肉烧煮的汤汁透明，芳香，有黄色油滴浮于表面，味道纯正鲜美，具各自特有香气；变质禽肉汤质混浊，有白色或黄色絮状物，表面油滴少，香味差，有的还有酸败脂肪的气味。

怎样选购鲜鱼

鲜鱼是指活鱼死后未经冷冻而用冰水保鲜的鱼。而活鱼多指淡水鱼，因为海鱼离开海水就会死去。选购鲜鱼不用多费时间，只要观察五处，保证鲜鱼质量上乘。

一看鱼眼，要光亮透明，眼球突出。

二看鱼鳃，要口鳃紧闭，内红不腐。

三看鱼肛，要肛门紧缩，清洁无屎污。

四看鱼腹，要腹部发白，不能胀肚。

五看鱼身，要挺而不软，有弹性。

怎样选购蘑菇

松蘑：片大体轻，呈黑褐色，身干，整齐，无泥沙，带白丝，油润，不霉，不碎的松蘑质量为好。

猴头蘑：一般以个头均匀，色鲜黄，质嫩，完整不伤须刺，无虫蛀，无杂质者为好。

鸡枞菌：以身干、肉厚、无杂质的为优。

草菇：以色泽明亮、味道清香、朵形完整、无霉变者为佳。

香菇：一级香菇，要求菇面完整有花纹，底色黄白，肉质厚实不翻边，菇面不小于五分硬币，气味淡香，无烟熏烟黑，无虫蛀霉变，无杂质；二级香菇，菇面无花纹，其他和一级相同；三级香菇，菇面无花纹，底色黄白或深棕，身干味香，无虫蛀霉烂烟黑，无杂质，菇面和碎块不小于2分硬币；再次的为等外级。

平菇：八成熟的鲜平菇水分少，外形整齐，颜色正常，质地脆嫩而肥厚，气味纯正清香，无杂味、无病虫害。八成熟的菇菌伞不是翻张开，而是菌伞的边缘向内卷曲。

选购豆制品的三大诀窍

一看色泽。豆制品各品种都有自己独特的色泽，但切忌灰暗色。如豆腐、大白干、厚百叶为乳白色；薄百叶为黄亮色；兰花豆腐干表面与切面均呈金黄色；素鸡呈淡黄色；臭干则黑里透白。此外每个品种的表皮均应光洁、无色差圆点等。

二闻气味。凡豆制品应具豆香味或正常气味，不应闻到腐酸味或哈喇味。如臭干应是臭中带香；豆腐、百叶、白干应有豆香味；香干有茴香、桂皮、酱香的气味；油炸产品有油香味等。

三摸质地。豆制品质地各有特性，但都忌发黏带滑、酸败变质。如豆腐切面应不出水；豆腐干应坚韧密实；素鸡应有弹性、表皮无裂纹、切面无烂心；薄百叶应该对折成叠、不碎不裂；厚百叶应拎角不断；油豆腐应皮薄软韧不瘪、内呈海绵状；粉皮应不生不烂、完整不碎；烤麸应松软无僵块、手捏不滴水；油面筋应不生不瘪且内心松透等。

怎样选购大米

优质米颜色白而有光泽，米粒整齐，颗粒大小均匀，碎米及其他颜色的米极少。当把手插入米时，有干爽感。然后再捧起一把米观察，看米中是否含有未熟米（即无光泽、不饱满的米）、损伤米、生霉米粒。同时还应注意米中的杂质，优质米糠粉少，带壳稗粒、稻谷粒、砂石、煤渣、砖瓦粒等杂质少。

在挑选米时，还要看是否有黄粒米，黄粒米也称黄变米，是由于稻谷收割后，贮存中含水分过高，被霉菌污染后发生霉变所致。黄变米含多种霉菌毒素，其中的黄绿青霉和环氯素已证实有致癌作用，不能食用。

怎样选购面粉

一、测水分：用手抓一把面粉，使劲一捏，松手后面粉随之散开，是水分正常的好面粉；如不散，则为水分多的面粉。

二、品手感：用手捻搓面粉，质量好的，手感绵软；若过分光滑，则质量差。

三、看颜色：从颜色上看，精度高的富强粉，色泽白净；标准粉呈淡黄色；质量差的面粉色深。

四、闻气味：质量好的面粉气味正常，略带有甜味；质量差的多有异味。

二、食材贮存

活鱼保鲜的小窍门

①灌酒法：把活鱼的嘴扒开，向里灌进几滴白酒，然后放置在阴凉黑暗的地方，再盖上能透气的东西。这样即使在夏天，鱼也能活上好几天。

②贴眼法：将两小块浸湿的薄纸片贴在鱼的两眼上，因为鱼视神经后有条死亡腺，离水后就会断掉。用此法可使死亡腺保持一段时间，从而延长鱼的寿命，可使活鱼离水存活三四个小时，放回水中后，很快就能活蹦乱跳。

③穿铁丝法：取一根细铁丝，一头从鱼肛门处穿入并拴住，另一头穿透鱼唇，使活鱼变成一个半月形，然后把鱼放入水中，可有效节制活鱼在少量水中的挣扎程度，延长活鱼的生存时间。

夏季存放面粉须知

夏季雨水多、气温高、湿度大，面粉装在布口袋里很容易吸潮结块，进而被微生物污染发生霉变。所以，夏季是一年中保存面粉最困难的时期。尤其是用布口袋装面，更容易生虫。如果用塑料袋盛面，以"塑料隔绝氧气"的办法使面粉与空气隔绝，既不反潮发霉，也不易生虫。简单易行，便于面粉安全度夏。但是已经受潮就不要再往塑料袋里放了。

绿豆保存法

绿豆在夏季较难保管，稍有不当极易虫蛀，有时您一打开口袋，会有成群的豆虫飞出来，很让人头疼。要想使绿豆不被虫蛀，事先一定要把绿豆晾晒得特别干燥，然后收藏在密封较好的容器中。但由于绿豆吸潮性较大，难免还会受虫蛀，如果将绿豆放在沸水中浸泡一两分钟（目的是杀死虫或虫卵），捞出后摊开晾晒干透后，收藏在容器中密封保存，绿豆就不易虫蛀了，而这种热处理对绿豆的发芽没有多大的影响，即热烫后的绿豆仍可以用来发芽。

若绿豆已经生虫，也可使用这种热烫法，将绿豆先在开水中浸泡约2分钟，把绿豆中的虫卵杀死，晒干后，用罐子密封起来，可以安全过夏不生虫子。

大米防虫的窍门

①花椒大料防虫法：将花椒或大料包成若干小纱布包，混放在米缸内，一层大米放两三包，加盖密封。

②檀香木防虫法：取干透的檀香木，劈成小条，插在米缸内，加盖密封。

③大蒜姜片防虫法：取大蒜、姜片若干，混放在米缸内。

④冷冻防虫法：将大米打成塑料小包，放冰柜中冷冻，取出后，绝不生虫，米多时，轮流冻。

巧存食用油

若要长期存油，应选用色泽暗的、口小的不透明玻璃瓶或陶瓷罐，不能长期使用钢、铁、铝制的金属容器，特别不能用塑料桶盛油。因为塑料桶是由合成树脂加增塑剂、稳定剂等制成的，添加剂种类繁多，有的甚至有毒，容易溶于油中，使油变色变质。

家庭贮油要注意避光和密封，食用油里再放点维生素E，保存效果更好，因为维生素E是一种良好的抗氧化剂，能防止食用油变质。投放比例是500克油放1滴维生素E。这样保存的食用油，可贮存约2年质量不变。

注意忌用透明玻璃容器贮存，这对保护食用油的营养成分不利。食用油存放在透明的玻璃容器内，光线会直接照射，促使食用油中的油脂发生氧化，尤其是紫外线危害更为明显，这样，很容易导致食用油变质变味，营养价值大为降低，还会损害人体健康。

白糖保存窍门

白糖受热、遇潮或贮存时间太长，容易板结成块。可取一个不大的青苹果，切成几块放在糖罐内盖好，过一两天白糖自然松散，取出苹果即可。

还可用一小块干净纱布用水沾湿，把水攥干，放在糖盒里，盖严，第二天糖就会恢复到原来的松散状态。

三、食材加工和处理

巧洗猪肺

取50克料酒，从猪肺的肺管慢慢注入，然后拍打两肺，让酒液渗入到肺的各个支气管内，约30分钟后，再灌入清水拍洗，即可除去腥味，然后再清洗。清洗时不要放在盘内清洗，要把肺管直接套在水龙头上，将水灌入肺内，令其扩张，大小血管皆充满水后，用手搓洗一下，将水倒出来，然后再灌满水，再倒出，直至肺叶发白为止。最后放入沸水中汆烫，使肺管中的残留物浮出，再用清水冲洗即可。

巧洗猪肠猪肚

①水洗法：先用清水把猪肠、猪肚洗几次，洗去明显杂质污物，然后用盐、明矾、醋或淀粉反复搓揉，直至将污物黏液搓净，再用水冲洗，最后放些食醋加水浸泡，可清除异味。

②油洗法：将猪肠、猪肚内翻向外，用清水洗一遍沥干，每个猪肚或每500克猪肠放入花生油10克，用双手反复搓揉两三分钟，再以水清洗，这样可将猪肠、猪肚洗净，煮熟亦芳香可口，也可用其他植物油代替花生油，但不可用动物油。

③干炒法：将猪肠、猪肚放在热锅上干炒，待污水受热外流时，取出置清水中清洗干净。

④葱洗法：将猪肠、猪肚倒净污物，翻卷过来，然后将洗净切碎的葱与之一起搓揉至无滑腻感，再用水冲洗干净即可，葱与猪肠、猪肚的比例为1：10。

巧切皮蛋

皮蛋味虽美，但切起来粘刀，怎么办？只要取根细钢丝或长30厘米左右的缝纫线，两头各系一小木棍，用拉锯的方法将皮蛋锯成条、块等即可，既方便又省事。

鱼胆破了怎么办

加工鱼时，万一不小心弄破了苦胆，可快速在有苦胆的地方放上小苏打，或者洒点酒，然后用清水洗净，苦味即可去除。

巧洗蔬菜

白菜、菠菜、油菜等绿叶菜，往往有蚜虫等小虫子，用清水冲洗不易洗净，又很浪费水。如用盐水洗（少放点盐即可），小虫子受到盐的刺激，一激灵就会与叶子分离。盐水比重大，小虫便会漂浮在水面上，也容易倒掉，再冲洗，又干净又省水。

从冰箱取出的蔬菜因贮存时间较长而显得发蔫，可以在洗菜盆的清水中滴几滴醋，五六分钟后再将菜洗净，洗好的蔬菜将鲜亮如初。

巧焖米饭

煮饭饭时，在大米中加少量盐、少许猪油，会使饭又软又松。

米饭做夹生了，可用筷子在饭内扎些直通锅底的孔，洒入少许料酒重焖，若只表面夹生，只要将表层翻到中间再焖即可。

米饭若烧煳了，赶紧将火关掉，在米饭上面放一块面包皮，盖上锅盖，约5分钟后，面包皮即可把煳味吸收。或者将8～10厘米长的葱段洗净，插入饭中，盖严锅盖，片刻煳味即除。

巧发面

①蒸馒头时，如果面团发得似开未开，而又急于做出馒头，可在面团中间扒个小坑，倒进两小杯白酒，停约10分钟面就会发开了。

②如果事先没有发面，而又想吃上松软的馒头，您可以将每500克面粉加醋50克、加温水350克揉好，过10分钟左右，再加5克小苏打或碱面，揉至没有酸味时，就可做出馒头上屉，蒸出又白又大的馒头。

四、烹饪技巧

炖牛肉烂得快的小窍门

①在炖牛肉前，在肉上抹一层干芥末，放上半天至一天，煮牛肉前用冷水冲掉芥末。牛肉照常法去炖，不但炖得烂，且肉质鲜嫩。若在煮的时候放些料酒或醋，肉就更易煮烂。

②将少量茶叶用纱布包好，放入锅中与牛肉一同炖煮，肉不仅熟得快，而且味道清香。

③在炖肉的锅中放几个山楂或几片萝卜，既可令牛肉熟得快，而且可以驱除异味。

羊肉去膻的小窍门

准备萝卜一个，在萝卜全身上钻满小孔，将萝卜和羊肉一起下锅煮，煮约半小时后，将萝卜取出，羊肉便无膻味了。

炒菜减少维生素流失的技巧

①急火法：炒青菜要用急火，不然维生素就会损失很多。大白菜用急火炒约8分钟，维生素将损失6.2%；用中火炒约12分钟，维生素将损失31%；如煮约20分钟，维生素只能保留30%；如炒后再炖，将损失76%。另

外，青菜加热到60℃，维生素开始被破坏，到70℃，破坏最为严重，到80℃以上破坏率反而下降。所以，急火炒能使青菜很快达到80℃以上，这样能保存青菜中的维生素。

②加醋法：炒青菜时加点醋，将有助于保护青菜里的维生素。

巧煮饺子不破皮

①煮饺子放葱法：在煮饺子水烧开之前，先放些大葱，水开后再下饺子，这样煮出的饺子不易破，熟后盛在碗里也不易粘连。

②盐水煮饺法：锅里的水烧开后加入适量盐，待盐溶解后再下饺子。盖上锅盖，直到煮熟，不用加水，不用翻动。这样煮出的饺子不粘锅，不破皮。

五、厨房用具选购

选购抽油烟机的窍门

①根据需要和爱好购买。市场上出售的抽油烟机有单孔和双孔两种。有人认为双孔一定比单孔好，于是不管是否需要，一律购买双孔抽油烟机。其实，家庭炒菜，一般只用一个火点，单孔抽油烟机就足够了，单孔机价格也较便宜，吸力也大，所以适合于普通家庭使用。

②看排风量大小。抽油烟机的排风量是其技术好坏的一个重要指标。一般来说排风量大些，抽烟效果好。但是如果抽风量过大，也会影响灶具正常散发热量。较适宜的抽风量应在6立方米／分钟以上，10立方米／分钟以下。

③选购抽油烟机时可将电源接通，开启机器，此时扇叶应迅速而平稳地启动，机器运转过程中不应有撞击边壁的现象。当机器开至最大挡位时，噪声也不得高于

70分贝。各个按键应开、关转换自如。

④外观检查。外观要求油漆均匀，色调协调，整件机器端正、美观。

如何选购微波炉

家用微波炉一般选购750～1000瓦，就能满足烹调需要。在选购时，应注意：

①看外观。外观表面颜色应均匀一致，漆层附着力好，硬度高，光亮，无掉漆、划伤等现象。外观形状、箱体外壳和内壁，应无裂痕和变形。炉门与炉腔的接触部位应平整无凹凸痕。炉门开关应灵活自如，门封严密。

②听噪声。微波炉正常工作时，除风机和转盘电机的运转声、变压器轻微的振动声外，不应有其他噪声。在通电检查时，把炉门关好，从门缝处观察炉灯的光线，门缝应不透光。

③试加热。可放1杯200毫升的水，接通电源，按微波炉功率的大小，应在2～5分钟内加热至沸腾。

六、厨房用品的使用及保养

抽油烟机使用小窍门

抽油烟机在使用之前，先用泡软的肥皂头在容易脏的部位涂上一层肥皂然后稍晾一会儿即可使用。日久需洗时，只要用湿布一擦即净，然后再涂些肥皂膜即可。

厨房里的抽油烟机顶部容易受落下的灰尘、油污污染，清洗起来很不方便，可取一旧挂历比着顶部大小，剪成不同形状的纸块，平铺在顶部，接缝处可用胶条粘住，待使用三五个月后再换一块，既方便又免除了清洗之苦。

使用砂锅的窍门

①新买来的砂锅有许多砂眼，会漏水或漏油。预防的办法是：在使用前先用米汤刷洗一下，再装上米汤在火上煮约半小时。

②砂锅防漏另一法：先用生猪油擦锅里面，再用锅炼猪油。

③要防止砂锅炸裂，在用砂锅时要放足水量，不可干烧，中途需加水时，应加温水，也不宜做一些汤汁少的菜肴。

④砂锅对温差变化适应能力较弱，突然受冷受热容易破损。所以用砂锅时加热要慢，砂锅上炉后开始火要小，逐步升温，如煮粥饭之类的食物时，要勤搅动，以免粘锅，如需要用油脂炒菜时，可先在铁锅中炒好后再倒入砂锅烹调。这样做可以防止砂锅炸裂。

菜刀的使用常识

菜刀钝了，可把用钝的刀先放在盐水中浸泡约20分钟，然后在磨刀石上磨，边磨边浇盐水，这样既磨得快，又可延长刀的使用寿命。

菜刀使用后，可放在米泔水中浸一浸。这样就不容易生锈。如已生锈，可用土豆片或萝卜片加少量细沙擦洗，铁锈也很容易去除。如菜刀上有腥味，可用生姜片擦拭菜刀，腥味就可消除。

防砧板开裂的窍门

砧板在使用前，先在砧板轮纹中心处打一个直径为1厘米的洞孔，然后削一段其他木头楔进洞孔内，填平即可。使用再久砧板也不会开裂。

水壶除垢的窍门

①小苏打除水垢：用铝制水壶烧水时，放5克小苏打，烧沸几分钟，水垢即除。

②土豆皮除水垢：将土豆皮放在壶里面，加适量水烧沸，煮10分钟左右，即可除垢。

③热胀冷缩法除水垢：将空水壶放在炉上烧干水垢中的水分，看到壶底有裂纹或烧至壶底有爆裂声时，将壶拿开，迅速注入凉水，或用抹布包上提手和壶嘴，两手握住，将烧干的水壶迅速坐在冷水中（不要让水注入壶内）。这个方法需重复两三次，壶底水垢会因热胀冷缩而自动脱落。

④醋除水垢：可将几匙醋放入水中，烧1小时左右，水垢即除。如水垢中的主要成分是硫酸钙，则可将纯碱溶液倒在水壶里烧煮，也可去垢。

七、厨房卫生与清洁

除墙壁上的油污

做饭时间长了，厨房的墙壁上会粘满油垢，很难除掉。这里介绍一个清除墙上油垢的小窍门：将滚热的稠面糊汤或浓米汤泼在油污处，或用刷子厚厚地涂上一层。待其干透并在墙壁上起皮时，便会将墙上的油垢粘住，随之开裂落下，露出洁净的墙面。若一次清除不净，可再重复进行。

除厨房地面污垢

厨房地面油污多，不易擦净。擦地前可用热水将油污的地面泼湿，使油迹软化，然后在拖把上倒一些醋，随着拖地，地面上的油污也就去除了。

用面汤洗煤气灶

面汤是清洗煤气灶污垢的"良药"，也可以用来擦拭厨房内的污垢。方法是将面汤涂在污处，多涂两遍，浸5分钟左右用刷子刷，然后用清水冲洗即可。如果手头没有洗涤剂，面汤便是很好的代用品。

除砧板异味

①切肉的砧板用久了，会有异味。洗刷时先用淘米水或洗豆腐水浸泡约10分钟，再加碱和盐洗刷，然后用热水冲净，即可去除异味。

②用洋葱或生姜将砧板擦一遍，然后用热水刷洗，异味就会消失。

八、防治厨房害虫

防蚂蚁

①只要在糖罐中加入几根折断的韭菜，就可以防蚂蚁。

②在蚂蚁走过的地方撒上爽身粉(痱子粉)，隔几天就看不到蚂蚁了。

③蚂蚁怕橡皮筋的味道，把橡皮筋绑在桌脚或罐子上即可。

④壁橱里有蚂蚁，可放一些香菜、芹菜等有味蔬菜，即可驱赶蚂蚁。在蚂蚁经常出没的地方放一些核桃叶或烟丝、花椒，也有驱逐蚂蚁的作用。

⑤用洗衣粉稀释后直接抹在蚂蚁常出路的路线上，让它自然干，且不再用水擦拭干净。

⑥用樟脑球磨成粉，撒在蚂蚁常出没的地方，效果很好。

除蟑螂

用杀虫喷雾剂杀蟑螂：

①沿着墙角和屋子四边、墙缝处喷洒，数小时后就会见效。

②喷在蟑螂经过的地板上，喷后不要马上擦地，要让药力多发挥一段时间。

③杀蟑螂喷雾和诱捕蟑螂的蟑螂贴不要同时使用，这样两者的作用反而会相互抵消，降低效力。

所有的蟑螂喷雾都只是治标不治本的，消灭蟑螂生存的环境更为重要。

生态驱虫：

①蟑螂虽然是耐饿的害虫，可是却一天也离不了喝水，要想彻底消灭它，最好的办法就是保持厨房、卫生间的洁净干燥。喝不到水的蟑螂自然无法存活。

②及时清洁厨房的水槽和垃圾袋，这里的食物残渣也是蟑螂的营养源。

③墙缝和摆放食物的地方蟑螂都爱出没，所以要特别确保这些角落的干净。

自制的环保杀虫配方：

将35克砂糖、150克面粉以及500克硼酸混在一起，再加入200克挤去汁的洋葱末，将其做成大圆饼，摊在厚纸上阴干一星期。以上做成的是50份的蟑螂药，用时取一小块放置在蟑螂出没的地方，不用的部分阴干保存即可。

图书在版编目(CIP)数据

家常菜精选 1288 例／本书编写组编． —北京：中国轻工业出版社，
2008.3

(现代人·时尚美食系列)
ISBN 978-7-5019-5613-5

Ⅰ.家… Ⅱ.本… Ⅲ.菜谱 Ⅳ.TS972.12

中国版本图书馆 CIP 数据核字（2006）第 142613 号

责任编辑：仲 丽
策划编辑：现代人 责任终审：孟寿萱
责任校对：李 靖 责任监印：胡 兵 张 可
装帧设计：迪彩·设计 王超男 孟德亮 宋琳媛 单春丽

出版发行：中国轻工业出版社（北京东长安街 6 号，邮编：100740）
印 刷：北京国彩印刷有限公司
经 销：各地新华书店
版 次：2008 年 3 月第 1 版第 13 次印刷
开 本：889 × 1194 1/24 印张：14.5
字 数：451 千字
书 号：ISBN 978-7-5019-5613-5/TS·3259 定价：29.80 元
读者服务部邮购热线电话：010-65241695 85111729 传真：85111730
发行电话：010-85119845 65128898 传真：85113293
网 址：http://www.chlip.com.cn
Email：club@chlip.com.cn
如发现图书残缺请直接与我社读者服务部联系调换
80167S1C113ZBW